# REVUE FRANÇAISE D'HISTOIRE ÉCONOMIQUE

N° 15

# THE FRENCH ECONOMIC HISTORY REVIEW

ÉDITIONS
PRESSES DE LA RECHERCHE HISTORIQUE
ÉRIC LEDRU, DIRECTEUR
12, RUE DE SEINE
75006 PARIS
06 86 95 37 06
SIRET : 750 706 442 00019

CONCEPTION GRAPHIQUE
HUGUES VOLLANT

OUVRAGE COMPOSÉ EN
ROMAIN BP

ISSN
2427-4062

# REVUE FRANÇAISE D'HISTOIRE ÉCONOMIQUE

THE FRENCH ECONOMIC HISTORY REVIEW

N° 15

# Les entreprises françaises face à la mondialisation

## French companies facing globalisation

volume dirigé par / volume edited by

Nathalie A. Champroux et / and Félix Torres

2021 - I

Association des Amis de la Revue française d'Histoire économique
Les Presses de la Recherche historique

REVUE FRANÇAISE
D'HISTOIRE ÉCONOMIQUE

N° 15

# Les entreprises françaises face à la mondialisation

volume dirigé par
Nathalie A. Champroux et Félix Torres

THE FRENCH ECONOMIC
HISTORY REVIEW

N° 15

# French companies facing globalisation

volume edited by
Nathalie A. Champroux and Félix Torres

## Introduction

# LA MONDIALISATION DES ENTREPRISES FRANÇAISES, PHÉNOMÈNE D'HISTOIRE GLOBALE, CHANTIER D'HISTOIRE AU PRÉSENT À OUVRIR

**Nathalie A. Champroux**
Professeure d'Études anglophones à l'université de Tours.

**Félix Torres**
Docteur en Anthropologie École des Hautes Études en Sciences Sociales (EHESS), Agrégé d'Histoire, chercheur HDR Sorbonne Université, directeur fondateur du cabinet d'histoire publique Public Histoire.

Nul ne saurait nier que la mondialisation qui s'est emparée du globe à partir des années 1980 a été, avec la révolution numérique, l'un des phénomènes majeurs de la fin du XX<sup>e</sup> siècle et du début du XXI<sup>e</sup> siècle. Au sein de celle-ci, tout comme durant la 1ère mondialisation du XIXe siècle, les firmes multinationales, les FMN selon l'expression consacrée, ont été les moteurs, les *drivers* privilégiés de l'intégration globale des économies[1], dans un rôle dual

1 – Voir notamment Geoffrey Jones, *Multinationals and Global Capitalism from the nineteenth to the twenty-first century*, Oxford, Oxford University Press, 2005 et « Globalization », in Geoffrey Jones and Jonathan Zeitlin (eds.), *The Oxford Handbook of Business History*, Oxford, Oxford University Press, 2008, p. 141-168.

de « facteur et conséquence[2] ». Fait politique, économique, social et culturel total, la mondialisation est tout naturellement l'un des marqueurs de cette « histoire globale » qui a surgi intellectuellement depuis quelques années[3].

Globalisation, mondialisation ? La question des termes n'est pas négligeable. Alors que la planète, qu'elle soit ou non anglophone, utilise le premier terme, synonyme d'interaction et d'intégration généralisées, parties et tout confondus, la France emploie le second, à la définition plus restreinte, celle économico-géographique de la libération des échanges et de libre-circulation des marchandises, capitaux, services, personnes, techniques, information[4]... D'où un certain paradoxe français. La France est la 4e ou 5e économie mondiale, en queue du peloton de tête rassemblant, derrière les États-Unis et dans un ordre qui a varié, la Chine, le Japon, l'Allemagne et la Grande-Bretagne. Elle dispose pourtant, au sein d'une économie largement tournée vers l'extérieur - l'Europe, mais aussi le reste du globe - d'un bloc important d'entreprises multinationales, supérieur même à celui de l'Allemagne, quoique ces entreprises présentent une taille moyenne moindre.

Curieusement, le pays de naissance du père de la notion d'« économie-monde » dans les années d'après-guerre, Fernand Braudel (avec Immanuel Wallerstein), n'apprécie guère, c'est un euphémisme, la mondialisation, véritable *horreur économique*[5] pour beaucoup. De façon tout aussi surprenante, la séquence inaugurée par la chute du bloc communiste en 1989 qui fait triompher économie et économisme jusqu'à l'idée d'une « fin de l'histoire » est synonyme d'une « quasi disparition de l'histoire économique » dans l'université française[6]... On ne s'étonnera pas que, par voie de conséquence, le rôle des grandes entreprises françaises dans la 2e mondialisation, en France comme dans leur *étranger proche* (l'Europe et l'Afrique) a été fort peu étudié. Est-ce du fait de la trop grande contemporanéité du phénomène ? À l'heure d'une histoire en continu, ce dernier ne relève pourtant plus tout à fait du temps immédiat si l'on considère que la phase d'« hyper-mondialisation » de la 2e globalisation s'est

2 – Olivier Feiertag, « L'histoire économique du XXe au XXIe siècle : des murailles de Chine à l'empire du Milieu », in Dominique Barjot, Anna Bellavitis, Bertrand Haan et Olivier Feiertag, *Regards croisés sur l'historiographie aujourd'hui*, Paris, SPM, 2020, p. 155.

3 – Voir, entre autres, Serge Gruzinski, *Les quatre parties du monde. Histoire d'une mondialisation*, Paris, Éditions de La Martinière, 2004 ; *Revue d'histoire moderne et contemporaine*, Paris, Belin, supplément n° 54/4bis : « Histoire globale, histoires connectées », 2007 ; Laurent Testot (dir.), *Histoire globale, un autre regard sur le monde*, Auxerre, Éditions Sciences Humaines, 2008, 2015 ; *Cahiers d'histoire : revue d'histoire critique*, Paris, Association P. Langevin, n° 121 : « Pourquoi l'histoire globale ? », octobre 2013.

4 – La mondialisation est illustrée sur le site Wikipédia français par une mappemonde de Mercator plaçant l'Europe et la France au centre du monde, quand la globalisation fut longtemps illustrée, sur le site anglais, par un globe parcouru de flèches en tous sens.

5 – Titre du best-seller de Viviane Forester paru en 1996 chez Fayard, Prix Médicis essai.

6 – Voir Olivier Feiertag, « L'histoire économique du XXe au XXIe siècle : des murailles de Chine à l'empire du Milieu », *op. cit.* quant à la presque disparition de l'histoire économique et les remarques de Jean-Claude Daumas « Où va l'histoire économique en France aujourd'hui ? », in Jean-Claude Daumas (dir.), *L'Histoire économique en mouvement entre héritages et renouvellements*, Lille, Presses universitaires du Septentrion, 2012, p. 19-58.

achevée avec la crise financière de 2008, c'est-à-dire il y a plus d'une décennie. Une éternité en quelque sorte ! Il est donc temps de s'« aventurer sur le terrain du temps présent pour étudier les transformations qui se sont opérées dans les structures, le fonctionnement et les dynamiques des entreprises depuis la crise des années 1970 qui, pour l'essentiel, ont été abandonnés aux sociologues et aux économistes[7]. »

Évoquer la globalisation des grandes entreprises renvoie à un faisceau de questions : Quand débute-t-elle ? Comment définir la notion de grande entreprise multinationale française ? Quels sont les facteurs et les processus à l'œuvre de ce qui ne relève plus uniquement de l'internationalisation comprise au sens large comme un simple « processus d'implication croissante sur les marchés internationaux »[8] ? Avec quels résultats ? Quel est l'impact de cette mondialisation sur l'économie nationale, avec ses diverses conséquences ? Y a-t-il un mode spécifique de globalisation de la grande entreprise française, sinon une mondialisation « à la française » ? Celle-ci est-elle réversible ? Ce sont ces questions, et bien d'autres, que nous avons tenté de traiter ici.

Dans un premier article, « La mondialisation des entreprises françaises à partir des années 1980, un changement global d'échelle et de logique », Félix Torres cerne les principales caractéristiques du phénomène[9]. Il montre que le mouvement d'externalisation des FMN hexagonales provient de l'imbrication de plusieurs phénomènes dans un contexte de retrait de l'État : nécessité de trouver des relais de croissance hors d'un marché domestique mature, mais aussi émancipation par rapport aux carcans étatistes et fiscaux de celui-ci dans le cadre d'une planète économique globalisée, marquée notamment par la financiarisation, l'intégration des marchés et celle des processus de production. La globalisation des grandes entreprises françaises procède ainsi d'un *Momentum* historique au cours duquel ses protagonistes tournent le dos à l'« État propulsif modernisateur[10] » propre à l'industrialisation « à la française ».

D'où sans doute un succès incontestable reposant sur la nécessité de réussir par soi-même dans le « grand large » d'un marché global et non plus national, impératif également caractéristique des échecs *a contrario* comme ceux d'Alcatel Alsthom, Arcelor et Areva. Dans cette perspective, la globalisation a signifié pour les FMN françaises, anciennes, nouvelles ou « *born again* », une

7 – Voir Jean-Claude Daumas in Jean-Claude Daumas (dir.), *L'Histoire économique en mouvement entre héritages et renouvellements*, *op cit.*, p. 218, ainsi que l'ensemble du texte « Où va l'histoire économique en France aujourd'hui ? », p. 19-58.

8 – Définition large de l'internationalisation des entreprises proposée par Lawrence S. Welch and Reijo. K. Luostarinen, "Internationalization: Evolution of a Concept", *Journal of General Management*, vol. 14, No.2, 1988, p. 36-64.

9 – Voir *infra*.

10 – Expression de Pierre Rosanvallon citée par Dominique Barjot dans « Mondialisation, modèles nationaux de développement et stratégies d'entreprises XIXe-XXIe siècles », *Revue française d'histoire économique*, n° 3, 2015/1, p. 234-262.

véritable métamorphose qui a radicalement modifié leurs stratégies, leurs domaines d'activité, leur financement, leur capital et leur gouvernance. Enfin, deux autres caractéristiques de la mondialisation des grandes entreprises françaises méritent d'être signalées : un large spectre d'activités, analogue à celui des FMN américaines, et une stratégie active de conquête de parts de marché mondial grâce à une politique plus ou moins agressive d'acquisitions externes plutôt que celle d'une croissance organique « à l'allemande » autour de grandes chaines de valeur.

La plupart des caractéristiques ainsi identifiées se retrouvent dans le cas de Lafarge, exemple-type de firme française passée du stade de l'internationalisation à celui de la globalisation, comme le montre Dominique Barjot dans « Lafarge : de l'internationalisation à la mondialisation (1949-2014)[11] ». Lafarge s'engage précocement dans l'expansion internationale, au Canada (Colombie britannique et Québec) puis aux États-Unis, tout en réalisant une mutation du contrôle familial vers une gestion managériale bientôt multidivisionnelle avec son recours au cabinet McKinsey en 1965. Malgré une hésitation sur le portefeuille d'activités entre l'importance du ciment et celle de la diversification vers de nouveaux matériaux, cette internationalisation poussée en Europe (Royaume-Uni et Espagne), Afrique du Nord (Maroc) et Brésil se transforme en globalisation au pas de charge à partir de 1989 et de l'ouverture des marchés mondiaux, notamment dans l'ancienne Europe de l'Est et dans la zone Asie-Pacifique. Jusqu'en 2007, le groupe Lafarge s'impose comme le *leader* mondial, surclassant son grand rival Holdenbank, une affirmation permise par un management modèle et inclusif, un effort considérable de recherche-développement et une avance technologique concrétisés par le lancement de nouveaux produits innovants.

Cette course à la taille (une tendance industrielle, française en particulier, trop fréquente), marquée par les rachats de Redland (1998), Warren (2000), Blue Circle (2002) et Eurascom (2008) générant un endettement élevé et fragilisant la structure capitalistique débouche sur le rapprochement, dans des conditions défavorables, avec Holcim en 2015, suivi de la disparition en 2021 du groupe français au sein du nouvel ensemble. Entre internationalisation et globalisation, il semblerait que Lafarge n'ait pas construit la véritable stratégie capitalistique qui lui aurait permis de consolider ses succès industriels, techniques et commerciaux mondiaux.

Comment s'articulent le processus de mondialisation des économies nationales et des politiques entrepreneuriales qui ne se recoupent pas tout à fait ? Dans son article "One hypothesis, two methods, two results. Shown with the example of the world truck market, 1970-2000[12]", Harm G. Schröter aborde

11 – *Vide infra.*
12 – *Vide infra.*

cette question avec le marché mondial du camion, distinct et moins connu que celui de son cousin automobile. Au moyen de deux points de vue statistiques, deux approches macro- et micro-économique, il s'interroge sur la pertinence, pour ce qui est de ce marché du camion, de la thèse de la « triadisation » de Kenichi Ohmae[13] selon laquelle « ce qui compte dans l'économie mondiale, c'est ce qui se passe dans la Triade États-Unis, Europe occidentale et Japon ». Son étude valide cette thèse. L'industrie mondiale du camion montre, quelle que soit l'échelle d'analyse choisie, un résultat étonnant : le maintien, malgré le recul de l'Europe, des positions des pays et entreprises de la Triade, notamment les États-Unis.
Néanmoins, Harm G. Schröter aboutit aussi à la conclusion d'une « différence substantielle en matière de performance suivant la façon dont on définit la Triade : comme un ensemble de pays ou comme un ensemble d'entreprises[14] ». La thèse de la domination de la Triade se vérifie davantage au niveau micro- que macro-économique. Il est vrai qu'en arrêtant son analyse à 2000, Harm G. Schröter laisse en-dehors la percée à venir des BRICS (Brésil, Russie, Inde, Chine, Afrique du Sud) puis celle des « Onze Prochains » (N-11 : Bangladesh, Égypte, Indonésie, Iran, Mexique, Nigeria, Pakistan, Philippines, Corée du Sud, Turquie et Vietnam). C'est poser à la fois la question de l'évolution différente de la mondialisation selon les secteurs – celui des camions n'étant pas celui de l'automobile – et de ses raisons, tout comme celle de la périodisation de la 2e mondialisation et de ses bornes d'ouverture-fermeture (ou d'entrée dans une nouvelle phase).

La place de la mondialisation française dans l'ouverture et l'internationalisation d'un autre pays est abordée par Esther M. Sánchez Sanchez et Rafael Castro Balaguer dans l'article "French Multinationals and Spanish Capital c. 1950s-1990s[15]", au travers des trois secteurs du nucléaire, de l'industrie de l'armement et de l'automobile. Comme l'écrivent les auteurs : « Les multinationales étrangères installées en Espagne furent activement impliquées dans le développement du capital humain local. Leur objectif était de créer un environnement industriel, scientifique et technique à même d'internaliser, à court et moyen terme, les connaissances et les compétences exportées avec les capitaux[16] ». Le processus fut marqué par la dissymétrie avec, d'un côté des Pyrénées, le caractère économique mineur d'une Péninsule à la traine et, de l'autre côté, l'importance de la France qui représente en général le quart du

13 – Kenichi Ohmae, *Triad Power. The Coming Shape of Global Competition*, New York, The Free Press, 1985, trad. franç. : *La Triade. L'émergence d'une stratégie mondiale des entreprises*, Paris, Flammarion, 1985 ; et *The Borderless World*, New York, Harper Business, 1990.

14 – Notre traduction de "There is a substantial difference in performance depending on how the Triad is defined: as a collection of countries or as a collection of enterprises", Harm G. Schröter, "One hypothesis, two methods, two results. Shown with the example of the world truck market, 1970-2000", *infra*.

15 – *Vide infra*.

16 – Notre traduction de "Foreign multinationals operating in Spain were actively involved in the development of local human capital. Their aim was to create an industrial and scientific-technical environment capable of internalizing, in the short to medium term, the knowledge and capabilities exported together with capital", *ibid*.

total des contrats de transfert de technologie (licences et assistance technique) conclus entre l'Espagne et les firmes étrangères. Il fut aussi caractérisé par un double effet de discontinuité-continuité.
Ainsi, la percée que constitue la construction du réacteur de Vandellós 1, lancé au milieu des années 1960 et mis en service en 1972, n'aura pas de lendemain, pour des raisons de coût et de compétitivité. La France abandonne en effet sa technologie à uranium naturel graphite gaz (UNGG) pour celle des réacteurs à eau pressurisée sous licence américaine (PWR de Westinghouse) ; l'Espagne (malgré l'apport de technologie et de savoir-faire que constitue Vandellós 1) renouvelle son appel antérieur à la technologie du PWR en mettant en service, à partir de 1981, Vandellós 2[17]. En parallèle de la production et de la vente d'armements (sous-marins Daphné et Agosta ; tanks AMX 30 ; Mirage III E & F1 et leurs systèmes), l'automobile montre au contraire – comme chez Lafarge et Renault en Russie – la continuité pouvant exister entre l'internationalisation et la globalisation, de l'implantation précoce d'une unité de production, à partir de 1951, à la création de la filiale FASA (Fabricación de Automóviles SA)-Renault en 1964, puis à celle de Renault España. Cette dernière devint même le premier constructeur espagnol d'automobiles, comptant parmi les plus « importants, dynamiques et compétitifs » de l'ensemble de l'industrie du pays. Un succès inscrit dans la longue durée à partir des années 1990 et le passage à une globalisation plus intégrée par l'assemblage en Espagne de pièces produites à la fois en France et par des sous-traitants hispaniques. Néanmoins, du fait du « retard » engendré par le franquisme, toujours perceptible selon les auteurs, l'externalisation horizontale de l'industrie française en Espagne reste limitée, sans véritable émancipation locale et, ajoutons-le, loin de la perspective de constituer un relais vers les marchés émergents d'Amérique latine.

Analysée par Boris Vinogradov, « La stratégie de Renault en Russie des années 1960 à nos jours[18] » indique que, comme en Espagne, l'implantation durable d'une entreprise automobile dans un pays donné est le fruit d'« une longue histoire ». Fortement aidée par son statut d'entreprise publique, Renault débute, dès les années 1960, son implantation industrielle sur le marché soviétique. À la fin des années 1990, tirant parti de son expertise russe et de son habitude des négociations avec un actionnaire public, le groupe choisit une stratégie d'alliance avec un partenaire étatique, la mairie de Moscou. Les 230 millions d'euros que Renault investit dans sa construction dans la capitale

17 – La France n'a jamais été désireuse de prolonger Vandellós, à la fois pour les raisons techniques et de compétitivité-coût (prohibitif) déjà énoncées, institutionnelles (séquelles de l'affrontement CEA-EDF pour les technologies UNGG/PWR), la focalisation à cette époque de l'électricien français sur le grand programme nucléaire hexagonal, avec l'absence d'une véritable stratégie internationale de sa nouvelle technologie nucléaire issue d'une licence américaine, malgré les contre-exemples ponctuels de l'Afrique du Sud (Koeberg), de l'Iran (Darkhovin), de la Corée du Sud (Uljin) et, un peu plus tard, de la Chine (Daya Bay, Ling Ao). Voir les passages correspondants de Boris Dänzer-Kantof et Félix Torres, *L'énergie de la France. De Zoé aux EPR, l'histoire du programme nucléaire*, Paris, Éditions François Bourin, 2013.
18 – *Vide infra.*

feront de l'usine d'Avtoframos la 4$^{e}$ de la future Alliance Renault-Nissan. Le succès de l'implantation dans la Russie post-soviétique procède ainsi d'une politique de localisation de la production, adossée à la coopération avec les fournisseurs locaux.
En décembre 2007, Renault entre dans le capital du premier constructeur russe, AvtoVAZ (marque Lada) qui, recapitalisé à partir de 2016 au sein de la co-entreprise Renault-Rostec, elle-même contrôlée majoritairement par le constructeur franco-japonais, devient l'une de ses filiales. En combinant production locale, partenariats et alliance stratégique, Renault contrôle aujourd'hui, directement et indirectement, plus du tiers du marché local ( ! ), loin devant le coréen Hyundai et l'allemand Volkswagen, sa meilleure position dans un grand marché mondial. Une implantation dans la durée qui participe au décollage de l'économie russe à partir de 2003 et de celui des investissements directs à l'étranger (IDE) qu'elle génère, tout en sachant aussi surmonter ses secousses traditionnelles.

Dans « Virgin France, coup d'essai de l'internationalisation d'un groupe entre opportunisme et décentralisation[19] », Nathalie A. Champroux prend un point de vue inverse, celui d'une implantation étrangère en France, celle du flamboyant et impétueux entrepreneur britannique Richard Branson. La France a en effet été la première destination d'une expérience d'internationalisation réussie de Virgin, avec le lancement, en 1981, du label d'édition phonographique Virgin France SA (filiale de Virgin Record) puis, à partir de 1988, de Virgin Stores SA, première filiale étrangère de Virgin Retail à ouvrir un Virgin Megastore hors du Royaume-Uni, sur l'avenue des Champs-Élysées à Paris, avant l'ouverture d'une trentaine d'autres dans des grandes villes françaises.

Virgin France n'est pas née d'« une stratégie d'internationalisation mûrement planifiée » afin, par exemple, de sortir d'un marché intérieur saturé (ce n'était pas le cas outre-Manche) ou de satisfaire des actionnaires exigeants (les investissements de Virgin en France furent, au contraire, très ambitieux). Les implantations françaises ont presque été « le fruit du hasard », celui d'une rencontre du fondateur de Virgin avec la figure de Patrick Zelnick. Hors-plan, elles ont plutôt été caractérisées par un fort degré d'opportunisme, d'influence du réseau social et professionnel, et de décentralisation au profit d'équipes locales aux solides compétences transversales. Pour n'avoir pas été longuement réfléchies et planifiées, ces expériences d'internationalisation n'en ont pas moins remporté un franc succès grâce, notamment, au travail de l'équipe d'experts français bien ancrés dans le marché national du disque et aux moyens considérables déployés. Dès lors, c'est par le biais de *joint-ventures* montées avec des partenaires locaux que Virgin développera la stratégie d'internationalisation de ses activités de production et de distribution de produits culturels.

19 – *Vide infra.*

Comme le montre le succès de Virgin en France dans les années 1980[20], l'implantation réussie d'une entreprise et d'un *business model* hors de son territoire initial procède aussi d'un « écart » et d'une adaptation plutôt que de la simple duplication d'une formule de départ, même si l'entreprise court aussi souvent le risque de voir surgir des concurrents nationaux au sein de capitalismes nationaux susceptibles de la reprendre à leur profit, sinon l'exporter à leur tour.

Loin d'être un simple processus d'homogénéisation globale des marchés, comme le pensait Théodore Levitt, pionnier de la notion[21], la mondialisation fait plutôt surgir des différenciations en tout genre, y compris au sein du processus du capitalisme lui-même, générant plusieurs capitalismes, alliés, partenaires, concurrents ou antagonistes[22]. C'est ce que nous montre la globalisation actuelle dans sa nouvelle phase, marquée par sa remise en question plus ou moins vive pour être la cause d'inégalités internes et externes, de la montée des populismes et des tentations protectionnistes, du Brexit, des affrontements commerciaux entre grands pays et leurs zones d'influence... L'Histoire s'impose, à nouveau, d'où la nécessité de mieux connaître le rôle qu'a joué et que joue le vecteur privilégié que constituent les grandes entreprises dans cette « dynamique-monde ».

*Pour Mémoire : Bertrand Collomb*

La *Revue française d'histoire économique* ouvre, avec ce numéro, une nouvelle rubrique consacrée à de grandes figures économiques et entrepreneuriales, à leur action et à leur portée. La première d'entre elles est le chef d'entreprise Bertrand Collomb (1942-2019, qui conduisit de façon dynamique et humaniste le passage du groupe Lafarge de l'internationalisation à la globalisation).

**20** – Notons, en cela, une similitude avec le cas de l'implantation réussie de McDonald's France dans un pays *a priori* peu propice à la *fast food* !

**21** – Theodore Levitt, « The Globalization of Markets », *Harvard Business Review*, mai-juin 1983.

**22** – Voir Bruno Amable, *Les Cinq Capitalismes. Diversité des systèmes économiques et sociaux dans la mondialisation*, Paris, Seuil, 2005 ; et, récemment, Branko Milanovic, *Le Capitalisme sans rival. L'avenir d'un système qui domine le monde* (2019), trad. franç., Paris, La Découverte, 2020.

# LA MONDIALISATION DES ENTREPRISES FRANÇAISES À PARTIR DES ANNÉES 1980, UN CHANGEMENT GLOBAL D'ÉCHELLE ET DE LOGIQUE

**Félix Torres**

Docteur en Anthropologie École des Hautes Études en Sciences Sociales (EHESS), Agrégé d'Histoire, chercheur HDR Sorbonne Université, directeur fondateur du cabinet d'histoire publique Public Histoire.

Les grandes entreprises françaises ne sont plus les « champions nationaux » des années 1960-1970. Elles ont entamé une mutation spectaculaire à partir des années 1980, une métamorphose qui les a vu changer d'échelle et de logique sous l'effet d'une série de grands facteurs : la globalisation des marchés et des économies, la financiarisation du capitalisme et de leur propre logique capitalistique, l'essor des investissements directs à l'étranger (IDE), etc.

Réunies pour la plupart au sein du CAC 40 créé en décembre 1987, ces entreprises sont d'origine plus ou moins ancienne (L'Air Liquide, L'Oréal, Michelin, Renault, Saint-Gobain, PSA, Total...), relativement récente (Accor, AXA, BNP Paribas, Bouygues, Carrefour, Danone, Kering, LVMH, Pernod Ricard...) ou des sortes de « *born again* » ayant connu, après diverses cessions, regroupements et recombinaisons d'actifs hérités et nouveaux, une nouvelle naissance/ recréation (Engie, Sanofi Aventis, Schneider Electric, Veolia Environnement,

Vinci...). Sans oublier celles qui ont trébuché sur le seuil de la globalisation (Alcatel Alsthom, Arcelor, Pechiney...). Une autre caractéristique des grandes entreprises françaises réside dans l'étendue de leurs domaines d'activité, une vingtaine de secteurs différents, à l'instar des grandes entreprises américaines – ces dernières quatre fois plus nombreuses –, à la différence des entreprises allemandes (plus industrielles) ou britanniques (plus financières), concentrées sur quelques grands secteurs.

Bénéficiant de la puissance des institutions financières nationales à partir de la déréglementation de la Place de Paris dans la seconde moitié des années 1980, les grandes entreprises françaises ont développé une stratégie active de


## ABSTRACT

**THE GLOBALISATION OF FRENCH COMPANIES FROM THE 1980S ONWARDS, A GLOBAL CHANGE IN SCALE AND LOGIC**

From the 1980s to the 2000s, the first phase of the 2nd globalization has been one of the major phenomena of the end of the 20th and the beginning of the 21st century. One of its characteristics is the rise of Multinational Firms (MNFs) acting in a global and integrated way beyond the simple internationalization of the post-war decades. While the French economy has been affected by this movement rather than embracing it, the extensive globalization of the large French companies has so far been little studied. The movement of French outsourcing MNFs stems from the intertwining of several phenomena, in a context of the withdrawal of the State: the need to find growth lays outside a mature domestic market, but also an emancipation from the statist and fiscal constraints of the latter in the context of a globalized economic planet, characterized in particular by financialization and the integration of markets and production processes. From this perspective, globalization has meant for French MNFs, whether old, new or "born again", a real metamorphosis that has radically modified their strategies, areas of activity, financing, equity and governance. Two other characteristics of this globalization are worth noting: a broad spectrum of activities, similar to that of American MNFs; and an active strategy of conquering global market shares through a more or less aggressive policy of external acquisitions rather than "German-style" organic growth with major value chains.

## RÉSUMÉ

Des années 1980 aux années 2000, la première phase de la 2e mondialisation a été l'un des phénomènes majeurs de la fin du XXe et du début du XXIe siècle. L'une de ses caractéristiques est l'essor de Firmes multinationales (FMN) agissant de manière globale et intégrée au-delà de la simple internationalisation des décennies d'après-guerre. Si l'économie française a subi plutôt qu'endossé ce mouvement, la mondialisation poussée qui a été celle des grandes entreprises françaises a pour l'instant été peu étudiée. Le mouvement d'externalisation des FMN hexagonales procède de l'imbrication de plusieurs phénomènes, dans un contexte de retrait de l'État : nécessité de trouver des relais de croissance hors d'un marché domestique mature, mais aussi une émancipation des carcans étatistes et fiscaux de celui-ci dans le cadre d'une planète économique globalisée, marquée notamment par la financiarisation, l'intégration des marchés et des processus de production. Dans cette perspective, la globalisation a signifié pour les FMN françaises, anciennes, nouvelles ou « *born again* » une véritable métamorphose qui a radicalement modifié leurs stratégies, leurs domaines d'activité, leur financement, capital et gouvernance. Deux autres caractéristiques de la mondialisation des grandes entreprises françaises méritent d'être signalées : un large spectre d'activités, analogue à celui des FMN américaines ; une stratégie active de conquête de parts de marché mondiales grâce à une politique plus ou moins agressive d'acquisitions externes plutôt qu'une croissance organique « à l'allemande » autour de grandes chaines de valeur.



JEL Classification: **F15, F23, L10, N20**
Key words: **Financiarization, Globalization, Global strategies, Large French companies, Multinational Firms (MNFs)**
Mots clés: **Financiarisation, Firmes multinationales (FMN), Globalisation, Grandes entreprises françaises, Mondialisation, Stratégies de globalisation**

conquête de parts de marché mondial. Elles ont généralement privilégié une stratégie agressive d'acquisitions externes (quoique non-exclusive) plutôt qu'une croissance organique « à l'allemande » via la création d'implantations *ex-nihilo* et de chaînes de valeur correspondantes. Pour cette internationalisation, elles ont choisi de façon privilégiée l'Europe (Russie incluse), les Amériques et le Moyen-Orient plutôt que l'Extrême-Orient et le bassin Pacifique, à l'exception de quelques-unes comme Schneider Electric.

Au travers d'exemples comparés comme ceux d'Alcatel, de L'Oréal, du Groupe SEB, de Schneider Electric, nous tenterons une première appréhension de la spécificité de la globalisation à la française dans sa temporalité, ses stratégies, ses espaces géographiques et ses modalités de déploiement, son financement, sa gouvernance et sa propriété capitalistique, et la gestion de ses relations humaines. Y a-t-il une entreprise française globale et si oui, laquelle ?

## LES CARACTÉRISTIQUES DE LA MONDIALISATION DES ENTREPRISES FRANÇAISES

Après la première au XIXe siècle, la seconde mondialisation du dernier quart du XXe et des débuts du XXIe siècle a été le phénomène majeur des quarante dernières années sous tous les plans, notamment celui des économies et des entreprises. La France, « 5e puissance économique mondiale » selon l'expression consacrée, n'y a pas échappé. Le virage global pris en particulier par les grandes entreprises françaises à partir de la pierre blanche que constitue 1985, première année où l'investissement français extérieur l'emporte sur les investissements étrangers en France, est net. De 1981 à 1991, le pays investit 106 milliards de dollars à l'étranger, contre 216 milliards pour le Japon, 202 pour le Royaume-Uni, 184 pour les États-Unis, 107 pour l'Allemagne. Les divers classements des premières entreprises mondiales placent les françaises telles Total, AXA, Carrefour, GDF-Suez, Saint-Gobain, Vinci, Bouygues, Lafarge, L'Oréal, Schneider Electric, Michelin..., au 4e ou 5e rang mondial, derrière celles des États-Unis, de la Chine, du Japon et de l'Allemagne.

Indicateur parmi d'autres, le classement annuel des 2 000 plus grandes entreprises mondiales établi par le magazine américain *Forbes* enregistre, en 2010, 29 entreprises françaises dans le Top 500 mondial, derrière les États-Unis (165), le Japon (48), l'Allemagne (34), la Chine (30), devant la Grande-Bretagne (28), la Corée du Sud (20)... On retrouve cette cinquième place dans le Top 200, la France se hissant même au niveau de l'Allemagne dans le Top 100, avec 7 entreprises l'une et l'autre, derrière les États-Unis (31), le Japon et la Chine (8)[1]. La globalisation des Firmes multinationales (FMN) actuelles n'est plus la simple internationalisation des années d'après-guerre ; elle ne se résume ni à

1 – Voir par exemple l'analyse de Didier Lucas, « Les champions français dans le monde », *Outre-Terre*, n° 33-34, 201/32, p. 267-274.

l'exportation, ni à la délocalisation des processus manufacturiers aux dépens de l'industrie nationale à laquelle certains cherchent à la réduire. Ce mouvement recouvre plusieurs logiques majeures non exclusives les unes des autres et qui se recoupent très souvent[2] :

- l'exportation directe ou indirecte ;
- les implantations commerciales, industrielles, commerciales et logistiques hors des frontières nationales via des investissements directs à l'étranger selon une double approche de :
  - l'expansion verticale privilégiant la création de chaînes de valeur (selon la logique de « décomposition internationale des processus de production » ou DIPP proposée par l'économiste Bernard Lassudrie-Duchêne en 1982), avec notamment la délocalisation industrielle ou production *offshore*)[3] ;
  - l'expansion horizontale : multi-implantations commerciales et industrielles, afin de desservir de nouveaux marchés domestiques dans une logique de conquête de parts de marché mondiales ;
  - les stratégies de croissance par acquisition d'autres acteurs pour aller plus vite ou pénétrer des marchés trop obsidionaux ;
  - les stratégies de transfert de technologie, de licences ou de franchises commerciales internationales ;
- les stratégies d'alliances et de partenariats (comme celui noué entre General Electric et Snecma - aujourd'hui Safran - qui a fait de leur gamme de moteurs de moyenne poussée CFM56 puis LEAP, co-conçus, co-produits et co-commercialisés au sein de la coentreprise CFM International, les *leaders* mondiaux de leurs secteurs et les plus vendus de l'histoire de l'aviation civile[4]).

La logique de globalisation des FMN englobe et reformule toutes ses approches, la présence sur un marché extérieur s'inscrivant dans une stratégie intégrée de distribution optimale des rôles. Un pays (ou une zone géographique) peut être, pour une FMN, à la fois un lieu de R&D, un espace de production, un territoire de commercialisation, une base logistique de réexportation régio-

2 – Voir la bibliographie générale qui suit cet article. Citons notamment, pour appréhender celles-ci à l'échelle des entreprises : en termes managériaux, Jean-Louis Amelon et Jean-Marie Cardebat, *Les nouveaux défis de l'internationalisation*, préface d'Anne-Marie Idrac, Bruxelles, Éditions de Boeck, 2010 ; et historiques, Albert Broder (dir.), « L'implantation internationale », *Entreprises et Histoire*, n° 8, juin 1995 ; Dominique Barjot (dir.), « Globalization - La mondialisation », *Entreprises et Histoire*, n° 32, avril 2003 ; Dominique Barjot et Marie-Claude Esposito (dir.), *Mondialisation. Modèles nationaux de développement et stratégies d'entreprises XIX^e^-XXI^e^ siècles*, Paris, SPM, 2016 ; Geoffrey Jones, *Multinationals and Global Capitalism from the nineteenth to the twenty-first century*, Oxford, Oxford University Press, 2005.

3 – Sur celle-ci, voir la référence que constitue le livre d'El Mouhoub Mouhoud, *Mondialisation et délocalisation des entreprises*, Paris, La Découverte, 1ère édition, 2006, régulièrement réédité.

4 – Voir Guy Norris et Félix Torres, *CFM. The Power of Flight*, Orange Frazer Press, Wilmington, Ohio, 2017 ; Félix Torres, *René Ravaud. Une vie pour l'industrie*, Paris, Manitoba/Les Belles Lettres, 2020 ; Félix Torres, « De Snecma à Safran, du CFM56 au LEAP, la globalisation de l'industrie des moteurs d'avion », in Colloque « 1909-2019. 100 ans d'aviation civile et commerciale en France », Paris, 4-5 octobre 2019, actes à paraître.

nale[5]. À l'instar du rôle que prend la Chine à partir des années 2000 : *sourcing* (approvisionnement) et atelier de production concernant tout ou partie d'une chaine de valeur, immense marché, base de réexportation régionale vers l'Asie-Pacifique, etc[6].

**L'INTERNATIONALISATION ET SES CAUSES VUES PAR LES GRANDES ENTREPRISES FRANÇAISES EN 1985-1989[7]**

• Nature des activités exigeant une présence proche des utilisateurs sur leurs différents marchés (L'Air liquide) ;
• effet d'échelle pour des produits « mondiaux » pouvant être produits partout et transportés facilement (magnétoscopes) ;
• amortissement rapide des coûts initiaux de recherche (composants électroniques, produits pharmaceutiques chez Rhône-Poulenc et les Laboratoires Guerbet) ;
• ralentissement du marché de base – la France notamment – ne progressant plus que lentement, d'où la nécessité de gagner de nouveaux marchés (boissons alcoolisées et non alcoolisées pour Pernod-Ricard) ;
• part de marché désormais très importante sur le marché national, d'où la nécessité d'élargir sa base commerciale et de diversifier ses risques (raison complémentaire de la précédente) ;
• volonté de « marche en avant », d'une « ambition sous-tendant l'action », que l'on soit une moyenne (Laboratoires Guerbet) ou une grande entreprise (Accor, Cap Gemini) progressant de 10 % par an et plus. Selon l'expression des responsables de la firme pharmaceutique : « On ne peut pas durablement mobiliser le personnel sur la bonne gestion et la rentabilité[8]. »

En matière d'exportation, les forces et faiblesses des entreprises françaises sont bien connues : forces dans des domaines comme l'aéronautique (Airbus, Dassault, Safran) ou le luxe (LVMH, Kering), faiblesses dans le domaine des PME et ETI, derrière leurs homologues allemandes ou italiennes, faute d'un véritable Mittelstand à l'allemande[9]. Très décriées dans l'Hexagone, les délocalisations ne touchent qu'une part mineure de l'industrie nationale, hormis

5 – Sur le vaste sujet qu'est la globalisation des grandes firmes mondiales, outre les travaux classiques et incontournables de Mira Wilkins, Geoffrey Jones et Suzanne Berger, voir Jean-Louis Amelon et Jean-Marie Cardebat, *Les nouveaux défis de l'internationalisation*, *op. cit.* ; J.-P. Biasutti et L. Braquet, « Les métamorphoses de l'entreprise multinationale » et « L'émergence de la firme globale », in Jean-Pierre Biasutti et Laurent Braquet, « La grande entreprise financiarisée », in *Comprendre l'entreprise*, Paris, Ellipses, 2013, p. 95-106 et 108-118 ; European Business Association, *Transnational Companies 19th - 20th Centuries*, Paris, Éditions PLAGE, 2002 ; E.M. Mouhoud, *Mondialisation et délocalisation des entreprises*, *op. cit.* ; Geoffrey Jones, « Firms and global capitalism » et Randall Morck and Bernard Yeung, « Enterprise models : Freestanding firms versus family pyramids », in L. Neal and J. Williamson, *Capitalism, vol. II. The Spread of Capitalism From 1848 to the Present*, the Cambridge History of Capitalism, Cambridge University Press, 2014, p. 169-200 et 201-229 ; Preston Perluss, « Global Value Chains: vistas for study of historical firm strategies and regional economic development », in Dominique Barjot et Marie-Claude Esposito (dir.), *op. cit.*, p. 138-147 ; et Félix Torres, HDR Sorbonne Université, Volume II - *Manuscrit original. Entrepreneurs, firmes, filières, espaces : le souffle de l'entreprise*, chapitre 10, « La mondialisation des entreprises françaises ou le destin contrasté de Schneider Electric et d'Alcatel Alsthom », repris dans *Revue française d'histoire économique*, 2019.

6 – Voir notamment Edward Tse, « The China Challenge », *Strategy + Business*, No.58, printemps 2010, en ligne et *The China Strategy: How to Win the New Game of Global Enterprise*, Basic Books, New York, 2010 ainsi que Félix Torres (ed.), *Le temps de la Chine. Les entreprises françaises au défi du plus grand marché du monde*, Pékin, Chambre de commerce et d'industrie française en Chine/Félix Torres Éditeur, 2014.

7 – Enquête de l'Institut de l'Entreprise reprise dans Félix Torres, *L'intelligence de l'entreprise. 40 ans de pensée patronale en France*, Paris, Manitoba/Les Belles Lettres, 2017.

8 – *Ibid.*, p. 94.

9 – Voir par exemple Stéphan Bourcieu, *Commerce extérieur : anatomie d'un mal français*, préface de Patrick Artus, Paris, Management prospective Éditions, 2014.

certains secteurs à forte masse salariale et faible valeur ajoutée comme le textile et les jouets.

Sous la direction de Jean-Louis Descours (1916-2013), son président de 1960 à 1996[10], le groupe André devenu Vivarte au tournant des années 2000 s'affirme ainsi comme un groupe international, principalement européen, en réduisant drastiquement son appareil industriel lorrain surdimensionné au cours des années 1970 et en passant progressivement à une logique systématique d'achat/*sourcing* en Asie du Sud-Est[11]. Cela lui permettra de résister à la crise de l'industrie de la chaussure française et européenne, frappée de plein fouet par la montée des importations bon marché, et de lancer, à partir de 1981, deux enseignes *discount*, La Halle aux Chaussures et La Halle aux Vêtements, alimentées par des chaînes d'approvisionnement autonomes et aux ROCE (Retour sur capital employé) nettement plus élevé que celui des magasins traditionnels, ceux de la marque André inclus. À la fin des années 1990, faute d'une structure capitalistique adaptée, Vivarte passe sous la coupe de plusieurs fonds d'investissement payant leur acquisition par l'endettement par effet de levier (LBO). Alors que le secteur traverse des temps difficiles, la dette trop importante générée va grever le développement du groupe jusqu'à nos jours et provoquer une cascade ininterrompue de restructurations et de cessions de marques, réduisant sans cesse le périmètre d'activité du groupe.

**LES RAISONS DU « GLISSEMENT ACCÉLÉRÉ » HORS DE FRANCE DES GRANDES ENTREPRISES FRANÇAISES AU COURS DES ANNÉES 2000, UN REGARD CONJONCTUREL**[12]

- Climat des affaires défavorable.
- Coût du travail et charges sociales trop élevées.
- Manque de capitaux français.
- Complexité administrative et juridique.
- Fiscalité personnelle décourageante.
- Relations difficiles entre monde de l'entreprise et monde politique.

À la conquête de marchés extérieurs et de parts de marché mondiales, les entreprises françaises ont privilégié, comme le montrent les parcours de Lafarge, Schneider Electric, L'Oréal et des groupes automobiles Renault-Nissan-Mitsubishi et PSA une stratégie d'expansion horizontale combinant croissance externe et création de positions commerciales et industrielles à l'étranger, plutôt qu'une stratégie de chaine de valeur verticale associant l'importation de biens intermédiaires à leur assemblage sur le territoire domestique et à leur

**10** – Voir Jean-Louis Descours, *Les Pieds sur Terre : l'aventure d'un entrepreneur à travers son siècle*, préface de Raymond Barre, Paris, Albin Michel, 2002 ; *Impose ta chance. Souvenirs et réflexions*, Paris, Félix Torres Éditeur, 2010 et, en collaboration avec Gabriel Milési, *Entreprendre à grands pas : comment faire d'une PME une multinationale ?*, Paris, Michel de Maule, 2013.

**11** – J.-L. Descours, *Impose ta chance, op. cit.*, notamment p. 77-89 et 98-105.

**12** – Selon Frédéric Monlouis-Félicité, « Les grandes entreprises en France : je t'aime, moi non plus », *Les Notes de l'Institut*, Institut de l'Entreprise, octobre 2015, d'après une étude McKinsey auprès de vingt dirigeants de grandes entreprises françaises.

réexportation, à l'instar des entreprises allemandes[13]. La présence française en Chine s'inscrit dans une démarche analogue, une implantation de type domestique dans le pays du Milieu succédant à partir de 2000 à l'exportation de grands ensembles et biens industriels, sans que s'infléchisse une balance commerciale franco-chinoise fortement déficitaire[14].

Ce mode d'expansion internationale et ses conséquences directes ou indirectes sur l'emploi contribuent à expliquer la place ambivalente des grandes entreprises françaises, d'ailleurs contrôlées en grande partie par des capitaux étrangers, dans leur pays d'origine[15]. Censées ne pas ou peu créer d'emploi en France (ou de le délocaliser), elles ont tendance à être perçues comme des entités égoïstes « hors-sol » et, dans tous les cas, n'améliorent pas le sentiment négatif d'une partie de l'opinion française à l'égard de l'entreprise privée et de la mondialisation. Dimension politique et économique, macro et micro s'entremêlent ici dans un dossier plus que jamais actuel.

La mondialisation concerne aussi des entreprises petites ou moyennes, des démarches à chaque fois originales, le plus souvent dans un cadre familial, que l'on a pu qualifier ailleurs de « champions cachés[16] ». Créée dans le village mosellan de Saint-Quirin en 1967 et installée depuis 1976 à Phalsbourg, toujours en Moselle, l'entreprise de transport et de logistique Faure & Machet se lance dans l'aventure internationale à partir de 1994-1995, en installant ses plateformes logistiques dans des pays qui s'ouvrent à peine, la Russie et la Pologne, où elle devient durablement le n° 1[17]. Ce qui est devenu le groupe FM Logistics bâtit son expansion mondiale en Europe centrale et orientale, avant de s'implanter en Chine, au Brésil et en Inde. Une logique en apparence paradoxale où se combinent tropisme rhénan (les voyages internationaux se déroulent via l'aéroport de Francfort, plus proche de Phalsbourg que celui de Roissy Charles de Gaulle) et la volonté de décliner un *business model* original dans des pays « neufs » en termes d'infrastructures logistiques et de grands clients, ce que ne sont plus les pays d'Europe occidentale[18]. Le groupe FM Logistics pèse aujourd'hui plus d'un milliard d'euros de chiffre d'affaires, emploie 19 500 collaborateurs, gère 58 plateformes logistiques et 2 500 véhicules dans un espace intercontinental allant de Sao Paulo à Shanghai.

**13** – Voir à propos de l'industrie automobile française et allemande, Denis Lacoste et Pierre-André Buigues, « Les stratégies d'internationalisation des entreprises françaises et des entreprises allemandes : deux modèles d'entrée opposés », *Les Annales des Mines - Gérer et comprendre*, n° 124, 2016/2.

**14** – Félix Torres, HDR Sorbonne Université, Volume II, *op. cit.*, chapitre 11 « Les entreprises françaises en Chine. Demi-succès ou réussite dans la durée ? ».

**15** – Voir F. Monlouis-Félicité, « Les grandes entreprises en France. Je t'aime moi non plus », *op. cit.*

**16** – Expression d'Hermann Simon dans son livre *Les Champions Cachés du XXI^e^ siècle. Stratégies à Succès*, traduit en français en 2012 chez Économica avec une préface d'Yvon Gattaz.

**17** – *L'avenir en partage. De Faure & Machet au groupe FM, la force d'une histoire collective*, préface de Michel Hau, Paris, Félix Torres Éditeur, 2016, édité dans la dizaine de langues des pays où est présent le groupe mosellan.

**18** – Le groupe FM Logistics travaille via ses plateformes au service de grands clients internationaux, grandes marques d'agro-alimentaire et de cosmétiques, enseignes de grande distribution.

La mondialisation peut aussi être ratée, à l'instar de celles d'Arcelor[19] racheté par Mittal pour former Arcelor-Mittal, Pechiney absorbé par Alcan[20], Alcatel par Nokia et des difficultés récurrentes d'Alstom, ces deux dernières sociétés formant autrefois Alcatel Alsthom, l'ancienne Compagnie générale d'électricité. Déjà évoqué, le parcours d'Alcatel Alsthom apparaît à la fois paradoxal et emblématique, car le champion national qu'était la Compagnie générale d'électricité avait su, des années 1980 à la première moitié des années 1990 bâtir, suite à quelques opérations industrielles majeures (le rachat des filiales européennes d'ITT en 1986, la constitution de GEC-Alsthom en 1989) un groupe multi-métiers, leader mondial dans les télécommunications, le transport et la production d'énergie, les câbles, les batteries... En apparence, car peu justifié et mal réalisé, le recentrage sur les télécommunications et une stratégie capitalistique défaillante subit une lourde sanction de la part des marchés financiers au tournant des années 2000, achoppe de façon structurelle sur la révolution d'Internet, rate sa fusion avec l'américain Lucent avant de sombrer définitivement au cours des années 2010. Alstom, devenu indépendant sous cette dénomination à partir de 1998, accumule une série de déboires requérant son sauvetage par l'État jusqu'à la cession de sa branche énergie à General Electric. En 2019, le rejet du rapprochement avec Siemens Mobility, le pôle transport de Siemens par la Commission européenne, ouvre paradoxalement une période de rebond pour le spécialiste du transport ferroviaire. Le rachat en 2020-2021 de Bombardier Transport pour plusieurs milliards d'euros va donner naissance au n° 2 mondial du secteur du rail.

Au-delà des péripéties capitalistiques, industrielles et humaines, tout se passe comme si Alcatel, ainsi qu'Alstom jusqu'à récemment, n'avaient pas su sortir du mode d'expansion des années 1960-1970, c'est-à-dire des fusions et rationalisations industrielles - ITT Europe, GEC, reprise du pôle turbines d'ABB par Alstom en 1999, rapprochement Alcatel-Lucent en 2006 - sans l'instauration de véritables croissances organiques, ni la création de valeur conséquente à l'heure de l'Ebitda, ce résultat brut d'exploitation à partir duquel les marchés calculent le niveau d'endettement théorique d'une société, et donc la valorisation de ses actifs par des marchés financiers tout autant globaux que les entreprises multinationales elles-mêmes.

Les déboires et le démantèlement d'Areva procèdent sans doute d'une logique domestique analogue : création en 2000 par ventilation des participations de l'État et juxtaposition d'ensembles aux profils distincts, Cogema et Framatome, le tout sans véritable capitalisation ni injection de fonds propres. Faute d'un marché national dynamique, saturé par la pérennité plus longue que prévu de la soixantaine de tranches du grand programme nucléaire, Areva n'a d'autre

19 – Voir Éric Godelier, *Usinor-Arcelor, du local au global*, Paris, Hermès, coll. « Lavoisier », 2006.

20 – « Manger ou être mangé », « Une seule recette : gagner », voir l'analyse du directeur de cabinet spécialisé en stratégie Serge Blanchard, *Notre avenir dépend d'eux*, Paris, Éditions François Bourin, 2010 : « L'oligopole maîtrisé où les concurrents jouaient avec des systèmes d'armes comparables a vécu. L'époque que nous vivons est différente. »

perspective que de se tourner vers un marché global que sa logique toute hexagonale de filière (du combustible au client final) échouera très vite à conquérir, faute de produits adaptés à leurs marchés, du savoir-faire nécessaire (cf. les déboires de l'EPR finlandais d'Olkiluoto) et de circonstances extérieures moins favorables que prévu. Celles-ci ne peuvent se résumer aux conséquences de la catastrophe de Fukushima, comme en témoignent au même moment les percées d'*outsiders* tels le coréen Kepco et le russe Rosatom.

L'histoire du défunt ensemble Areva reste à écrire, montrant en particulier qu'il s'agit alors de la dernière « grande manœuvre industrielle » à la française[21] qui a buté sur les contraintes incontournables de la globalisation qu'aucune économie et entreprise ne sauraient ignorer... sauf à disparaître : capitalisation adéquate (trop fragile, Areva n'a jamais été coté en Bourse) + stratégie « glocale » (à la fois globale et locale) pertinente à l'égard des marchés et clients potentiels.

## LA SPÉCIFICITÉ FRANÇAISE DE LA GRANDE ENTREPRISE

Si l'importance des grandes entreprises dans l'économie nationale est une spécificité française bien connue, leur poids s'est encore accru à l'heure de la mondialisation. Encore faudrait-il s'accorder sur le terme de « grande entreprise » au-delà du seul prisme des sociétés appartenant au CAC 40 et de celles que l'on pourrait qualifier de firmes multinationales françaises[22].

Selon la définition de l'INSEE[23], avec un chiffre d'affaires de plus d'un milliard et demi d'euros et plus de 5 000 salariés, la France comptait, en 2014, 243 grandes entreprises dont bon nombre d'entreprises familiales et une soixantaine de filiales de groupes étrangers. Leur poids dans l'économie française est majeur : 36 % du chiffre d'affaires total des entreprises en France (10 % en 1994, 14 % en 2017, sur des critères différents mais indiquant leur importance croissante), 33 % de la valeur ajoutée, 30 % de l'emploi marchand total (soit 4,5 millions de salariés), 38 % de l'investissement, 40 % des impôts et taxes payés par les entreprises et 52 % des exportations. Le glissement du centre de gravité des groupes français multinationaux vers l'international s'accentue au fil des dernières décennies. Selon l'INSEE, en 2012, ceux-ci (hors secteur bancaire) réalisaient 54 % de leur chiffre d'affaires consolidé à l'étranger avec 56 % de leurs effectifs, soit 5,3 millions de salariés localisés hors de l'Hexagone.

Si la présence d'entreprises françaises parmi les grandes firmes internationales par le chiffre d'affaires et la capitalisation boursière est notable, le spectre

21 – Voir les analyses d'Élie Cohen dans *Les grandes manœuvres industrielles* (avec Michel Bauer), Paris, Pierre Belfond, 1985 ; *L'État brancardier. Politiques du déclin industriel*, Paris, Calmann-Lévy/Fondation Saint-Simon, 1989 ; *Le colbertisme high-tech. Économie du grand projet*, Paris, Hachette Pluriel, 1992.

22 – Laurent Faibis (dir.), *La France et ses multinationales. Stratégie globale et intérêt national*, Paris, Xerfi, 2011, dénombre à la fin de son ouvrage 40 FMN, 5 groupes bancaires et 4 groupes d'assurance relevant de la catégorie de firmes multinationales.

23 – *Les grandes entreprises en France*, INSEE, 2014. Avant 2008, sur des critères différents plus réducteurs, l'INSEE n'en dénombrait que 125.

étendu des domaines d'activité concernés retient aussi l'attention. Ainsi le classement Global 500 de *Fortune* recensait, en 2010, 39 entreprises françaises réparties dans 18 secteurs différents, tout comme les firmes américaines, au nombre de 139, alors que les 46 groupes chinois dénombrés n'évoluaient que dans 13 secteurs distincts, essentiellement industriels (chimie, sidérurgie, automobile, etc.). Présence de la City oblige, plus d'un tiers des *leaders* britanniques opéraient dans le domaine financier (banque et assurance) contre 17 % pour les groupes français. 37 % des grandes entreprises allemandes étaient directement liées à l'industrie manufacturière, le quart seulement pour les firmes françaises. La diversité de la représentation sectorielle de la France illustre celle de son territoire et de son tissu économique, mais aussi celle d'un modèle économique généraliste. Les entreprises d'origine française sont ainsi présentes dans quasiment tous les domaines : activités financières, industrie manufacturière, matières premières, BTP et Entreprise, services, agro-alimentaire, luxe et cosmétiques, distribution, logistique...

**DES FIRMES MULTINATIONALES FRANÇAISES *LEADERS* MONDIAUX DE LEUR SECTEUR**

| Groupe | Rang mondial (CA 2010) | Secteur |
|---|---|---|
| **Accor** | Top 5 | Hôtellerie |
| **Air liquide** | 1 | Gaz industriel |
| **Alstom** | 1 | Transport |
| **BNP Paribas** | 5 | Banque |
| **Bouygues** | 2 | BTP/diversifié |
| **Capgemini** | 5 | SSII |
| **Carrefour** | 2 | Distribution |
| **Danone** | 6 | Agroalimentaire |
| **EADS/Airbus** | 2 | Aéronautique |
| **EDF** | 3 | Énergie |
| **Essilor** | 1 | Optique |
| **France Telecom** | 6 | Télécoms |
| **GDF Suez (aujourd'hui Engie)** | 2 | Énergie |
| **L'Oréal** | 1 | Cosmétiques |
| **Lafarge (auj. Lafarge Holcim)** | 1 | Matériaux de construction |
| **LVMH** | 1 | Luxe |
| **Michelin** | 1 | Pneumatiques |
| **Pernod Ricard** | 2 | Spiritueux |
| **PPR (auj. Kering)** | 2 | Luxe |
| **Publicis** | 3 | Publicité |
| **Saint-Gobain** | 1 | Verre/diversifié |
| **Sanofi-Aventis** | 3 | Pharmacie |

| Groupe | Rang mondial (CA 2010) | Secteur |
|---|---|---|
| **Schneider Electric** | 1 | Matériel électrique |
| **STMicroelectronics** | Top 5 | Semi-conducteurs |
| **Suez Environnement (auj. Suez)** | 2 | Services collectifs |
| **Technip (auj. TechnipFMC)** | Top 5 | Ingénierie pétrolière |
| **Total** | 5 | Pétrole |
| **Vallourec** | 2 | Tubes industriels |
| **Veolia Environnement** | 1 | Services collectifs |
| **Vinci** | 1 | BTP |

*La France et ses multinationales*, Xerfi, 2011.

Dans cette perspective, rien d'étonnant à ce que de nombreuses grandes entreprises françaises aient conquis des positions de *leadership* mondial dans leur secteur. Dans les services, l'industrie et ailleurs, l'une des particularités de la surreprésentation des multinationales françaises tient à leur domination, non de « micro-marchés » de niche à la façon des sociétés du Mittelstand allemand, mais de marchés globaux de grande taille. C'est le cas d'AXA, géant incontesté de l'assurance, de Veolia Environnement (ex Compagnie générale des eaux) pour la distribution de l'eau, d'Air liquide dans les gaz industriels, de L'Oréal dans la cosmétique, de LVMH dans le luxe, d'Essilor dans l'optique, etc. Une bonne dizaine de multinationales françaises peuvent revendiquer le rang de numéro un mondial sur un marché important, ce qui est considérable pour la cinquième ou sixième économie mondiale.

Les FMN françaises ont bâti, on l'a vu, cette position privilégiée principalement par le mode de la croissance externe et de la conquête agressive de parts de marché. Spécificité française issue du caractère hybride du capitalisme hexagonal plus influencé par la déréglementation à l'anglo-saxonne que par l'« ordo-libéralisme » allemand, la maîtrise des processus d'ingénierie financière et de fusion-acquisition a activement contribué à la constitution de géants mondiaux, à la différence des groupes allemands, plus familiaux et pratiquant plus largement la croissance organique. Indicateur significatif du peloton de tête des entreprises françaises, le CAC 40 a vu son indice multiplié par cinq en trente ans, la valorisation des entreprises qui le composent aujourd'hui ayant été multipliée par 20, à plus de 1 200 milliards d'euros ! Cet effet de levier a contribué tant à financer l'essor des groupes hexagonaux capables de devenir des FMN qu'à consolider leur poids et leur effet d'entraînement de l'économie française.

## LA MÉTAMORPHOSE DES ANNÉES 1990-2000

Ce décollage a eu lieu précisément entre 1995 et 2007, au sortir de la crise du tournant des années 1980-1990 et à la veille de celle de 2008, autour de deux pics, celui de 2000 à près de 7 000 points (6 922 le 4 septembre) et celui de 2007 à plus de 6 000 points (6 168 le 1er juin), les entreprises membres connaissant un rythme de croissance très élevé, de l'ordre de 10 % par an, essentiellement appuyé sur l'exploration de « nouveaux territoires[24] », la période 1995-1999 incarnant l'ascension du système financier privé et l'ère des « grandes batailles » financières[25], sinon industrielles, à l'image de la deuxième moitié des années 1960, la mondialisation complétant l'essor du Grand marché européen.

Du début des années 1980 à la fin de la première décennie des années 2000, trois décennies que je qualifierais pour ma part d'« hyper-mondialisation[26] », les FMN françaises ont « changé d'échelle[27] », mais aussi de nature et de dynamique, en réinventant leur projet stratégique et leur périmètre d'activité, en élargissant l'étendue et la composition de leur capital, avec la nouvelle gouvernance correspondante.

Des groupes anciens à des degrés divers (Saint-Gobain, Lafarge, L'Air liquide, Michelin, L'Oréal, Publicis...) ont changé de rythme et de dimension, d'autres ont émergé ou se sont radicalement réinventés (AXA, Engie, LVMH, Kering, Schneider Electric, Vinci...). Troisième laboratoire mondial, *leader* du marché des vaccins, Sanofi-Aventis est ainsi issu de l'imbrication de cinq grands groupes et de dizaines de laboratoires en une entité unique rassemblant notamment Sanofi (filiale d'Elf-Aquitaine créée en 1973) ayant fusionné en 1999 avec Synthélabo (filiale pharmacie de L'Oréal) et Aventis (issu du rapprochement en plusieurs étapes de l'allemand Hoechst, des français Rhône-Poulenc et Roussel-Uclaf ainsi que de l'américain Marion Merell Dow) pour donner naissance en 2004 à Sanofi-Aventis, géant mondial qui continue de croître par l'acquisition ciblée de petits laboratoires partout dans le monde.

Dès la fin de la seconde moitié des années 1970, les grandes entreprises françaises ont commencé à préparer, après l'internationalisation entamée au cours des années 1950-1960, ce qu'elles qualifient déjà de mondialisation, à savoir l'interdépendance croissante des échanges et des communications, la

24 – « Les leviers de la croissance organique », enquête conduite en partenariat par l'Institut de l'entreprise, Mercer Management Consulting et l'École centrale Paris, *Les Notes de l'Institut*, juin 2005, cité par Félix Torres, *L'intelligence de l'entreprise*, *op. cit.*, p. 102.

25 – François-Xavier. Dudouet et Éric Grémont, *Les grands patrons en France. Du capitalisme d'État à la financiarisation*, Paris, Éditions Lignes de repères, p. 78-110.

26 – Au sein de la seconde mondialisation, entamée à partir de 1945, la première étant celle du XIXe siècle, sachant qu'à cette hyper-mondialisation marquée par ce que l'on a appelé le Consensus de Washington succède la crise de 2008, puis la poursuite d'une mondialisation à la fois ralentie (mais toujours en cours), contestée par l'émergence des « 3 P » (populisme, protectionnisme, patriotisme) au sein d'un monde de plus en plus heurté et multipolaire.

27 – Dominique Barjot, « Existe-t-il un modèle français de la grande entreprise ? », in « Saint-Gobain 350 ans. Histoire et mémoire de l'entreprise », *Revue française d'histoire économique*, n° 6, 2016/2, p. 90-113. Voir également Dominique Barjot (dir.), *Globalisation - La mondialisation*, *op. cit.* et D. Barjot et M.-C. Esposito (dir.), *op. cit.*

nouvelle dimension mondiale des marchés et... la concurrence entre nations et marchés qu'elles entraînent. Une large part de cette prise de conscience se déroule au sein de l'Institut de l'entreprise (IDEP), fondé en 1975 par l'aile moderniste du patronat français[28]. Celui-ci rassemble des dirigeants français de filiales de groupes internationaux en France comme Jean Chenevier, son premier président, à la tête de BP France, des *leaders* en vue d'entreprises précocement internationales, comme François Dalle pour L'Oréal et Olivier Lecerf pour Lafarge-Coppée. Il brasse les réflexions collectives animées par le secrétaire général de l'Institut, Michel Drancourt, auteur du livre *La France du grand large*[29], une démarche d'ouverture moderniste jalonnée par une série de rapports et aboutissant en novembre 1987 au 2e Congrès de l'entreprise, « Les entreprises : pour horizon le monde » qui rassemble 6 000 personnes en deux jours.

Le discours d'ouverture d'Ernest-Antoine Seillière, vice-président de l'Institut et futur président du MEDEF, est significatif : « La mondialisation de la vie économique et financière nous paraît être le facteur décisif de la fin de cette décennie. [...] C'est la mondialisation, en Europe et au-delà, qui nous contraint et nous contraindra davantage à nous dépasser. Tout de suite : *il n'y a pas le choix*[30]. » Des années 1970 aux années 1980, la prise de conscience précoce d'une nécessité largement diffusée et partagée par les acteurs concernés est sans aucun doute l'un des facteurs de la réussite de la mondialisation des grandes entreprises françaises.

Une mondialisation anticipée et préparée très tôt par Lafarge[31], L'Oréal et Schneider, trois groupes où l'on assiste au passage de l'internationalisation entendue comme la multiplication de présences sur des marchés domestiques locaux à l'intégration dans un marché global. Successeur d'Eugène Schueller, François Dalle conduit chez L'Oréal une vigoureuse politique d'internationalisation, en s'implantant dans les principaux marchés d'Europe occidentale, en Italie, Allemagne et Royaume-Uni, mais aussi aux États-Unis (acquisition en plusieurs étapes de Cosmair) et au Japon, les pays de ce que l'on a appelé la Triade. Au début des années 1960, la part du chiffre d'affaires réalisé par L'Oréal hors de France atteignait à peine 3 % ; en 1985, celle du « Grand Oréal » (expression maison) dépasse les 60 %. Britannique de nationalité, le gallois

**28** – Pour son histoire, voir F. Torres, *L'intelligence de l'entreprise*, *op. cit.*

**29** – Paris, Robert Laffont, 1981 et pour tout ce passage, F. Torres, chapitre 5, « L'Europe et le monde. Le choix du grand large », in *L'intelligence de l'entreprise* ; *op. cit.*, p. 175-202.

**30** – Ernest-Antoine Seillière, ouverture du 2e Congrès de l'entreprise, « *L'entreprise des années 90 : pour horizon le monde* », Institut de l'entreprise, 1987, 16 p.

**31** – Sur l'histoire et la mondialisation de Lafarge, voir Léon Dubois, *Lafarge Coppée. 150 ans d'industrie*, Paris, Belfond, 1988 ; Martine Muller et Félix Torres, *L'identité d'un groupe. Lafarge Coppée 1947-1989*, Public Histoire, 1989 ; Dominique Barjot, « Lafarge (1994-2004). Comment on devient une firme mondiale », *Revue Économique*, vol. 58, n° 1, janvier 2007, p. 79-111 et « Lafarge : de l'entreprise internationale à la firme mondiale (1993-2007) », in Dominique Barjot et Marie-Claude Esposito (dir.), *op. cit.* p. 234-262. Voir également l'analyse d'Hervé Dumez et Alain Jeunemaître, *Understanding and Regulating the Market at a Time of Globalization. The Case of Cement Industry*, préface de Suzanne Berger, New York, Palgrave Macmillan, 2002, consacrée principalement au marché nord-américain.

Lindsay Owen-Jones, aux commandes du groupe de Clichy de 1988 à 2006, transforme celui-ci en ensemble global tourné vers les consommatrices de l'ensemble du globe autour de deux slogans emblématiques « La beauté pour tous » et « Parce que je le vaux bien (*Because I am worth it*)[32]. »

Aux commandes de Schneider de 1980 à 1996, Didier Pineau-Valencienne a fait de la mondialisation l'un des axes du redéploiement de l'ex groupe franco-belge Empain-Schneider déjà évoqué plus haut, expliquant fréquemment de façon publique la portée de la mutation en cours. Au printemps 1982, lors d'un forum organisé par l'Institut de recherche de l'entreprise (IREP) de l'École supérieure de commerce de Lyon, il explique que les entreprises françaises n'ont pas vraiment conscience que la « mondialisation des prix et des économies » est inéluctable, marquée par l'essor d'un monde de concurrence « sauvage » (c'est-à-dire de concurrence libre non bridée par les monopoles et les distorsions nationales des marchés)[33]. « DPV » ne cessera d'inciter à la constitution de groupes industriels français capables de devenir des *leaders* internationaux comme le sien :

> Une course internationale s'engage entre des participants de moins en moins nombreux : il s'agit d'atteindre des parts de marché significatives, de l'ordre de 10 à 20 % dans chaque pays concerné, et de s'y maintenir grâce à des produits à la fois meilleurs et plus compétitifs. Voilà le facteur temps devenu un élément clé de la stratégie industrielle. Nous devons globaliser et internationaliser sans tarder nos activités[34].

## DU CAPITALISME D'ÉTAT AU CAPITALISME MONDIAL LIBÉRALISÉ

L'expansion internationale des entreprises françaises n'a pas été sans quelques arrière-pensées politiques, fiscales et idéologiques. Ainsi en est-il allé de l'investissement de Lafarge au Canada et en Amérique du Nord dans le contexte de guerre froide des années 1950 et de la crainte du basculement de la France dans le camp communiste ; de la cession d'une partie du capital de L'Oréal au groupe suisse Nestlé en 1976 à l'heure du Programme commun de la gauche ; sinon de plusieurs tentatives à l'extérieur des frontières hexagonales dans la première moitié des années 1980, en réaction à la nationalisation d'une

32 – Jean Laudereau et Félix Torres, *Mémoire de L'Oréal*, rapport interne, 1992 ; Hubert Bonin, Carole Pailhé et Nadine Polakowski, "The French Touch: International Beauty and Health Care at L'Oréal (since 1907)", in European Business Association, *Transnational Companies 19th - 20th Centuries*, Paris, Éditions PLAGE, 2002, p. 91-125 et Jacques Marseille, avec Félix Torres, *L'Oréal 1909 - 2009*, Paris, Perrin, 2009.

33 – Cité dans D. Pineau-Valencienne, *Dans la boucle de l'hirondelle. Mémoires d'entreprise*, Paris, Albin Michel, coll. « Mémoires d'entrepreneurs », 2003, p. 100-102. Yvon Gattaz et Philippe Simonnot mentionnent également, dans *Mitterrand et les patrons 1981-1986*, Paris, Fayard, 1999, p. 144, lors du rassemblement des chefs d'entreprise à Villepinte le 14 décembre 1982 une intervention significative du premier : « Nous sommes atteints d'un strabisme hexagonal qui nous conduit à une myopie dangereuse sur ce qui se passe hors de nos frontières. [...] Il nous manque la conception d'un jeu global à travers le monde que nous devons poursuivre pour assurer la pérennité de nos industries. »

34 – « Devenir mondial », in D. Pineau-Valencienne, *Dans la boucle de l'hirondelle*, *op. cit.*, p. 248-254.

partie de l'appareil industriel et bancaire français et au contrôle concomitant de la part des pouvoirs publics. Sans oublier la politique fiscale illustrée par la création de l'Impôt sur les grandes Fortunes (IGF) par François Mitterrand en 1982, supprimé lors de la cohabitation par le gouvernement de Jacques Chirac afin d'enrayer notamment la fuite des capitaux, et rétabli en 1988 par celui de Michel Rocard sous le nom d'Impôt de solidarité sur la fortune (ISF) pour financer le Revenu minimum d'insertion (RMI).

Dans cette perspective, la mondialisation des entreprises françaises dans le cadre d'un nouveau monde globalisé peut se lire comme une émancipation des carcans du marché national et de ses logiques étatistes et para-étatistes. La globalisation des grandes entreprises françaises procède d'un *Momentum* historique au cours duquel ses protagonistes tournent le dos à l'« État propulsif modernisateur[35] » traditionnel à la française et à sa « politique industrielle ». Au cours de la période 1984-2004, du dépôt de bilan de Creusot-Loire au sauvetage d'Alstom en 2004 par Nicolas Sarkozy, alors ministre de l'Économie et des Finances, suivi en 2005 de l'affirmation par le Premier ministre Dominique de Villepin de l'idée de « patriotisme économique », l'État se retire en effet du jeu micro-économique au profit d'une « nouvelle grammaire des affaires sous l'égide de la finance[36] » : ascension de celle-ci et recomposition du système financier français dans une logique privée, trains de privatisation de la plupart des grands acteurs économiques nationalisés, pantouflage d'une partie de la haute fonction publique rejoignant les « grands patrons du CAC 40 », etc.

Ce processus sans sujet central (à savoir un État incitateur définissant des objectifs de développement grâce à des agences ou institutions centrales telle MITI au Japon) devient un impératif stratégique que l'on pourrait résumer par l'alternative « se mondialiser ou périr ». Une grande entreprise doit, comme l'exprimait Didier Pineau-Valencienne en 1982, à la fois sortir activement des frontières nationales pour trouver, par elle-même, des relais de croissance performants et rentables ; mais aussi conquérir des parts de marché mondial face aux autres grands concurrents, tous évoluant dans un contexte de globalisation-financiarisation accélérée. Comme le résume en 1987 le baron Seillière, ancien haut-fonctionnaire ayant découvert l'entreprise dans... les séminaires de formation de l'IDEP[37], déjà cité : « La mondialisation [...] *Tout de suite : il n'y a pas le choix.* »

Cet envol hors du territoire-marché français ne va pas sans nouveaux tiraillements, car continuer à disposer d'un siège social, d'une majorité du capital,

35 – Expression de Pierre Rosanvallon citée par Dominique Barjot dans « Mondialisation, modèles nationaux de développement et stratégies d'entreprises XIXe-XXIe siècles », *Revue française d'histoire économique*, n° 3, 2015/1, p. 234-262.

36 – Cette mutation est très bien décrite par F.-X. Dudouet et É. Grémont, *Les grands patrons en France. Du capitalisme d'État à la financiarisation*, *op. cit.* Nous l'avons nous-mêmes vécue à la même période en travaillant pour plusieurs des grandes entreprises considérées, bancaires, financières et industrielles.

37 – Ernest-Antoine Seillière, communication personnelle à Felix Torres au siège de Wendel, 2017, une confidence qui a fait sursauter l'auteur de ces lignes. Elle résumait le capitalisme à la française, au moins avant les années 1980 !

de sites de production, de marchés de consommation et d'une partie du chiffre d'affaires dans l'Hexagone (partie qui passe généralement sous la barre des 50 %, au profit du couple Europe/reste du monde avant que s'imposent les grandes zones continentales Europe/Amérique du Nord/Asie-Pacifique, etc., au sein desquelles la part domestique chute généralement entre 20 et 30 %) renvoie à la compétitivité de l'« entreprise France ». Les chefs d'entreprise français vont ainsi réclamer, dès le début des années 1990, une modernisation de l'État, analogue à celle qu'ils viennent de réaliser chez eux[38] ! Une démarche qui ne commencera à être entendue que deux décennies plus tard, quand le rapport de l'Institut de l'entreprise « Pour un choc de compétitivité en France » publié en 2011-2012 contribuera à la réalisation de celui de Louis Gallois sur la compétitivité française et le Pacte pour la croissance, la compétitivité et l'emploi lancé par les pouvoirs publics début 2013[39]. Auparavant, la France perdra ses usines et ses ouvriers dans une relative indifférence[40], alimentée par les notions de « société post-industrielle » et de « fin du travail ».

La mondialisation change de rythme à partir des années 1990, avec le *boom* des échanges et la démultiplication sans précédent des marchés provoqués par l'effondrement du bloc communiste, l'ouverture de la Chine populaire et l'essor des pays émergents. Aux côtés des développements de Lafarge et de Schneider, celui du Groupe SEB est, tout comme celui de L'Oréal, éclairant quant aux nouvelles logiques induites par la globalisation des marchés, notamment en termes de présence sur l'ensemble de la planète et de constitution de marques globales[41]. L'un des principaux acteurs du marché français dans les années 1970 et jusqu'au début des années 1980, le groupe lyonnais passe, sous la présidence d'Emmanuel Lescure puis, à partir de 1990, de Jacques Gairard à l'échelle européenne, en achetant en 1988 la société allemande Rowenta, devenant le *leader* européen du petit équipement domestique doté d'une vraie stature internationale. Au cours des années 1990, l'ouverture de vastes marchés inaccessibles comme la Russie et la montée des classes moyennes dans les pays dits émergents offrent à L'Oréal de nouvelles perspectives de croissance en Europe centrale et orientale, au Moyen-Orient, en Asie, en Amérique du Sud, perspectives qu'elle formalise avec le plan « Ambitions 2000 » lancé en 1994.

Au début du XXIe siècle, dirigé désormais par Thierry de la Tour d'Artaise, le Groupe SEB vend partout sur le globe : chaque seconde, quatre acheteurs choisissent un produit SEB. Il s'agit à la fois du monde du petit électro-ménager, des ustensiles de cuisine et des produits de soin du corps, dans une échelle de gamme qui s'étend des produits banalisés produits à bas prix aux produits haut

**38** – Félix Torres, chapitre « Accompagner la nécessaire modernisation de l'État », *L'intelligence de l'entreprise*, *op. cit.*, p. 203-225.

**39** – *Ibid.*, p. 119-120. Sur le handicap de compétitivité des entreprises françaises dû à leur financement de l'État-Providence à partir de 1945, voir Michel Hau et Félix Torres, *Le virage manqué. 1974-1984, ces dix années ou la France a décroché*, Paris, Manitoba/Les Belles Lettres, 2020.

**40** – Patrick Artus et Marie-Paule Virard, *La France sans ses usines*, Paris, Fayard, 2011.

**41** – Félix Torres (dir.), *Chroniques du bien vivre. A Chronicle of Good Living. Les 150 ans du Groupe SEB*, préface de Christine Lagarde, Paris, Félix Torres Éditeur/Éditions Public Histoire, 2007.

de gamme, aux exigences de qualité et aux prix plus élevés. Avec les acquisitions de Moulinex (une société à la notoriété internationale, mais qui n'avait pas su gérer la succession de son fondateur Jean Mantelet, ni la saturation de ses marchés classiques), Krups en Allemagne, All-Clad et Mirro Wearever aux États-Unis, Lagostina en Italie, Panex en Amérique du Sud..., le Groupe SEB articule démarche d'innovation et de R&D, politique commerciale ciblée autour d'un portefeuille de marques mondiales et production en fonction des marchés concernés. L'acquisition, en 2007, de la société chinoise Supor conforte une présence mondiale à la fois globale et diversifiée.

Concernant ce mouvement de fond, certains ont évoqué, à tort selon nous, un « incroyable mécano commencé il y a plus de quarante ans[42] ». Le contre-exemple Areva excepté, nous sommes loin en effet de la logique de « mécano » qui présidait à la constitution des champions nationaux français des années 1970, dans le sillage de décisions concoctées dans les bureaux des pouvoirs publics et sans apport de fonds propres. Le « capitalisme sans capital », comme l'avait épinglé le PDG de Schneider, Didier Pineau-Valencienne, cède la place à l'entreprise actionnariale ou néo-libérale actuelle à partir de la seconde moitié des années 1980 et du début des années 1990, dans le sillage des « Big Bangs » financiers qui métamorphosent les places boursières mondiales, celles de New York, Londres et Paris en particulier. La logique qui préside à l'essor des FMN françaises au tournant du XX^e^ et du XXI^e^ siècle s'inscrit dans la globalisation des flux et des marchés qui apportent - ou non - à ces FMN les ressources financières nécessaires, comme le montre le destin divergent des groupes Schneider et de ce qui fut Alcatel Alsthom. Le groupe Schneider Electric, avec ses 155 000 personnes et son double siège social à Rueil-Malmaison et à Hong Kong, relève des 500 premières entreprises mondiales listées par *Fortune*, avec une capitalisation boursière de 42,7 milliards d'euros, quasi entièrement placée dans le grand public ; l'ancienne Compagnie générale d'électricité a plongé en Bourse à la veille de l'an 2000 inaugurant une longue série de pertes, de cessions et d'absorptions.

Dans ce nouveau contexte, la nationalité de plusieurs groupes français apparaît incertaine, secondaire ou plus ou moins disputée comme celle du franco-indien Arcelor-Mittal, du franco-suisse Lafarge Holcim, de l'italo-français STMicroelectronics, du franco-américain TechnipFMC, du franco-allemand ou plutôt européen Airbus et, tout récemment de l'alliance Renault-Nissan-Mitsubishi, longtemps incarnée par le libano-brésilo-français Carlos Ghosn, aujourd'hui tiraillée entre Japon et France.

Les actionnaires des entreprises du CAC 40 en 2019 sont ainsi des étrangers à 44,5 %[43] - au premier chef des gestionnaires d'actifs (26 %) - devant les familles fondatrices (10 %), les investisseurs individuels (5,3 %), les employés (3,5 %), les investisseurs industriels (3,1 %), l'État français (3 %), les États et

**42** – Alexander Low, « Les multinationales françaises, quelle force de frappe dans le monde ? », in L. Faibis (dir.), *La France et ses multinationales*, *op. cit.*, p. 91-113.

**43** – Étude du Conseil d'analyse économique (CAE), 2017.

fonds d'investissement étrangers (2,7 %), etc[44]. Cette globalisation des grandes entreprises françaises, quelle que soit l'internationalisation de leurs activités, de leurs états-majors et de leurs équipes ne signifie d'ailleurs pas la disparition du « management à la française » qui a justement contribué à leur succès. Comme l'ont montré notamment les travaux de Philippe d'Iribarne[45], celui-ci perdure, en se caractérisant, selon l'ouvrage d'Ezra Suleiman, Frank Bournois et Yasmina Jaïdi par « une alliance subtile entre souci de la performance et préoccupation de l'humain, rigueur et sens de l'innovation[46]. » Les grandes entreprises françaises sont également parmi celles qui pratiquent le plus la Responsabilité sociale et environnementale (RSE) en Europe[47].

## L'OUVERTURE FRANÇAISE AU MONDE DES QUARANTE DERNIÈRES ANNÉES, UN FAIT TOTAL ÉCONOMIQUE, POLITIQUE ET SOCIAL

L'enquête et l'analyse de la mondialisation des entreprises françaises dans le dernier quart du XX^e^ siècle et au début du XXI^e^ siècle restent à poursuivre pour en saisir l'étendue macro-économique et financière (IDE), sa diversité et sa profondeur micro-économique, des grandes entreprises aux PME en passant par les ETI, les stratégies mises en œuvre, les aires géographiques investies (ou abandonnées), etc. Ce travail d'« histoire immédiate » comporte aussi une dimension mémorielle, avec le retrait de la génération d'entrepreneurs, cadres et employés qui a vécu et accompagné l'hyper-mondialisation des trois dernières décennies.

Alors que la France est probablement l'un des pays où la mondialisation suscite le plus de défiance depuis les années 1990 – le premier rapport sur le sujet, celui de Jean Arthuis en 1993, énonçant d'emblée une opinion négative[48] –, notre pays est pourtant l'un de ceux en Europe qui a bénéficié le plus de la globalisation et de l'ouverture des marchés, notamment via l'ouverture de son économie et la part prise par ses grandes entreprises. La France pâtit pourtant depuis de longues années d'un déficit commercial excessif, signe d'une capacité à l'export insuffisante ou défaillante mais aussi l'indicateur de la relation ambiguë d'une vieille nation colbertiste (à quelques exceptions, comme le Second Empire) avec le libre-échange qui domine les flux économiques mondiaux depuis

44 – Étude Euronext, 2018.
45 – En particulier *La logique de l'honneur* et *L'épreuve des différences*, Paris, Seuil, 1989 et 2009.
46 – Ezra Suleiman, Frank Bournois et Yasmina Jaïdi, *La prouesse française. Le management du CAC 40 vu d'ailleurs*, Paris, Odile Jacob, 2017.
47 – *Ibid.* et *La Contribution sociale et fiscale des entreprises du CAC 40*, Paris, Institut économique Molinari, mai 2019 ; Daniel Baroin et David Gateau *La Révolution des organisations. Pour une nouvelle architecture d'entreprise*, Paris, Pearson France, 2019.
48 – Jean Arthuis, *Rapport d'information sur l'incidence économique et fiscale des délocalisations hors du territoire national des activités industrielles et de service*, Rapport du Sénat, n° 337, 1993. Et, près de vingt ans après, Sophie Meunier, « La France face à la mondialisation : se protéger ou se projeter ? », *Les Notes de l'Institut*, Institut de l'Entreprise, septembre 2012.

l'après-guerre, jusqu'à la résurgence actuelle de poussées protectionnistes, aux États-Unis mais aussi en Europe.

La mondialisation des entreprises françaises n'est donc pas seulement un phénomène micro et macro-économique. Les conséquences économiques, sociales, culturelles et politiques de l'ouverture à la planète de l'économie, de la société et de l'imaginaire (nous employons ce terme plutôt que celui d'identité) national sont aussi à prendre en compte pour la compréhension du comportement, des performances et de la place actuelle de la France, en Europe et dans le monde. Il s'agira ultérieurement de :

1/ Mesurer de façon précise l'ampleur du phénomène de transformation et de mondialisation des entreprises françaises des années 1970 aux années 2000, qu'il s'agisse de grandes entreprises, des ETI ou des PME ;

2 / Saisir la « grande transformation » qu'a représenté le basculement de l'entreprise et de l'économie dites managériales dans ce que l'on a appelé l'entreprise et le capitalisme néo-libéral ou actionnarial ;

3 / Mieux comprendre la mutation qu'a représenté la financiarisation de l'économie française et mondiale et ses conséquences pour les entreprises en interne et à l'externe à partir des années 1980 ;

4 / Discerner le détail des stratégies, modes d'action et espaces de marché qui ont été ceux des entreprises françaises - et parallèlement européennes -, qui sont mondialisées ;

5 / Prendre la dimension de l'Europe - ou plutôt des Europes historiques, du Marché unique européen de 1992 à son extension à l'Europe centrale et orientale au sein de l'actuelle UE[49] - dans ce processus de globalisation ;

6 / Appréhender l'articulation entre politiques des pouvoirs publics et des entreprises, opinion publique et réactions sociales résumée par le thème « La France et la mondialisation » et la question de la position toujours ambivalente de l'entreprise dans l'espace public et l'imaginaire national.

Évoquer cette globalisation qui a déjà vingt à trente ans et plus soulève inévitablement la question de ses tendances actuelles, dans le monde post-crise de 2008-2010, chahuté par la montée des inégalités et des populismes, le Brexit et l'affrontement Chine-États-Unis, les conséquences de la pandémie de Covid-19 en cours, l'inclinaison, sinon au protectionnisme, du moins à l'affirmation plus ou moins agressive d'impératifs nationaux pour des FMN hier sans attaches. Clairement, la globalisation se poursuit, mais de manière ralentie, comme le montre la poursuite plus lente de la progression du commerce mondial. Si les chaines de valeur mondiales ne sont pas remises en question, elles ont tendance à se reconfigurer en circuits plus courts au sein des ensembles régionaux de provenance de chacune des firmes, l'Europe et l'Afrique du Nord pour les FMN européennes. Ardemment prônée par les partisans du « Produisons français »,

**49** – Voir *L'avenir en partage. De Faure & Machet au groupe FM, la force d'une histoire collective*, *op. cit.*

la relocalisation reste limitée, tant dans son ampleur globale que dans la taille des unités réinstallées, hyper-automatisées et ne dépassant guère les 100-150 personnes en général.

Deux phénomènes semblent en tout cas initier une reconfiguration structurelle de la globalisation concernant les grandes entreprises : la mise en avant d'impératifs de souveraineté qualifiés de stratégiques par les États et pesant désormais sur les choix de celles-ci ; un repli de leur expansion avec la cession de nombre de positions et de marchés au profit de producteurs locaux. Dans le contexte de résultats financiers devenus décevants, la création de Lafarge-Holcim en 2015 a, par exemple, entrainé le départ du groupe cimentier des pays d'Extrême-Orient et de Turquie où il avait réalisé d'importantes percées ; les groupes de distribution Carrefour et Auchan ont abandonné la Chine, longtemps un Eldorado, en 2019 et 2020 au profit des géants locaux du commerce en ligne. La place de la Chine autoritaire de Xi Jinping dans le nouvel ordre économique mondial ne manquera pas de fournir en ce sens un précieux indicateur quant à la nouvelle configuration de la globalisation, de ses tendances et rapports de force entre les divers capitalismes qui la composent désormais.

La globalisation de la fin du XX^e^ - début du XXI^e^ constitue à ce titre un chantier d'histoire ouvert sur le présent, un fait social total, un enjeu de compréhension à l'heure des enjeux en cours de la mondialisation dans toutes leurs dimensions : politiques, économiques, sociales et environnementales.

## LA GLOBALISATION DES ENTREPRISES FRANÇAISES : UNE BIBLIOGRAPHIE


**I / Des entreprises multinationales aux entreprises globales, les logiques de la globalisation**

**Abdelal R. and Tedlow R.S.**
2004 "Theodore Levitt's "The Globalization of Markets": An Evaluation after Two Decades", in J. A. Quelch and R. Deshpande (eds.), *The global market: developing a strategy to manage across borders*, San Francisco, Jossey-Bass, 2004, p. 11-30.

**Amatori Franco and Andrea Colli**
2011 *Business History*, Routlege, New York.
Partie VI « Globalization of Today », notamment les chapitres 19 « Multinationals: *quid novi* ? » et 20 « New Forms of Enterprise », p. 209-223.

**Barjot Dominique (dir.)**
2003 Globalization - La mondialisation, *Entreprises et Histoire*, n° 32, avril.

**Barjot Dominique et Marie-Claude Esposito (dir.)**
2016 *Mondialisation. Modèles nationaux de développement et stratégies d'entreprises XIX^e^-XXI^e^ siècles*, Paris, SPM.
Notamment l'« Introduction » de Dominique Barjot, p. 9-31; Preston Perluss, « Global Value Chains: vistas for study of historical firm strategies and regional economic development », p. 138-147 ; et Dominique Barjot, « Lafarge : de l'entreprise internationale à la firme globale (1993-2007) », p. 234-262.

**Basso Olivier**
2015 *Politique de la Très Grande Entreprise. Leadership et démocratie planétaire*, Paris, PUF.

**Biasutti Jean-Pierre et Braquet Laurent**
2013 « Les métamorphoses de l'entreprise multinationale » et « L'émergence de la firme globale », in Jean-Pierre Biasutti et Laurent Braquet, « La grande entreprise financiarisée », in *Comprendre l'entreprise*, Paris, Ellipses, p. 95-106 et 108-118.

**Broder Albert (dir.)**
1995 L'implantation internationale, *Entreprises et Histoire*, n° 8, juin.

**Chandler Alfred and Tedlow Richard**
1985 « The multinational Enterprise », in *The Coming of Managerial Capitalism. A Casebook on the History of American Economic Institutions*, Irwin Series in Management and the Behavioral Sciences, Homewood (Illinois).

**Chavagneux Christian et Louis Marieke (dir.)**
2018 *Le pouvoir des multinationales*, Paris, PUF, coll. « La vie des idées.fr ».

Avec notamment des textes de El Mouhoub Mouhoud, « Les multinationales dans la mondialisation des économies » ; Mathilde Dupré, « La responsabilité sociale, environnementale et fiscale des multinationales » et Marieke Louis, « La diplomatie sociale des multinationales ».

**Chesnais François**
1997 *La mondialisation du capital*, Alternatives économiques/ Syros.

**Cohen Élie**
1996 *La tentation hexagonale. La souveraineté à l'épreuve de la mondialisation*, Fayard.

**Collomb Bertrand et Drancourt Michel**
2010 *Plaidoyer pour l'entreprise*, Éditions François Bourin.

**Drancourt Michel**
2002 [1ère éd. 1998] *Leçon d'histoire sur l'entreprise de l'Antiquité à nos jours.*

2005 *Les nouvelles frontières de l'entreprise. Entreprise, territoire et mondialisation*, PUF, coll. « Major ».

**Galvez-Behar Gabriel et Lefebvre Philippe (dir.)**
2019 Globalisation et transformations des entreprises, *Entreprises et Histoire*, n° 94, 1.

**Guillochon Bernard, Annie Kawecki, Frédéric Peltrault et Baptiste Venet**
2016 [8e éd] *Economie internationale*, Paris, Dunod.

**Hill Charles**
2011 [1994, 1ère éd.] *International Business. Competing in the Global Market Place*, McGraw-Hill International Edition.

**Jones Geoffrey**
2005 *Multinationals and Global Capitalism from the nineteenth to the twenty-first century*, Oxford, Oxford University Press.

Un travail historique de référence, avec une superbe bibliographie.

2007 « Globalization », in Geoffrey Jones and Jonathan Zeitlin (eds.), *The Oxford Handbook of Business History*, Oxford, Oxford University Press, p. 141-168.

**Joffre Patrick**
1989 « Internationalisation de l'entreprise », in Patrick Joffre et Simon Yves, *Encyclopédie de gestion*, Paris, Economica, tome 2, n°75, p. 1556-1586.

**Kennichi Ohmae**
1985 *Triad Power. The Coming Shape of Global Competition*, New York, The Free Press ; trad. franç., 1985, *La Triade. L'émergence d'une stratégie mondiale des entreprises*, Flammarion, Paris.

1990 *The Borderless World*, New York, Harper Business.

**Krugman Paul, Maurice Obstfeld and Marc Melitz**
[1988], 2015, 10e éd *International Economics. Theory and Policy*, Harlow (Royaume-Uni), Pearson.
Notamment les chapitres 7 "External Economies of Scale and the International Location of Production", p. 177 sq. et 8 "Firms in The Global Economy: Export Decisions, Outsourcing and Multinational Enterprises", p. 196-337.

**Levitt Theodore**
1983 « The Globalization of Markets », *Harvard Business Review*, mai-juin.

**Neal Larry and Williamson Jeffrey**
*2014 Capitalism, vol. II. The Spread of Capitalism From 1848 to the Present*, The Cambridge History of Capitalism, Cambridge University Press.
Notamment Geoffrey Jones, "Firms and global capitalism", p. 169-200 et Randall Morck and Bernard Yeung, "Enterprise models: Freestanding firms versus family pyramids", p. 201-229.

**Robé Jean-Philippe**
2010 « Les États, les entreprises et le droit. Repenser le système-monde », *Le Débat*, n° 161, septembre-octobre.

2015 « Les entreprises multinationales, vecteurs d'un nouveau constitutionnalisme », in *id.*, *Le temps du monde de l'entreprise. Globalisation et mutation du système juridique*, Paris, Dalloz, p. 570-594.

**II / Nouvelles tendances : vers une dé-globalisation ?**

**Livesey Finbarr**
2017 *From Global to Local. The Making of Things and the End of Globalization*, Londres, Profile Books.

**Jones Geoffroy**
2017 "We are in a deglobalization period", *Live Mint*, February 18.

**III / Les stratégies d'internationalisation et de globalisation**

**Amelon Jean-Louis et Cardebat Jean-Marie**
2010 *Les nouveaux défis de l'internationalisation. Quel développement pour les entreprises après la crise ?*, Bruxelles, De Boeck, coll. « Ouvertures Economiques ».

**Berger Suzanne**
2006 *Made in Monde. Les nouvelles frontières de l'économie mondiale*, Paris, Calmann-Lévy, 2006 trad. franç. de *How We Compete: What Companies Around the World Are Doing to Make It in the Global Economy*, New York, Doubleday, 2005.

**Collis David**
2014 *International Strategy. Context, Concepts and Implications*, Chichester (UK), Wiley.

**El Mouhoub Mouhoud**
2013 [1ère éd. 2006] *Mondialisation et délocalisation des entreprises*, Paris, La Découverte.

**Tallman Stephen**
2009 *Global Strategy. Global Dimensions of Strategy*, Chichester (UK), Wiley.

1993 (2e éd.) *Strategor. Stratégie, structure, décision, identité. Politique générale d'entreprise*, Paris, InterÉditions.

**Wickham Sylvain et Joffre Patrick (dir.)**
1998 *Le marché demain*, Caen, Éditions Management Société.

**IV / Exemples internationaux**

**Bonin Hubert and Ferry de Goey (eds.)**
2009 *American Firms in Europe 1880-1980. Strategy, Identity, Perception and Performance*, Genève, Droz.

**Casanova Lourdes**
2009 *Global Latinas: Latin America's Emergent Multinationals*, Basingstoke, UK, Palgrave Macmillan.

**Larçon Jean-Paul**
2009 *Les multinationales chinoises*, Paris, Éditions Eska, HEC/ Tsinghua School of Economics and Management.

**Paquin Stéphane**
2008 *La nouvelle économie politique internationale*, Paris, Armand Colin.

**Ramamurti Ravi**
2009 *Emerging Multinationals in Emerging Markets*, Cambridge, Cambridge University Press.

**Som Ashok**
2009 *International Management. Managing the Global Corporation*, Maidenhead (UK), McGraw-Hill Higher Education.

**Wilkins Mira**
1970 *The Emergence of Multinational Enterprise. American Business Abroad from the Colonial Era to 1914*, Cambridge (Mass)/London, Harvard University Press.

1974 *The Maturing of Multinational Enterprise. American Business Abroad from 1914 to 1970*, Cambridge (Mass)/ London, Harvard University Press.

**Wilkins Mira and Hill Frank Ernest**
1964 *American Business Abroad: Ford on Six Continents*, Wayne State University Press, new edition, Cambridge, Cambridge University Press, 2011.

2003 "Multinational Corporations", in Joel Mokyr (ed.), *The Oxford Encyclopedia of Economic History*, 5 vols., New York: Oxford University Press, IV, p. 13-16.

2005 "What is International Business? An Economic Historian's View", in Peter J. Buckley (ed.), *What is International Business?* Houndmills/New York, Palgrave Macmillan, chap. 8, p. 133-152.

2009 "The History of Multinational Enterprise", in Alan M. Rugman (ed.), *The Oxford Handbook of International Business*, Oxford: Oxford University Press, Chap. 1, p. 3-38.

2015 "The History of Multinationals: A 2015 View", *Business History Review*, 89 (Autumn), p. 405-414.

**V / Et français**

**Barjot Dominique**
2007 « Lafarge (1994-2004). Comment on devient firme mondiale », *Revue économique*, vol. 58, n° 1, janvier, p. 79-111.

2016 « Introduction » et « Lafarge : de l'entreprise internationale à la firme mondiale (1993-2007 », in Dominique Barjot et Marie-Claude Esposito (dir.), *Mondialisation, modèles nationaux de développement et stratégies d'entreprises XIXe-XXIe siècles*, Paris, SPM, p. 9-31 et 234-262.

2015 « Mondialisation, modèles nationaux de développement et stratégies d'entreprises XIXe-XXIe siècles », *Revue française d'histoire économique*, 1.

**Cailluet Ludovic**
2000 « McKinsey, Total-CFP et la M-Form. Un exemple français d'adaptation de modèle importé », *Entreprises et Histoire*, 25, 2000, p. 26-45.

2010 (avec M. Kipping) « *Ménage à trois* : Alcan in Spain, 1950s to 1980s », *Cahiers d'histoire de l'aluminium*, n° 44-45, 2010 p. 79-106.

2013 « Le long et tortueux chemin de l'intégration opérationnelle et culturelle des investisseurs français en Amérique » in Ludovic Cailluet *et alii* (dir.), *Histoire et sciences de gestion*, Vuibert.

2013 « Pierre Fabre, culture and the challenges of internationalisation », in G. Johnson, K. Scholes and R. Whittington (eds.), *Exploring Corporate Strategy*, Prentice Hall, Pearson, 10th edition.

**Chatriot Alain**
2007 « La construction récente des groupes de luxe français : mythes, discours et pratiques », *Entreprises et Histoire*, n° 46, avril, p. 143-156.

**Collomb Bertrand (dir.)**
2014 *La France dans le monde. Débat public. Collection de l'Académie des sciences morales et politiques*, Paris, Éditions Hermann, 3 volumes.

Récits généraux d'internationalisation d'entreprises françaises dans le *Tome III. Histoires de succès mondiaux* : AXA, les Banques françaises dans le monde, Hermès, Publicis, Radiall, Sanofi, Total.

**Dudouet François-Xavier et Grémont Éric**
2010 *Les grands patrons en France. Du capitalisme d'État à la financiarisation*, Paris, Éditions Lignes de repères.

**European Business Association**
2002 *Transnational Companies 19th - 20th Centuries*, Paris, Éditions PLAGE.
Notamment sur LVMH, L'Oréal, EDF, Gaz de France, l'automobile, Schneider (de 1897 à 1938), Pont-à-Mousson, la sidérurgie, Lafarge, Pernod-Ricard, la pharmacie, etc., avec les conclusions de Dominique Barjot, « French Companies' Internationalisation, an assessment », p. 969-978 ; Ludovic Cailluet, « Towards a Globalization of Management Tools and Practices? Business History Beyond monography », p. 979-980 et Hubert Bonin, « Internationalisation, Multinationalisation, Transnationalisation and Globalization, a Contribution to Debate », p. 985-991.

**Faibis Laurent**
2011 *La France et ses multinationales. Stratégie globale et intérêt national*, Xerfi.

**Fontanet Xavier**
2010 *Si on faisait confiance aux entrepreneurs. L'entreprise française et la mondialisation*, Paris, Manitoba/Les Belles Lettres.

**Monlouis-Félicité Frédéric**
2014 *Les grandes entreprises en France : je t'aime moi non plus*, Les Notes de l'Institut, Institut de l'Entreprise.

2017 « Les grandes entreprises et la politique étrangère française », ch. XV de Thierry de Montbrial et Thomas Gomart (dir.) *Notre intérêt national. Quelle politique étrangère pour la France ?*, Paris, Odile Jacob, p. 255-268.

**Pineau-Valencienne Didier**
2004 *Dans la boucle de l'hirondelle. Mémoires d'entreprise*, Paris, Albin Michel.

**Suleiman Ezra, Frank Bournois et Yasmina Jaïdi**
2017 *La prouesse française. Le management du CAC 40 vu d'ailleurs*, Paris, Odile Jacob.

**Thouverez-Brochot Michèle**
1994 « Les moyennes entreprises face à l'internationalisation », *Entreprises et Histoire*, n° 5, juin, p. 9-19.

**Torres Felix**
1988 (avec A. Broder et J. Marseille), *Alcatel Alsthom. Histoire de la Compagnie générale d'électricité*, Paris, Larousse.

1999 (avec T. de la Broise), *Schneider. L'histoire en force*, Paris, Éditions de Monza.

2009 *Le chemin partagé. Une histoire d'EDF en Chine*, Paris, Éditions François Bourin, en français et en chinois.

2014 *Le temps de la Chine. Les entreprises françaises au défi du plus grand marché du monde*, Pékin, Chambre de commerce et d'industrie française en Chine/Félix Torres Éditeur.

2018 « Les entreprises françaises en Chine. Demi-échec, demi-réussite, quel succès dans la durée ? », manuscrit.

2019 « La mondialisation des entreprises françaises ou le destin divergent de Schneider Electric et d'Alcatel Alsthom », *Revue française d'histoire économique*.

Wilkins Mira

1993 « French Multinationals in the United States: an Historical Perspective », *Entreprises et Histoire*, 1/n° 3, p. 14-29.

# LAFARGE : DE L'INTERNATIONALISATION À LA FIRME MONDIALE, UNE RÉSISTIBLE ASCENSION ? (1947-2014)

**Dominique Barjot**
Professeur émérite Sorbonne Université, Académie des sciences d'outre-mer

## Introduction

Jusqu'à sa fusion avec Holcim, son principal concurrent européen[1], en 2014, Lafarge offrait un bel exemple d'entreprise française devenue firme mondiale. Numéro deux français des matériaux de construction derrière Saint-Gobain, Lafarge s'était imposé avec un succès comparable, compte tenu de la taille respective des marchés concernés. Sa position de leader mondial résultait d'une internationalisation précoce[2]. Fondée en 1833 par Léon Pavin de Lafarge, la maison Lafarge[3] demeura familiale jusqu'en 1947[4], puis se transforma en firme

1 – Dominique Barjot, "Holcim: from the Family Business to the Global Leadership: an International Interfirm Comparison", in Dominique Barjot (ed.), "The Construction Industry in the 20th Century: an International Interfirm Comparison", *Revue française d'histoire économique - The French Economic History Review*, n° 1, septembre 2014, p. 56-85.

2 – Dominique Barjot, « Lafarge : l'ascension d'une multinationale à la française (1833-2005) », *Relations internationales*, n° 124, octobre 2005, p. 51-67.

3 – Pierre d'Ambly, *Naissance d'une entreprise. Les Pavin de Lafarge de l'armée du Roi à l'industrie de la République*, Paris, François-Xavier de Guibert, 2000.

4 – Émilie Dyèvre, *Pavin de Lafarge, une lignée industrielle 1833-1914*, mémoire de maîtrise d'histoire, Université Paris-Sorbonne (Paris IV), sous la direction de Jean-Pierre Chaline, juin 2000.

managériale[5]. Dès 1864, elle avait pris part à son premier grand chantier international, en fournissant 11 000 tonnes de chaux hydraulique à la Compagnie

5 – Aurore Cartier, *Lafarge (1880-1947). De l'entreprise familiale à la multinationale*, Thèse d'archiviste-paléographe sous la direction de Dominique Barjot, soutenue à l'École nationale des chartes le 9 mars 2011, 2 vol.


## ABSTRACT

**LAFARGE: FROM INTERNATIONALISATION TO THE GLOBAL FIRM? A RESISTIBLE RISE?**

Until its merger in 2014 with Holcim, its main European competitor, Lafarge offered a good example of a French company that had become global. Number two in France in building materials behind Saint-Gobain, Lafarge has established itself with a comparable success it owes to its early internationalisation. Founded in 1833, Lafarge remained a family business for a long time before becoming a management company in 1947. Since then, two periods have followed one another. From 1947 to 1992, the company gradually became multinational. The years 1947 to 1973 were marked by strong growth financed by self-financing, limited broadening of the shareholder base and long and medium-term debt. Three factors then combined their positive effects: rational management (transition to staff and line, favouring a multi-divisional logic), a successful strategy of international redeployment from French-speaking Africa to North America and a research and development effort far superior to that of the competition. These choices made it possible, in a more difficult economic environment, to consolidate the group's international positions by the conquest of the American market, where the group established itself, from 1974 to 1992, as Number one, while strengthening its position in Europe. Between 1993 and 2007, the Lafarge group established itself as a global firm by focusing on strengthening its North American positions and conquering emerging countries. However, in order to finance rapid growth, both organic and external, it was necessary to satisfy an increasingly fragmented and floating shareholder base. It was only from 2008 onwards that the shareholder base stabilised, but at the price of a loss of strategic independence. This led to the merger. The merger created a world leader, but the management structure lost power to the Schmidheiny family and its Belgian and Egyptian allies, hence the Swiss nationality of today's LafargeHolcim.

## RÉSUMÉ

Jusqu'à sa fusion en 2014, avec Holcim, son principal concurrent européen, Lafarge a offert un bon exemple d'entreprise française devenue mondiale. Numéro deux français des matériaux de construction derrière Saint-Gobain, Lafarge s'est imposée avec un succès comparable. Elle le doit à une internationalisation précoce. Fondée en 1833, la maison Lafarge est demeurée longtemps familiale, avant de se transformer, à partir de 1947, en firme managériale. Depuis cette date , deux périodes se sont succédées. De 1947 à 1992, l'entreprise s'est progressivement multinationalisée. Les années 1947 à 1973 ont été marquées par une croissance forte financée par autofinancement, élargissement limité de l'actionnariat et endettement à long et moyen terme. Trois facteurs ont alors cumulé leurs effets positifs : un management rationnel (passage au *staff and line*, en privilégiant une logique multidivisionnelle), une stratégie réussie de redéploiement international de l'Afrique francophone vers l'Amérique du Nord et un effort de recherche-développement très supérieur à celui de la concurrence. Ces choix ont permis, dans un environnement économique plus difficile, de consolider les positions internationales du groupe par la conquête du marché américain, où le groupe s'est imposé, de 1974 à 1992, comme le numéro 1, tout en se renforçant en Europe. Dans les années 1993 à 2007, le groupe Lafarge s'est imposé comme une firme de dimension mondiale en privilégiant le renforcement de ses positions nord-américaines et la conquête des pays émergents. Toutefois, pour financer une croissance rapide, tant organique qu'externe, il a fallu satisfaire un actionnariat de plus en plus éclaté et flottant. Ce n'est qu'à partir de 2008 que l'actionnariat s'est stabilisé, mais au prix d'une perte d'indépendance stratégique. Celle-ci a conduit à la fusion. Certes, elle a donné naissance à un leader mondial, mais au sein duquel la technostructure managériale a perdu le pouvoir au profit de la famille Schmidheiny et de ses alliés belges et égyptiens, d'où la nationalité suisse de l'actuel LafargeHolcim.



JEL Classification: **D22, F23, F61, L13, L2, L72, L74, N80**
Key words: **Internationalisation, multinationalisation, globalisation, multidivisional and managerial enterprise, innovation and research and development, productivity and competitive advantage**
Mots clés: **Internationalisation, multinationalisation, mondialisation, entreprise multidivisionnelle et managériale, innovation et recherche développement, productivité et avantage compétitif**

Universelle du Canal de Suez, avant de s'implanter, deux ans plus tard, en Algérie. À la veille de la Première Guerre mondiale, elle comptait déjà parmi les cinq premières entreprises mondiales du secteur[6].

Dès 1887, elle s'était dotée, au Teil, d'un laboratoire central, dirigé par Henry Le Châtelier, savant de réputation mondiale et spécialiste de la résistance des matériaux. Grâce à sa capacité d'innovation technique (invention du ciment fondu, obtenu par fusion de ciment et de bauxite en 1908), elle put rattraper le retard pris sur son principal concurrent français, les Établissements Poliet et Chausson[7], en matière d'adoption du procédé dit de la « voie humide », lequel domina la technologie cimentière entre le milieu des années 1920 et la fin des années 1950. Elle passa mieux que la plupart de ses concurrents européens, la difficile période des années 1930, jouant un rôle moteur dans la constitution, en 1937, du cartel international du ciment[8]. Après la Seconde Guerre mondiale, évitant l'écueil de la nationalisation, elle s'engagea dans la voie de la multinationalisation, suivie de 1947 à 1992, avant d'accéder, entre 1993 et 2007, au statut de firme globale, ou mondiale.

## LA MULTINATIONALISATION (1947-1992)[9]

Au lendemain de la Seconde Guerre mondiale, la production cimentière explosa, en France comme dans toute l'Europe en reconstruction[10]. Mais les sociétés du secteur faisaient figure d'accusées. Suspectée d'avoir livré du ciment à l'Organisation Todt, Lafarge fut mise sous séquestre en septembre 1944. Si l'objectif de la mesure, inspirée par le Parti Communiste, était d'aboutir à la nationalisation, ce fut un échec : le séquestre fut levé en juin 1946. Mais cet épisode précipita l'entreprise dans la modernité : supplantant Poliet et Chausson, son principal concurrent français, elle cessa, à partir de 1947, d'être dirigée par la famille Pavin de Lafarge. Dès lors, elle s'engagea dans la voie de la multinationalisation, s'affirmant comme un groupe dynamique et en voie d'internationalisation rapide[11].

6 – Bertrand Collomb, « L'industrie européenne du ciment au XX<sup></sup>e siècle », *Entreprises et Histoire*, n° 3, 1993, p. 97-100.

7 – Cécile Jaff-Coursiéras, *Poliet et Chausson, l'ascension et déclin d'une grande entreprise cimentière (1901-1977)*, thèse de doctorat sous la direction de Dominique Barjot, juin 2017, 2 vol.

8 – Cécile Coursiéras-Jaff, "The cement market during the 20th century: between cartels and regulation", communication presentée à la conference de Rio de Janeiro, 17 et 18 août 2017, préparatoire au World Economic History Congress 2018 de Boston, à paraître dans Dominique Barjot and Yago Kazuhiko (eds.), *Theory and Empirical Performance. Economic Paradigm and performance in the long run (18th to 21st century): To what extent are European development-theories on industrialization valid from a World point of view?*, Paris, Ed. SPM, 2021.

9 – Léon Dubois, *Lafarge Coppée. 150 ans d'industrie*, Paris, Belfond, 1988.

10 – Yves Lacoste, « L'industrie du ciment », *Annales de Géographie*, tome 66, 1957, p. 411-435.

11 – Dominique Barjot, "Lafarge : the keys of a successful internationalisation process (1946-1973)", in Hubert Bonin *et alii* (eds.), *Transnational Companies (19e-20e siècles)*, Bordeaux, Plage, 2002, p. 663-680.

## Un groupe dynamique et en voie d'internationalisation rapide (1947-1973)

La SA des Chaux et Ciments de Lafarge et du Teil, devenue en 1957 Société des Ciments Lafarge, demeura, jusqu'en 1973, l'élément moteur du groupe Lafarge, dont elle constituait la société mère[12].

*Une croissance forte, mais bien maîtrisée*

À partir de 1949, la société accrut son chiffre d'affaires TTC de 7,1 % par an en moyenne jusqu'en 1973 et en francs constants. La progression fut plus forte encore pour les profits : de 1949 à 1973, la marge brute d'autofinancement augmenta de 9,7 % par an en moyenne. Les dirigeants de Lafarge privilégiaient la rentabilité à la croissance. Ils se préoccupaient aussi de maîtriser les coûts de production, d'où des investissements massifs destinés à engendrer des gains élevés de productivité du travail. Mais ces investissements n'allaient pas sans problèmes grandissants de financement.

*Des besoins grandissants de financement*

De fait, le fonds de roulement net (capitaux propres + dettes à long terme-capitaux fixes) se resserra beaucoup en 1957, 1961-62 et devint même négatif en 1970 et 1971. Ces tensions de trésorerie découlaient de l'insuffisance structurelle de l'autofinancement. Ce dernier ne couvrait qu'environ 50 % des besoins d'investissement. La situation s'aggravant dans les années 1960, il fallut trouver des financements extérieurs sous forme d'émissions d'actions et d'obligations. Une série d'émissions de capital permit d'élargir l'actionnariat, mais, à partir des années 1960, l'endettement obligataire devint la première source de financement des investissements. Parce que l'appel à de nouveaux apports d'actionnaires impliquait une forte augmentation des dividendes, l'endettement à long et moyen terme apparaissait comme une solution appropriée aux besoins financiers d'un groupe en expansion et en voie d'internationalisation rapide.

*Une internationalisation vigoureuse*

L'internationalisation vigoureuse de Lafarge résultait d'une stratégie délibérée d'investissement. Si la société privilégiait toujours les investissements productifs par rapport à ceux de portefeuille, la part relative de ces derniers augmenta beaucoup dans les années 1960-1973 (39,1 % du total des investissements contre seulement 10,5 % de 1949 à 1959). Ces investissements de portefeuille, à partir de 1956-57, se réorientèrent vers l'étranger. D'abord modeste,

12 – Lee Jung-Yeon, *Lafarge (1946-1974)*, mémoire de maîtrise d'histoire, sous la direction de Dominique Barjot, Université Paris-Sorbonne (Paris IV), septembre 2004.

la tendance devint beaucoup plus spectaculaire à partir de 1971 : leur part du total atteignait 56,3 % entre 1971 et 1973 au lieu de 16,3 % de 1957 à 1963 et de 33,7 % de 1964 à 1970.

Cette percée à l'international bénéficiait à l'ensemble du groupe. À partir de 1971, ce dernier réalisa toujours plus de 50 % de son chiffre d'affaires TTC à l'étranger (50,3 % en 1971, 52,9 % en 1972, 53,2 % en 1973). Outre la France (47,6 % du total en 1973), c'était le Canada qui constituait la zone privilégiée d'expansion (33,2 % du total à la même date). Mais le groupe avait aussi acquis des positions intéressantes en Allemagne (5,7 %), aux États-Unis (2,6 %) et au Royaume-Uni (1,7 %), voire en Espagne (0,9 %), tout en demeurant présent en Afrique (4,8 %). La percée demeurait incomplète : elle paraissait réussie en Amérique du Nord, mais restait largement à réaliser en Europe occidentale et, surtout, en Extrême-Orient.

## Les trois clefs d'une percée internationale (1947-1973)

La percée était réelle néanmoins. Trois facteurs principaux y avaient contribué : l'action de dirigeants éclairés adhérant aux mêmes objectifs stratégiques à long terme ; une stratégie réussie de redéploiement de l'Afrique du Nord vers l'Amérique anglo-saxonne ; une transformation profonde des activités et des structures sans altération culturelle.

### *Des dirigeants éclairés adhérant aux mêmes objectifs stratégiques*

En 1947, à la levée du séquestre, la SA des Chaux et Ciments de Lafarge et du Teil se vit privée de chefs[13]. Faute de pouvoir trouver en son sein un successeur à Jean de Waubert (1889-1948)[14], la famille Pavin de Lafarge fit appel à deux hommes de l'extérieur : Alfred François (1883-1959) et Marcel Demonque (1900-1974)[15]. Le second, surtout, domina la période des « trente glorieuses ». Ancien secrétaire général, puis président, du Comité d'Organisation des Chaux et Ciments, il entra chez Lafarge, comme directeur général, en même temps qu'A. François accédait à la présidence. M. Demonque s'imposa vite comme « le patron ». Attaché à la tradition paternaliste de l'entreprise, ce catholique prônait la participation, mais aussi la promotion individuelle. Surtout, il poussa à l'introduction des techniques américaines de management. Lui et A. François savaient s'entourer. Ils s'appuyèrent sur les anciens les plus actifs, mais aussi recrutèrent des hommes neufs, parmi lesquels Jean-Charles Lofficier, qu'une

13 – Martine Müller et Félix Torres, *Lafarge. L'identité d'un groupe*, Paris, Public Histoire, 1989.

14 – Dominique Barjot, « Jean de Waubert de Genlis (1889-1948) », dans Jean-Claude Daumas (dir.), *Dictionnaire Historique des patrons français*, Paris, Flammarion, 2010, p. 707-710.

15 – Dominique Barjot, « Marcel Demonque (1900-1974) », dans Jean-Claude Daumas (dir.), *Dictionnaire Historique des patrons français*, *op. cit.*, p. 233-235.

attaque d'hémiplégie empêcha de succéder à M. Demonque, Jean Bailly, Jean François et Olivier Lecerf, les trois directeurs adjoints qui reprirent la direction du groupe au décès de M. Demonque.

*Une stratégie réussie de redéploiement international*

Jusqu'au milieu des années 1950, le groupe retrouva une importante activité en Afrique du Nord : en 1955, il y réalisait 35 % de son chiffre d'affaires. Mais l'indépendance du Maroc et de la Tunisie, puis la guerre d'Algérie l'obligèrent à réviser ses options stratégiques. Il fallut quitter la Tunisie en 1961, à la suite de la mise sous séquestre de tous les biens du groupe, et l'Algérie, en 1968 du fait de la nationalisation de tous ses actifs. Néanmoins, la plupart des personnels avaient été rapatriés dès 1962. Si les perspectives demeuraient favorables au Maroc, l'Afrique du Nord ne représentait déjà plus, depuis le début de la décennie, qu'une part négligeable de l'activité du groupe. À l'époque, la greffe nord-américaine avait été réussie depuis longtemps.

Dès le début des années 1950, A. François et M. Demonque avaient pensé à s'établir outre-Atlantique. Depuis plus de soixante ans, Lafarge exportait du ciment aux États-Unis. Toutefois, il paraissait difficile d'y créer une filiale, comme l'avait montré un premier échec en 1925. À l'inverse, le Canada semblait plus favorable. Dans la première moitié des années 1950, le pays connaissait une grande prospérité. Plusieurs concurrents internationaux de Lafarge y avaient déjà investi : Holderbank (devenu plus tard Holcim, Suisse)[16], Associated Portland Cement Manufacturers (APCM, devenues ensuite Blue Circle, Royaume-Uni), Cimenteries et Briqueteries Réunies (CBR, Belgique). De plus, Lafarge était déjà présent à Montréal, depuis 1948, à travers sa filiale britannique, Lafarge Aluminous Cement Company (LAC).

Ce fut néanmoins à Vancouver que Lafarge décida de s'implanter, à travers sa filiale Lafarge Cement of North America (LCNA), constituée pour l'occasion en 1956, cotée à la Bourse de Toronto et confiée à J.C. Lofficier. Tirant avantage de la présidence de Frank Ross, alors gouverneur de la Colombie britannique, LCNA s'initia rapidement aux méthodes américaines, l'emporta sur la concurrence d'APCM et dégagea, dès 1961, ses premiers bénéfices. La proximité de l'Exposition universelle de Montréal en 1967 poussa à la création, dès 1965, d'une seconde filiale : Cement Lafarge Québec. Cette dernière se tourna vite vers l'exportation aux États-Unis. Cette percée s'y trouva facilitée par l'accord conclu, en 1967, avec Lone Star, alors le premier cimentier américain. Cet accord se trouva à l'origine de plusieurs *joint-ventures* au Brésil et aux États-Unis.

16 – Sur l'histoire d'Holderbank Financière de Glaris Ltd., voir : « Holderbank Financière de Glaris Ltd », Company Histories, http://www.fundingunivose.com/company-histories; Peter Müller, *Dictionnaire historique de la Suisse*, « Holderbank », http://www.hls.dhs.dss.ch.f/F41872.php; *75 Jabre Cementfabrik « Holderbank »*, Holderbank, Joba, Switzerland, 1987.

Dès 1969, LCNA avait racheté, en outre, Lafarge Québec. De la fusion naquit Lafarge Canada Cement Ltd, troisième cimentier canadien.

Restait à prendre pied dans l'Ontario. Dans ce but, les dirigeants de Lafarge optèrent pour une fusion, réalisée en 1970, avec Canada Cement, premier producteur du pays, désireux, de son côté, de s'implanter en Colombie britannique. La nouvelle société, Canada Cement Lafarge (CCL) capta rapidement 40 % du marché national. Dès 1971, Lafarge s'assura la majorité absolue du capital de la nouvelle société. En même temps, l'alliance se resserra avec Lone Star : en 1973, les deux groupes, déjà liés par deux filiales communes de vente, conclurent une véritable alliance stratégique.

Lafarge devenait une multinationale. Au Royaume-Uni, LAC se trouvait bloquée par un accord de non-concurrence avec APCM. Afin de contourner l'obstacle, LAC se dota, en 1967, d'une *holding* spécifique, The Lafarge Organization Ltd, instrument d'une diversification future. Au Brésil, le groupe connut moins de chance. Pourtant, dès le XIX^e^ siècle, Lafarge y exportait de la chaux. En 1920, il avait été envisagé d'y créer une usine de fondu. En 1948 et 1950, deux-missions y avaient été envoyées, mais aucune ne déboucha. En 1958, Lafarge racheta une participation dans la Companhia Mineira de Cimento Portland (Comini). Il fallut pourtant attendre 1973-74 pour que la filiale, reprise en mains dans les années 1960 par J. François, dégage ses premiers dividendes. Plus décevante encore fut l'expérience espagnole : en 1968, Lafarge tenta en vain de s'associer avec Ideal Cement, second cimentier américain, puis avec Lone Star pour construire une cimenterie en Espagne. En 1968, Lafarge renouvela l'expérience, dans les Asturies et sous la forme d'une *joint-venture* avec un groupe local, mais dut se retirer de l'affaire dès 1975.

*Transformation des activités et des structures sans remise en cause des atouts traditionnels*

L'internationalisation du groupe s'accompagna de profondes transformations. En premier lieu, Lafarge diversifia son activité en pratiquant une diversification de proximité. Dans le secteur du plâtre, Lafarge fit de Gypses et Plâtres de France le troisième producteur national, tout en s'alliant avec National Gypsum, second plâtrier américain, pour créer Prégypan[17]. Désormais, le groupe se trouvait en mesure de faire face à la concurrence du leader européen, le britannique British Plaster Board. De même, Lafarge se hissa au premier rang français en matière de fabrication de briques réfractaires et de sacs à grande contenance tout en s'intéressant aux céramiques sanitaires : la prise de contrôle, opérée en 1971, de Carbonisation, Entreprise et Céramique (CEC)

17 – Félix Torres et Frédéric Emeric, *Lafarge Plâtres, Histoires pour l'avenir*, préface de Bertrand Collomb, Paris, Jean-Pierre de Monza Éditeur/Public Histoire, 2000.

permit au groupe de s'imposer, dans ce secteur, comme l'un des principaux producteurs d'Europe et de s'implanter aux Pays-Bas, au Royaume-Uni et, surtout, en Allemagne.

L'internationalisation, en second lieu, accéléra le passage de la firme entrepreneuriale à l'entreprise managériale. Dès 1951, les Ciments Lafarge cessèrent d'être contrôlés par la famille, même si celle-ci demeurait majoritaire au conseil d'administration dix ans encore. Dès 1951 également, A. François et M. Demonque procédèrent à une première réforme organisationnelle, autour de cinq directions fonctionnelles : des exploitations, financière, commerciale, des études et travaux, du personnel. Cette organisation fayolienne n'était pas en mesure de faire face aux besoins engendrés par une croissance rapide.

En 1965, M. Demonque confia une mission d'audit au cabinet McKinsey. La conséquence en fut l'adoption, en 1968, du principe du *staff and line*. De la direction générale dépendaient quatre grandes directions opérationnelles : Ciments Lafarge (société mère), filiales cimentières françaises, filiales étrangères, affaires non cimentières. Ces directions détenaient le pouvoir de décision, mais s'appuyaient sur cinq directions fonctionnelles : finances, recherche et technique, plan, encadrement, études générales et recherche. De même, l'explosion, entre 1969 et 1973, de la croissance du groupe avait accéléré l'établissement des premiers comptes consolidés, présentés aux actionnaires en juin 1972, puis le perfectionnement du *staff and line*. Furent ainsi créés neuf groupes opérationnels : ciments France, Outre-mer, Europe, Amérique du Nord, réfractaires et fours, sanitaire, alumineux, plâtre et négoce, emballage. Ils faisaient appel aux services de quatre directions fonctionnelles : finances, plan et budget, organisation et développement des hommes, scientifique et technique. Dans un contexte marqué par l'explosion des effectifs du groupe, le décès subit de M. Demonque, en avril 1974, précipita la transformation de la société-mère en *holding*.

L'innovation technologique demeurait toutefois un atout pour Lafarge. Sous l'influence de François Le Bel, le Laboratoire central, devenu direction de la recherche en 1960, promut le passage à la « voie sèche », procédé assurant une meilleure homogénéisation du ciment et diminuant le coût énergétique et de sa cuisson. Admirateur des méthodes américaines, F. Le Bel poussa, comme M. Demonque, J.-C. Lofficier et Olivier Lecerf, à la recherche de gains de productivité, à la mise en place d'un système de gestion prévisionnel et à l'engagement de l'entreprise dans la voie du béton prêt à l'emploi. Lafarge se trouvait ainsi en mesure de faire face à nouveau à une conjoncture plus difficile et au défi de la mondialisation[18].

18 – Suzanne Berger, *Made in Monde. Les nouvelles frontières de l'économie mondiale*, Paris, Calmann-Lévy, 2006, trad. franç. de *How We Compete: What Companies Around the World Are Doing to Make It in the Global Economy*. New York, Doubleday, 2005.

### Consolidation des positions multinationales (1974-1992)

En 1974, à l'arrivée d'Olivier Lecerf aux fonctions de PDG, la multinationalisation était déjà une évidence : cotée au London Stock Exchange (LSE) depuis octobre 1972, la société Lafarge l'était un an plus tard aux Bourses de Francfort et Düsseldorf[19]. La mise en place de la *holding* traduisait l'accession du groupe à ce statut de multinationale[20]. La percée se confirma par la suite, notamment en raison de la conquête du marché américain, mais aussi, dans une moindre mesure de ceux de l'Europe.

*À la conquête du marché américain*[21]

En 1970, l'alliance avec Lone Star se resserra par la création de Lone Star Lafarge Company (LSLC) en vue de la commercialisation du ciment alumineux produit par le groupe Lafarge. Cet accord marquait l'ascension de Lafarge au rang de numéro un mondial des liants alumineux. En 1973, les deux partenaires créèrent Citadel, une filiale commune de vente aux États-Unis (50 % chacun). Certes Lafarge dut accepter, en pleine guerre du Kippour, d'acheter des actions non souscrites par le public, mais l'accord déboucha sur une véritable alliance stratégique : une conférence annuelle se tint désormais entre les dirigeants des deux groupes afin de confronter les politiques et rechercher de nouvelles collaborations. Cette alliance joua notamment en Espagne (*vide supra*), sans beaucoup de succès. En revanche, dès 1975, Lafarge Fondu International, filiale, constituée en 1973 pour rassembler les activités de production alumineuses du groupe, s'implanta à Norfolk en Virginie. Surtout, en 1979, Lafarge se joignit à Lone Star pour édifier, au nord de Rio de Janeiro, la cimenterie géante de Cantagalo. La même année, Lafarge regroupa l'ensemble de ses intérêts dans le pays au sein de la Compahia Nacional de Cimentos Portland, quatrième producteur national (52 % à Lafarge, 48 % à Lone Star).

Néanmoins, la perspective d'un rapprochement entre les deux groupes n'était plus d'actualité. Dès 1976, la crainte de tomber sous le coup des lois anti-trust conduisit Lone Star à se séparer de Lafarge au sein de Citadel[22]. Le groupe français détenait désormais 100 % du capital. Du coup se trouvait anéantie la perspective d'une association entre Lone Star et Canada Cement Lafarge (CCL), à l'instar de ce que Canada Cement et Lafarge Canada avaient réalisé en

19 – Olivier Lecerf, *Au risque de gagner. Le métier de dirigeant. Entretiens avec Philippe de Woot et Jacques Barraux*, Paris, Éditions de Fallois, 1991.

20 – Dominique Barjot," The Americanization of the European Cement Industry: Lafarge in Comparative Perspective, from Fashion to a Structural Change", in William J. Haussman (ed.), *Business and Economic History On-Line*, Papers Presented at the BHC Annual Meeting, Vol. 7: The 209 Annual Meeting, 2009, ISSN 1941-7349.

21 – Dominique Barjot, « Le rêve américain réalisé : l'implantation du groupe Lafarge en Amérique du Nord », dans *Terres promises, Mélanges offerts à André Kaspi*, Paris, Publications de la Sorbonne, 2008, p. 267-283.

22 – Hervé Dumez et Alain Jeunemaître, « Rôle et statut de l'économiste dans les affaires de concurrence. Leçons tirées de l'histoire américain de l'industrie cimentière », *Revue économique*, 6/2001 (Vol. 52), p. 1279-1299.

1970. Mais CCL avait désormais les moyens de faire face. En sept ans, de 1971 à 1978, la société avait effectué plus d'investissements qu'aucun autre cimentier nord-américain : 70 % de sa production s'effectuait selon le procédé de la « voie sèche ». Sa production avait doublé de 1974 à 1978 et s'était accompagnée d'une réorientation vers l'aval. Enfin, présent depuis 1972 dans l'ingénierie, à travers Lafarge Conseils et Études, le groupe avait créé, à cette même date, une filiale spécialisée à Montréal.

Présidé depuis 1974 par O. Lecerf, Lafarge cherchait à s'implanter aux États-Unis de manière durable et significative. Faute d'un rapprochement avec Lone Star, la seule solution résidait dans l'acquisition d'une société américaine d'envergure. Trois sociétés furent approchées, mais sans succès : California Portland Cement (Los Angeles), South Western Portland Cement (Los Angeles) et Kaiser Portland Cement (Oakman en Californie). En revanche, une opportunité majeure s'offrait avec General Portland Inc. Constituée en 1959 par la fusion de la General Portland Cement et de la Consolidated Cement, cette importante société était établie surtout dans le sud des États-Unis (Texas, Floride, Tennessee), mais aussi en Californie, dans le Kansas et dans l'Ohio. Reprise en mains, à partir de 1975, par Jim Lendrum, elle se plaçait, en 1980, au troisième rang des producteurs étatsuniens, derrière Lone Star et Ideal Cement.

Il s'agissait d'un groupe dynamique, mais financièrement fragile et dont le capital dispersé l'exposait à une OPA (Offre publique d'achat). En août 1980, General Portland Inc (GPI), contactée par les dirigeants de Lafarge, rejeta l'idée d'une fusion avec Citadel ou d'une participation à hauteur de 51 % de son capital. En revanche, l'acquisition de 100 % des titres serait possible. Sans alternative stratégique, CCL lança, en mai 1981, une OPA sur les titres de GPI. Au terme de négociations difficiles, un accord fut conclu. Le succès n'attendit pas : en novembre 1981, l'OPA était réalisée à 96 %. General Portland contrôlant 7 % du marché américain, l'association CCL-GPI, bientôt filialisée dans Lafarge Corporation, société cotée au New York Stock Exchange (NYSE), donnait naissance au premier producteur nord-américain (14 % du marché total).

Dans l'immédiat, l'opération s'avéra décevante, par suite d'une sous-estimation des problèmes de management, des besoins en financement et de l'évolution de la demande : besoins plus fort dans le Nord que dans le Sud des États-Unis, dépression du secteur de la construction au Canada, surproduction mondiale de ciment menaçant les usines américaines. Le groupe Lafarge y fit face en généralisant la Direction participative par objectif (DPO), au moyen de l'adoption, en 1983, de la taxation du bénéfice mondial consolidé et, un an plus tard, de la mise en place progressive d'un régime de stock-options pour les salariés. Un redressement spectaculaire s'opéra dès 1984 : développement d'activités connexes (granulats, béton prêt à l'emploi, préfabriqués en béton) ; gains de productivité ; développement de nouvelles compétences en ingénierie (acquisition de Systech, spécialiste de l'utilisation des déchets industriels) ; acquisition, en 1986, de la Huron Cement Company, rachetée à National Gypsum, et implantation dans la région des Grands Lacs ; fixation du siège social de Lafarge Corporation à Washington.

Lafarge cherchait aussi à se renforcer dans le plâtre. Dès 1981, de la fusion Platrières de France-Prégypan naquit la Société Plâtres Lafarge. Elle traduisait le renforcement de l'alliance stratégique avec National Gypsum, à travers la *holding* financière Compagnie du Plâtre. Installée depuis 1974 à Dallas, National Gypsum s'engagea en 1985 dans un *Leverage Management Buy Out* (LMBO), lancé par onze dirigeants du groupe. Mais, un an plus tard, un raider californien (Wikes Co) engagea une OPA sur le capital de la société. Lafarge joua alors le rôle du chevalier blanc en prenant près de 32 % des actions LMBO. Il s'ensuivit une contre-OPA coûteuse, qui contraignit National Gypsum à se recentrer sur le plâtre. De 1986 à 1990, la participation du groupe Lafarge Coppée s'éleva peu à peu jusqu'à 50,1 % du capital. Mais l'échec financier du LMBO déboucha, en 1990, sur une mise en faillite. Une nouvelle société vit le jour, dans laquelle Lafarge Coppée refusa de prendre plus de 10 % de capital. En 1995, un groupe d'investisseurs privés racheta National Gypsum, Lafarge Coppée se retirant en totalité de son partenaire américain. Il s'agissait d'une erreur stratégique, car National Gypsum se redressa ensuite. Lafarge demeurait cependant aux États-Unis avec les deux usines acquises en 1996 dans le Delaware et dans l'État de New York : telle fut l'origine de Lafarge Gypsum SA. À cette époque, il est vrai, le groupe Lafarge s'était engagé dans une autre voie : devenir un *leader* mondial du ciment, des bétons et de la toiture, notamment en Europe.

*Nouvelles ambitions européennes*

Dès 1980, la fusion Lafarge-Coppée avait placé le groupe en position conquérante sur le marché européen. En 1979, le groupe Lafarge paraissait prospère. Sa stratégie était dominée par trois préoccupations majeures : améliorer ses positions, toujours fragiles, dans le réfractaire ; élargir ses positions cimentières sur le marché à haut potentiel des États-Unis ; pénétrer dans le secteur des technologies nouvelles. Si le second objectif fut atteint par les moyens que l'on sait, le premier et le troisième supposaient une alliance. Cette alliance s'offrit avec le groupe belge Coppée déjà en relation de recherche avec Lafarge. Coppée s'était formé en 1853. Il s'était vite imposé comme l'un des groupes *leaders* du secteur charbonnier en Belgique, s'intéressant à l'usage des sous-produits de la houille (notamment le ciment de laitier), à l'électricité et à l'acier, à l'industrie chimique (ammoniaque) et même aux industries agricoles et alimentaires (sucre, acides aminés). En 1962, il avait créé Orsan, *leader* des biotechnologies. En même temps, il avait développé des compétences en ingénierie, ouvrant ainsi d'intéressantes perspectives au groupe Lafarge.

En 1980, voulant percer dans les biotechnologies, Lafarge acquit le groupe Coppée, avec l'aide du Crédit Agricole, lui-même désireux d'investir dans les biotechnologies. L'opération se réalisa dans le cadre d'une augmentation de capital. L'association devint vite une intégration : certes Lafarge accroissait son effectif de 6 000 personnes, mais le capital social de Coppée ne représentait que 10 % de celui de Lafarge. De plus, la période était très difficile pour Lafarge, très endetté en Amérique du Nord et confronté à de sérieux problèmes tant dans le réfractaire que dans l'ingénierie. L'ère était au désengagement, au grand dam de l'héritage Coppée : en 1983, Lafarge Coppée céda à Lavalin, *leader* canadien de l'ingénierie, ses bureaux d'études Coppée Courtoy et Coppée Engineering.

De fait, entre 1984 et 1986, toujours, sous l'impulsion d'O. Lecerf, PDG, de J. François et de Jean Rives, directeurs généraux, le groupe réduisit son endettement et accrut sa marge brute d'autofinancement. Il redéploya sa stratégie industrielle autour de trois axes : le ciment, les autres matériaux de construction et les bio-industries. Durant cette période, Orsan, chef de file de ce dernier secteur, lança d'importants investissements chimiques : usine de Hearland Lysine, dans l'Iowa, *joint-venture* avec le groupe japonais Ahinomoto. Dans le domaine du végétal, il se développa par des acquisitions aux États-Unis, où Orsan disposait de onze centres de recherche. Le groupe était désormais présent en Californie (Sogetal) et en Arizona (Western Plant Breeders), où il développait un blé hybride. S'agissant des matériaux de construction, Lafarge Fondu International, *leader* mondial, continuait d'apporter au groupe sa contribution : en 1985, LFI reprit à Lone Star sa participation dans la filiale commune devenue désormais Lafarge Calciums aluminates.

Mais le groupe Lafarge Coppée demeurait attaché à renforcer ses positions dans le ciment. En Allemagne, il devait faire face, depuis longtemps, à une très forte concurrence. Outre la présence d'Holderbank, puis Holcim, s'y trouvaient solidement établis les deux grands cimentiers nationaux, Heidelberg Zement et Dyckerhoff. Lafarge prit le contrôle, en 1988, de Portland Zementwerk, puis s'accorda, dès 1989, avec le cimentier est-allemand Karsdorfer, avant même que le processus de réunification ne fût parvenu à son terme. Cette opération ouvrait la voie à une offensive européenne du groupe : rachat de Cementia, numéro deux helvétique derrière Holcim ; entrée dans le capital d'Asland SA, société espagnole, implantée aussi en Turquie, ainsi que de Pelmoor, une entreprise autrichienne ; acquisition d'une participation majoritaire dans Cizkovicka Cementarna, en République tchèque, puis, en 1995, en Pologne ; prise de contrôle de la cimenterie de Kujawy, en Pologne, et d'une participation de 27 % dans celle de Malogoszcz. De ce fait, Lafarge s'imposait comme le *leader* sur le marché polonais.

## L'ACCÈS A LA FIRME MONDIALE (1993-2007)

Cette relance était opportune. Depuis 1989, la croissance du groupe tendait à s'essouffler, même si ses positions internationales demeuraient fortes (numéro deux mondial du ciment derrière Holderbank, numéro trois des bétons et granulats derrière ce même Holderbank et Cemex[23], numéro un mondial pour la lysine, grâce à Orsan). Le mouvement s'inversa à partir de 1993, point de départ du passage à la firme mondiale[24]. Portée par un marché en expansion, la croissance du groupe fut soutenue et s'accompagna du maintien d'une bonne rentabilité.

### Une expansion portée par le marché[25]

Si les années 1989 à 1993 virent une stagnation du chiffre d'affaires et un recul des profits, elles se caractérisèrent aussi par un désendettement net et des gains de productivité du travail. Dans ces conditions, à partir de 1993 et jusqu'en 2007, Lafarge retrouva la voie d'une croissance soutenue. Cette croissance s'accéléra à partir de 1997, à la suite de la fusion avec Redland, *leader* mondial des granulats et de la toiture, puis au rachat, en 2002, de Blue Circle, sixième cimentier mondial. Entre 1993 et 2007, le chiffre d'affaires hors taxes du groupe augmenta de +9,5 % en moyenne et le résultat brut d'exploitation de +11,4 %. Il en découla une augmentation sensible des marges bénéficiaires (16,9 % en moyenne de 1991 à 1997, mais 19,4 % entre 1998 et 2007).

Entre 1993 et 2007, l'essor du groupe s'appuya sur quatre métiers. Seuls trois furent conservés au cours de la période : ciment, granulats et béton, plâtre. Le quatrième donna lieu, en 1997-98, à une réorientation stratégique. En effet, un nouveau métier, la toiture, s'était substitué, à cette date, aux matériaux de spécialité (aluminates de calcium et produits formulés prêts à l'emploi). Ces métiers se caractérisèrent, au cours de la période 1997-2007, par un inégal dynamisme : croissance soutenue du ciment (+11,5 % par an en moyenne pour le chiffre d'affaires), grâce notamment à l'acquisition de Blue Circle en 2001, ainsi que des granulats et béton (+11,3 %), portés par une demande forte et soumis à une très forte concurrence internationale (RMC, filiale de Cemex, numéro

**23** – Dominique Barjot, "Cemex or the Rise of a Mexican Multinational", communication présentée à la conférence de Paris, 29 mars 2018, préparatoire au World Economic History Congress 2018 de Boston, à paraître dans Dominique Barjot and Yago Kazuhiko (eds.), *Theory and Empirical Performance. Economic Paradigm and performance in the long run (18th to 21th century): To what extent are European development-theories on industrialization valid from a World point of view?, op. cit.*

**24** – Dominique Barjot, « Lafarge (1993-2004). Comment on devient firme mondiale », dans Dominique Barjot, (dir.), « Où va l'histoire des entreprises ? », *Revue économique*, vol. 58, n° 1, janvier 2007, p. 79-111.

**25** – Dominique Barjot, « Lafarge : de l'entreprise internationale à la firme mondiale (1993-2007) », dans Dominique Barjot et Marie-Claude Esposito, *Mondialisation, modèles nationaux de développement et stratégies d'entreprises XIXe-XXIe siècles. Globalization, national patterns of development and strategies of firms (19th-21st centuries)*, Paris, SPM, 2016, p. 234-262.

un mondial, Heidelberg Cement, Holcim, Colas[26]). Le plâtre se caractérisait aussi par une vive expansion (+9,8 %), tandis que la toiture apparaissait comme un secteur mûr, en tassement (-0,5 % par an en moyenne de 1998 à 2007). En poids relatif le ciment dominait (44,9 % du chiffre d'affaires total de 1993 à 1997, 47,3 % entre 1998 et 2007), devant granulats et bétons (28,7 % et 34,2 % respectivement, suite à l'absorption de Redland), loin devant le plâtre (9,5 % et 8,6 %). À cet égard l'évènement majeur résidait dans le désengagement total des matériaux de spécialité (16,9 % du chiffre d'affaires total en 1993-97), que ne compensait pas l'entrée dans le secteur de la toiture (9,1 % de 1998 à 2007).

En termes d'emplois, la prépondérance du ciment apparaissait plus nette encore (47,7 % de l'emploi total de 1993 à 1997, 50,7 % entre 1998-2007), loin devant les granulats et bétons (29,2 % et 27,5 %), et le plâtre (8,3 % et 7,4 %), le solde relevant des matériaux de spécialité jusqu'à 1997, de la toiture à partir de 1998. En revanche les niveaux de productivité du travail dans le plâtre et les bétons et granulats dépassaient nettement ceux du ciment, des matériaux de spécialité et de la toiture. Cependant au cours de la période, seuls le ciment et surtout les granulats et bétons parvinrent à élever significativement leurs gains de productivité. De tous les secteurs, le ciment était de loin le plus rentable : le ratio revenu brut d'exploitation/chiffre d'affaires hors taxes atteignait 22,8 % entre 1993 et 1997 et 24,1 % de 1998 à 2007. C'était beaucoup plus que les granulats et bétons en progrès (3,3 % et 8,1 % respectivement) que le plâtre, en stagnation (8,5 % et 8,3 %) et surtout que les matériaux de spécialité (6,4 % en 1993-97) ou la toiture (7,6 % en 1998-2007). À coup sûr, Lafarge tirait avantage de la prise de contrôle de Redland et, dans une moindre mesure, de Blue Circle. En revanche, dans le plâtre, Lafarge souffrait d'une taille insuffisante face aux deux *leaders* mondiaux, l'Américain United State Gypsum Corporation (USG) et le Britannique British Plaster Board (BPB).

Entre 1993 et 2007, Lafarge s'imposa comme une firme mondiale. La part de la France ne cessa de décroître au sein des effectifs employés (16 % du total dès 1999 contre 36 % en 1993), comme du chiffre d'affaires (19 % en 1999 au lieu de 41 % en 1993). Cette évolution se renforça avec les prises de contrôle de Redland (1997), Blue Circle (2001) et Warren (2002). C'était le fruit d'une stratégie mondiale : dès 2004, le groupe était présent dans 75 pays au lieu de 40 en 1993. Certes l'Europe occidentale demeurait le marché le plus important, mais, à partir de 1998, elle perdit sa prépondérance absolue. Ce rééquilibrage profita à l'Amérique du Nord et, plus encore, aux pays émergents (Europe Centrale et de l'Est, bassin méditerranéen, Afrique et Océan indien, Amérique latine, ensemble Asie-Pacifique). En 2004, ces derniers pays représentaient 31 % du chiffre d'affaires total contre 27 % pour l'Amérique du Nord et 42 %

26 – Dominique Barjot, « Un leadership fonde sur l'innovation : Colas (1929-2007) », dans Dominique Barjot, *Bouygues. Les ressorts d'un destin entrepreneurial*, Paris, Economica, 2013, p. 193-221.

pour l'Europe continentale. Les marchés des pays émergents apparaissaient les plus porteurs (+19,8 % par an en moyenne de croissance du chiffre d'affaires hors taxes de 1993 à 2007), devant l'Amérique du Nord (+8,3 %) et l'Europe occidentale (+6,0 %). Cette avancée des pays émergents se trouvait confirmée en termes d'emplois (+13,8 %) : à partir de 1998, ces mêmes pays émergents concentraient près de la moitié des effectifs employés, la réorientation se produisant pour l'essentiel de l'Europe vers ces mêmes pays émergents, où les niveaux et les gains de productivité étaient nettement supérieurs. Bien implanté en Amérique latine, le groupe progressait cependant beaucoup plus dans les zones Afrique, Asie et Pacifique.

## La production et ses facteurs : une expansion soutenue

Grâce à des performances solide, Lafarge apparaissait, depuis 1993, comme un groupe rentable, bien que confronté à un besoin structurel de financement à long terme. De 1993 à 2007, le résultat brut d'exploitation (+10,7 % par an en moyenne) progressa plus vite que le chiffre d'affaires (+9,5 %). Certes le taux de valeur ajoutée diminua de façon sensible, mais son partage devint beaucoup plus favorable au profit : les dépenses de personnel représentaient 61,1 % de la valeur ajoutée entre 1991 et 1997, mais 45,4 % seulement de 1998 à 2007 ; le résultat brut d'exploitation à l'inverse passa de 38,9 % à 54,6 %. En revanche, cette croissance soutenue du chiffre d'affaires et des profits, reposait plus sur la mobilisation de volumes croissants de main-d'œuvre (+6 % par an en moyenne de 1993 à 2007) et de capital fixe productif brut (+11,4 %) que sur des gains de productivité globale des facteurs de production (+3,0 % par an moyenne toujours de 1993 à 2007).

En effet, le groupe fournit tout au long de la période un effort soutenu d'investissement : sauf de 2002 à 2004, le taux d'investissement demeura toujours élevé (21,2 % en moyenne entre 1993 et 2007), avec un maximum entre 1997 et 2001, correspondant à l'acquisition de Redland (33,1 % en moyenne). À partir de 1997 se produisit une nette inflexion au profit de la croissance externe. Marquée par les acquisitions de Redland et Blue Circle, la période 1997 à 2007 ne fut pas homogène : les années 2002 à 2004 virent en effet un net mouvement de désinvestissement externe. Si le taux d'investissement se releva de façon sensible à partir de 2005, se produisit alors un net rééquilibrage entre investissements productifs et investissements de portefeuille, grâce à une plus forte progression des premiers.

Ces investissements furent autofinancés à hauteur d'un peu plus de la moitié (52,9 %) entre 1993 et 2007. Mais, dans le court terme, le taux d'autofinancement connut d'importantes variations. Entre 1993 et 1996, le groupe s'autofinança à hauteur des deux tiers, couvrant ses investissements industriels à partir de ses seuls bénéfices. La situation se dégrada beaucoup de 1997 à 2001, pour cause d'endettement massif à long et moyen terme : le taux d'autofinancement tomba alors au tiers. Puis les années 2002 à 2004 virent un net redressement : le taux d'autofinancement dépassait alors 100 %, attestant d'une volonté marquée de désendettement. Entre 2005 et 2007, le taux d'autofinancement revint à un peu moins des deux tiers. Il s'agissait pour le groupe de préserver un haut niveau de rentabilité.

De fait, entre 1993 et 2007, le groupe Lafarge bénéficia toujours d'une rentabilité élevée. Le retour sur investissement (ou rendement économique des immobilisations brutes) par exemple avoisinait 13,5 % sur l'ensemble de la période. Il s'éleva jusqu'à près de 14 % entre 2002 et 2004, puis demeura supérieur à 13 % dans les années qui suivirent. De même, les acquisitions de Redland, Blue Circle et Warren se traduisirent par une augmentation de près d'un point de la rentabilité financière, demeurée stable de 2002 à 2004, mais à nouveau en forte hausse entre 2004 et 2007. Cette bonne rentabilité traduisait une structure financière satisfaisante. De fait, entre 1993 et 2007, le groupe Lafarge se caractérisait par un niveau conséquent d'indépendance financière (47,4 % en moyenne), la persistance d'un important endettement à long et moyen terme (35,2 % du total du passif), mais aussi un taux tout à fait convenable (23,2 %) de couverture des dettes à long et moyen terme par la marge brute d'autofinancement.

En revanche, tout au long de la période, le groupe souffrit d'une trésorerie tendue. De 1993 à 2007, l'endettement à long et moyen constitua donc une nécessité constante et irréfragable. Mais cela ne suffisait pas : à part de 1993 à 1996 et en 1999, le fonds de roulement net demeura toujours négatif, avec un point critique en 2001, correspondant à l'acquisition de Blue Circle. La différence entre ressources permanentes et capitaux fixes se montait à -3,7 % du total du passif entre 1993 et 2004, mais à -5,7 % entre 2000 et 2004. De 2005 à 2007, se produisit, cependant, un net redressement, avec un excédent de +19,6 % en moyenne. Le rétablissement de l'équilibre financier fut donc réel, mais au prix d'un lourd endettement à long et moyen terme.

Dans ces conditions, le groupe Lafarge dut faire appel à ses actionnaires. Il procéda de manière récurrente à d'importantes augmentations de capital : ainsi, par deux fois en 1993, pour renforcer les moyens de sa filiale américaine Lafarge Corporation, puis en vue de désendetter le groupe. En 1998, le groupe répéta son appel aux actionnaires, avec droit préférentiel en faveur des anciens, afin de les fidéliser. Enfin, en 2003, les dirigeants de Lafarge renouvelèrent l'opération, en vue d'accélérer le désendettement du groupe. L'objectif était de constituer un actionnariat stable, d'où les attributions d'actions gratuites opérées en 1993 et 1995. Les émissions d'action auprès de salariés du groupe, en 1995 et 1999, allaient dans le même sens. Ces augmentations de capital, quelle que fût leur forme, découlaient d'une même logique de croissance subordonnée à la confiance de l'actionnaire.

## Une logique de croissance subordonnée aux intérêts de l'actionnaire

Dans un contexte marqué par l'importance des opérations de croissance externe, Lafarge dut faire face, jusqu'en 2006-2007, à un actionnariat dispersé et volatile. De fait, entre 1993 et 2007, le groupe procéda à des cessions stratégiques. Dès 1994, le groupe se désengagea d'Orsan, qui, à cette date, ne représentait plus que 3 % du chiffre d'affaires hors taxes du groupe. L'autre grande cession stratégique consista dans la vente, en 2000, de ses activités matériaux de spécialités aux fonds d'investissements CVC, Capital Partners, Advent International et Carlyle Group. Seules échappèrent à ces fonds les activités applications routières vendues au groupe Burelle, et chaux, dont une partie était déjà en *joint-venture* avec le groupe Carmeuse. En dehors de ces deux dernières spécialités, l'ensemble matériaux de spécialité présentait une rentabilité suffisante pour être cédé à une société indépendante, Matéris, dont, en 2007, Lafarge détenait encore 34,6 % du capital social. La raison profonde de ce désengagement tenait à la nécessité de réduire l'endettement d'un groupe engagé dans l'acquisition de Redland, puis de Blue Circle.

En 1997, Redland constituait l'un des grands groupes britanniques du secteur des matériaux de construction. Fondé en 1919, il s'était rapproché de l'Allemand Braas, spécialisé dans les travaux de toiture, où il avait pris une participation, dès 1953, avant d'en acquérir le contrôle en 1959. À son rachat, Redland employait 18 000 salariés. Son activité s'exerçait dans les bétons et granulats (33 % du chiffre d'affaires total), la chaux (4 %) et surtout la toiture (53 %), à la fois en Europe, en Asie et en Afrique. Dans ce dernier secteur, il se plaçait au premier rang mondial, mais bénéficiait aussi de positions fortes dans les granulats et bétons (numéro un en France, numéro trois aux États-Unis, numéro quatre au Royaume-Uni).

La prise de contrôle s'opéra vite. Le 30 octobre 1997, Lafarge lança une offre publique d'achat sur 100 % des actions de Redland Plc, société cotée au LSE. Le conseil d'administration de Redland ayant accepté, Lafarge devenait numéro un mondial de la toiture, renforçait sa compétitivité et améliorait sa rentabilité, équilibrait mieux son portefeuille d'activité, réduisait sa dépendance par rapport aux risques géographiques et créait de la valeur pour ses actionnaires. L'intégration s'effectua en six mois, avec succès : en 1998, le chiffre d'affaires progressa de +53 % (dont 50,9 % par effet de structure). Le seul problème résidait dans la progression de l'endettement : 3,3 milliards d'euros contre 2,7 avant la prise de contrôle. Telle fut l'origine de la vente, dès décembre 1998, de Redland Stone Products, premier producteur de granulats et d'asphalte du Texas.

L'acquisition de Blue Circle Industries s'avéra plus difficile. Il s'agissait d'une firme prestigieuse, demeurée longtemps le premier producteur d'Europe, sous la raison sociale Associated Portland Cement Manufacturers Limited (APCM). Après la Seconde Guerre mondiale, elle avait perdu sa position de *leader* face à ses concurrents : Holderbank (puis Holcim), Lafarge, Cemex[27], Heidelberger Zement (puis Heidelberg Cement), Italcementi. En 1989, Blue Circle demeurait encore le sixième producteur mondial de ciment. Cette même année s'opéra un premier rapprochement : l'acquisition, en *joint-venture*, par les deux groupes, d'Hims Cement, principal producteur ougandais. En 2000, au cours du premier semestre, Lafarge lança une OPA sur son concurrent, mais le groupe échoua, Lafarge n'ayant pu acquérir que 19,9 % du capital de Blue Circle. Les négociations reprirent à la fin de l'année. Lafarge déposa une nouvelle OPA, amicale cette fois, en janvier 2001. L'intégration de Blue Circle s'effectua rapidement.

Lafarge se hissait désormais au rang de premier cimentier mondial devant Holcim, avec un accroissement de 35 % de ses capacités de production. Blue Circle apportait 17 000 travailleurs supplémentaires, dont l'intégration fut un succès. De plus, Lafarge acquérait une position de leader dans plusieurs pays à fort potentiel de développement : Royaume-Uni, Grèce, Chili et Malaisie. Mais la situation apparaissait plus difficile au Nigeria et aux États-Unis, du fait de la conjoncture, et, surtout, aux Philippines, du fait de la guerre des prix entre producteurs. Surtout, l'endettement du groupe augmentait beaucoup. Lafarge accéléra donc sa politique de cessions : en octobre 2001, vente à Holcim de deux filiales de Blue Circle en Ontario, reprise par Cimpor à Lafarge de 33 % du capital de la société sud-africaine Natal Portland Cement ainsi que d'actifs cimentiers dans le Sud de l'Espagne. Ces cessions devaient beaucoup au souci de préserver la confiance de l'actionnaire.

Lafarge devait faire face à une double contrainte : d'une part, celle d'un actionnariat dispersé et excessivement flottant ; de l'autre, celle de la tyrannie des cours de Bourse. Entre 1993 et 2007, le nombre d'actionnaires augmenta beaucoup (123 000 en 1993, 245 000 en 2004). Jusqu'en 2004, la structure du capital demeura très éclatée. Néanmoins, à partir de 2005, une amorce de stabilisation s'opéra, avec l'entrée au capital du groupe Bruxelles-Lambert, dirigé par Albert Frère. Courant 2007, il y renforça sa position au point d'en devenir

27 – Juan Ignacio Barragán and Mario Cerutti, "Cemex: del mercado interno a la empsesa global", in Carlos Marichal y Mario Cerutti (eds.), *Del Mercado Protegido al Mercado Global. Monterrey 1925-2000*, Mexico, Trillas, 2003, p. 55-80 ; Dominique Barjot, « Cemex (1906-2008). Le succès exemplaire d'une multinationale issue d'un pays émergent », dans Blanca Cecenã et Felipe Golib, *Cycle de conférences 2010*, Paris, Maison du Mexique, Cité Internationale Universitaire de Paris, 2010, p. 14-33.

l'actionnaire majeur (16,4 % des actions en 2007 contre 2,9 % seulement deux ans auparavant). Sa progression s'effectua au détriment des autres investisseurs institutionnels (70 % au lieu de 80,7 %), des actionnaires individuels (13,3 % contre 15,5 %) et de l'autocontrôle (0,3 % au lieu de 0,9 %).

Le phénomène majeur résidait cependant dans l'internationalisation du capital, beaucoup renforcée par les acquisitions successives de Redland (1998-1999) et de Blue Circle (2001). Si l'actionnariat français l'emportait toujours en termes relatifs (35,3 % du capital en 2007 contre 42,3 % en 2003), il n'était plus majoritaire comme en 1993-1994. L'entreprise était devenue européenne : en 2007, la part des investisseurs britanniques et belges s'élevait à 41,5 % (17,7 % au minimum en 2003). Dès 2004, l'ensemble des actionnaires européens (intérêts français exclus) s'élevait à 42,7 % du total). De plus, le poids des actionnaires américains s'était renforcé également (20,7 % en 2007 au lieu de 14,3 % en 2003). Cet élargissement mondial de la structure du capital ne remettait pas en cause, loin s'en fallait, le poids de l'actionnariat individuel. Face au risque de fluctuations du cours de Bourse, il fallait donc jouer de l'auto-contrôle, mais aussi et surtout, accroître la part des actionnaires salariés : ils étaient 38 000 dès 2003 au lieu de 15 000 en 1995, fournissant ainsi le moyen d'enrayer les effets de la tyrannie du cours de Bourse.

En effet, le groupe Lafarge se trouvant dans une étroite dépendance envers l'activité de l'industrie de la construction dans les pays où il intervenait comme producteur de ciment, de granulats et de bétons, d'équipements de toiture ou de plaques de plâtre. Appartenant à un secteur capitalistique prédisposé à la cartellisation, il s'exposait aux amendes infligées par les diverses autorités de régulation de la concurrence[28]. Dès 1994, la Commission Européenne infligea une amende à plusieurs cimentiers européens dont Lafarge. En 2001, la Commission condamna le groupe à une seconde amende de 250 millions d'euros pour entente sur les marchés de la plaque de plâtre en Allemagne et au Royaume-Uni. L'appel n'aboutit pas. En revanche, l'Office allemand des cartels engagea une enquête anti-trust à l'encontre du groupe. Lafarge dut constituer une provision exceptionnelle de 300 millions d'euros : si le groupe maintint son dividende, le cours de l'action chuta de 31,5 % en 2002.

Entre 1993 et 2004, l'action Lafarge connut des fluctuations fortes : progression en 1993 (vingtième valeur du CAC 40, en termes de capitalisation) ; baisse en 1994, 1995 et 1996 ; forte progression en 1997, 1998 (quatrième meilleure performance du CAC 40) et 1999 ; baisse sensible, puis reprise en 2000-2003, date à laquelle le capital était à 100 % flottant. L'on comprend mieux l'importance d'une politique visant à servir des dividendes croissants, sans pour

**28** – Dominique Barjot, "The European Oligopoly of Cement between Competition and Cooperation (1880s-today)", in Susanna Fellman and Martin Shanahan (eds.), *The Influence of International Cartels: Beyond the Market*, Routledge, (sous presse).

autant sacrifier l'autofinancement, mais aussi informer de mieux en mieux l'actionnaire. Entre 1993 et 2007, les bénéfices distribués (+13,3 % par an en moyenne) progressèrent plus vite que l'autofinancement brut (+12,1 %). Cette priorité donnée à l'actionnaire fut très nette de 2001 à 2004 dans la période des grandes fusions-acquisitions (Blue Circle, Warren). Néanmoins, le groupe Lafarge ne sacrifia pas l'autofinancement à l'actionnaire. Il représenta toujours au moins les quatre cinquièmes de la marge brute d'autofinancement (entre 75 % et 85 % du total de 1993-96 à 2005-07) contre un cinquième pour le total des bénéfices distribués (de 25 % à 18,5 % aux mêmes dates). En effet, il fallait à la fois préserver la marge d'indépendance stratégique du groupe et la stabilité de l'actionnaire.

Cela impliquait nécessairement une bonne gouvernance[29]. Au cours des années 1993 à 2007, le groupe bénéficia de la stabilité de son management. Bertrand Collomb (1943-2019), le PDG, était arrivé aux commandes du groupe en 1989[30]. Il le resta jusqu'en mai 2003, date à laquelle Bernard Kasriel accéda aux fonctions de directeur général délégué avant de s'effacer lui-même, en juin 2005, au profit de Bruno Lafont. En cela, pas de rupture : l'équipe de direction demeurait homogène, avec la quasi-certitude, pour les directeurs généraux, d'accéder comme B. Kasriel, au conseil d'administration. Depuis 1947, Lafarge était un groupe managérial. Il l'avait fait sans rompre avec le passé : en 2004 encore, un héritier siégeait encore au conseil, en la personne de Rafaël de Lafarge. La scission des fonctions de président du conseil d'administration, toujours dévolues à B. Collomb, et de directeur général, pour Bruno Laffont, s'effectuait en douceur par une sorte retour à la tradition des années 1950, interrompue par la mort d'A. François en 1960. Même M. Demonque, longtemps PDG comme B. Collomb, avait souhaité se limiter en 1971 aux fonctions de président, afin de mettre en selle J.-C. Lofficier, trop tôt décédé.

En 1997, B. Collomb avait été élu « Manager de l'année » par le *Nouvel Économiste*. Cette récompense traduisait l'efficacité de la gouvernance du groupe. Dès 2002, le conseil d'administration comptait au moins huit administrateurs indépendants sur quinze. Cette recherche d'une bonne gouvernance bénéficiait aux actionnaires. Côté depuis longtemps à la Bourse de Paris (CAC 40), Lafarge avait été admis en 2001 à la celle de New York (NYSE), puis intégré à Euronext en 2002 (DJ Euronex 50) : en contrepartie, le groupe s'était retiré des Bourses de Londres, Francfort et Düsseldorf. Afin de demeurer proche de ses actionnaires, le groupe avait créé dès 1994, un comité consultatif d'actionnaires, multiplié les rencontres avec ceux-ci, et cherché à formaliser ses engagements envers eux.

**29** – Bertrand Collomb et Michel Drancourt, *Plaidoyer pour l'entreprise*, Paris, Éditions François Bourin, 2010.
**30** – Hervé Joly, « Bertrand Collomb », dans Jean-Claude Daumas (dir.), *Dictionnaire Historique des patrons français*, *op. cit.*, p. 182-184.

## Conclusion

Sa réussite, le groupe Lafarge la dut à deux facteurs : sa multinationalisation et la valorisation de son capital humain.

À l'arrivée d'Olivier Lecerf à la tête du groupe en 1974, la multinationalisation de Lafarge était déjà affirmée. À partir de 1993, elle s'amplifia de manière formidable, grâce à la conquête des marchés d'Europe occidental, d'Amérique du Nord et, de plus en plus, des pays émergents. La percée européenne dut beaucoup à la fusion avec Coppée, en 1980. Puis le groupe s'implanta en Allemagne, en Suisse, en Espagne, en Turquie, puis en Autriche, et enfin aux Pays-Bas et au Royaume-Uni. Il relança son offensive européenne, à partir de 1997, en direction de la Suède, de la Norvège et de la Finlande, tout en renforçant ses positions italiennes et en concluant, en 2000, une alliance stratégique avec Cimpor[31]. Lafarge s'était aussi beaucoup renforcé en Amérique du Nord. Dès 1971, le rachat de Canada Cement en avait fait le numéro un au Canada. Dix ans plus tard, Lafarge réussissait son OPA amicale sur General Portland. Avec la création de Lafarge Corporation, puis Lafarge North America, le groupe s'imposait comme le premier producteur nord-américain. Se renforçant beaucoup dans le ciment (accord avec Cemex en 1994), il tenta de faire de même pour la plaque de plâtre : en dépit de l'échec d'une prise de participation dans National Gypsum, entre 1993 et 1995, Lafarge Corporation racheta Continental Gypsum. Dans d'autres domaines, le succès fut plus inégal : échec de l'association avec Carmeuse, de 1998 à 2001, dans la chaux ; réussite avec Lafarge Application Routières ; surtout, acquisition de Warren en 2002, face à la concurrence de Colas.

La percée la plus spectaculaire s'effectua dans les pays émergents. Déjà établi dans la partie orientale de l'Allemagne dès 1989, le groupe s'implanta, à partir de 1993, en Europe centrale et orientale : République Tchèque, Pologne, où il acquit, de 1995 à 2002, un net *leadership*, Russie, Roumanie et Ukraine. Actif déjà au Maroc et en Turquie, il s'intéressa à l'ensemble du bassin méditerranéen (Égypte, Grèce, Serbie, Monténégro) et du Proche-Orient (Emirats Arabes Unis, Jordanie). Il étendit sa stratégie à l'ensemble de l'Afrique subsaharienne et de l'Océan Indien : Cameroun, Afrique du Sud, Malawi, Tanzanie et Zambie, Zimbabwe et Nigeria. Ses efforts se portèrent aussi sur l'Amérique latine : Brésil, mais aussi Venezuela, Honduras, Équateur et, surtout, Mexique. Les résultats les plus brillants furent obtenus en Asie. Déjà installé en Thaïlande et au Vietnam, le groupe, à partir de 1994, s'établit en Indonésie, puis aux Philippines, en Inde et au Bengladesh. Lafarge obtint ses plus grands succès en Chine. Précédant ses grands concurrents mondiaux, il s'y introduisit dès 1994

31 – Lucie Chevallard, « Lafarge entre au capital de Cimpor », *Les Échos*, 27 juillet 2000, https://www.lesechos.fr/2000/07/lafarge-entre-au-capital-du-portugais-cimpor/748899. Voir aussi Cimpor SGPS, "Companhia Compete for Cimpor", *International Construction*, vol. 49, No.1, 2010, p. 89-105.

dans le ciment, puis dans le plâtre, en partenariat avec des intérêts japonais et chinois, et enfin dans la production de tuiles béton. La percée s'étendit à la Corée du Sud, en 1998, à l'Australie, à partir de 1999, et même au Japon (rachat d'Aso à Kyushu).

Second facteur de succès, le groupe Lafarge se préoccupa de valoriser son capital humain[32]. Firme managériale, Lafarge avait réalisé la synthèse de la tradition paternaliste originelle et des pratiques les plus avancées du management à l'américaine (internationalisation croissante des cadres et des personnels, introduction d'un nouveau système de gestion, *Economic Value Added*, au moment de l'intégration de Redland, lancement en 2000 du projet *Leader for tomorrow* en vue de diffuser une cuture de la performance, mais aussi une conscience plus solidaire). Cela allait de pair avec un intense effort d'innovation. Initié dès 1887 avec la création du laboratoire central du Theil, l'effort en faveur de la recherche ne se démentit jamais : en 1993, il reposait notamment sur le pôle technologique de L'Isle-d'Abeau, près de Lyon, plus important laboratoire mondial dans le domaine des matériaux. En lien avec les plus grands établissements de recherche du monde (Polytechnique, Berleley, Princeton, MIT de Boston, Polytechnicum de Lausanne), Lafarge lança des produits nouveaux lui assurant le *leadership* technologique mondial (invention du Ductal en 1998) et lui permettant d'être à l'origine d'ouvrages de génie civil particulièrement remarquables (passerelle de Séoul, viaduc de Millau). Enfin Lafarge se distingua par sa stratégie de développement durable, en avance sur celle de ses concurrents (Holcim, Cemex, Heidelberg Cement) ou de ses homologues (Saint-Gobain). Un tournant décisif avait été la création, en 1995, du World Business Council for Sustainable Development (WBCSD) par l'industriel suisse Stephan Schmidheiny, ancien PDG du groupe suisse Eternit, avec le soutien, entre autres, du groupe Holcim, dirigé par son frère Thomas, de Lafarge, toujours dirigé par Bertrand Collomb, et de Heidelberg Cement (ou Heidelberger Zement), Italcementi et Buzzi Unicem, afin de réaliser des objectifs ambitieux en termes de développement durable[33].

Le succès était néanmoins demeuré fragile[34]. Certes, en 2008, le groupe avait consolidé la structure de son capital ; arrivée de NNS Holding Sarl (13,8 % du capital et 11,3 % des droits de vote), société contrôlée par la famille Sawiris, contrepartie du rachat des actifs cimentiers à Eurascom, la montée en puis-

**32** – Philippe d'Iribarne, *La logique de l'honneur*, Paris, Seuil, 1989 ; *L'épreuve des différences*, Paris, Seuil, 2009.

**33** – Le WBCSD a été créé en 1995 par la fusion du Business Council for Sustainable Development et du World Industry Council for the Environment, à l'initiative de Stephan Schmidheiny, conseiller principal pour les affaires de Maurice Strong, secrétaire général de la Conférence des Nations unies sur l'environnement et le développement, plus connue sous le nom de Sommet de la Terre de Rio (1992). Parmi ses membres figurent de grandes multinationales telles que General Motors, Du Pont, 3 M, Deutsche Bank, Coca Cola, Sony, Caterpillar, BP, Royal Netherlands Shell, Monsanto, Bayer, JP Morgan, mais aussi les principaux producteurs mondiaux de ciment.

**34** – Dominique Barjot, "The European Oligopoly of Cement between Competition and Cooperation (1880s-today)", in Susanna Fellman and Martin Shanahan (eds.), *The Influence of International Cartels: Beyond the Market*, *op. cit.*

sance du groupe Lambert-Bruxelles (21,1 % et 28,5 %) et l'entrée de la société d'investissement Dodge & Cox (4,7 % et 5,3 %). Ainsi 39,6 % du capital et 45,1 % des droits de vote appartenaient aux trois actionnaires majeurs tandis que le rapprochement avec Eurascom avait propulsé le groupe Lafarge au premier rang mondial, avec une nette avance, en termes de chiffre d'affaires comme de profits. Mais, dès le mois de décembre 2010, « le Printemps arabe » déstabilisa les positions dominantes acquises dans les pays arabes par Lafarge. Surtout, les *leaders* européens du secteur devaient faire face à de nouveau concurrents européen (l'Irlandais CRH), mais aussi brésiliens (Votorantim, Intercement), taïwanais, russes, indiens et, surtout, chinois (CNBM, numéro deux mondial en 2014 derrière Lafarge, Anhui Conch, numéro quatre, Jidong Development, Sinoma, etc.)[35].

Cette montée des concurrences précipita le rapprochement Lafarge-Holcim effectué en 2014[36]. *A priori* l'opération était raisonnable. Donnant naissance au *leader* mondial du ciment (27 milliards d'euros de chiffre d'affaires et 24,4 % de marges bénéficiaires), l'opération reposait sur de réelles complémentarités géographiques (Lafarge *leader* en Amérique du Nord et Asie, Holcim en Asie-Pacifique et Amérique latine) et techniques (Lafarge en avance pour le ciment et les granulats, Holcim pour le béton prêt à l'emploi). Lafarge avait un avantage technologique évident, Holcim bénéficiant d'un marketing et d'une organisation supérieure. De fait, à côté des deux coprésidents (Wolfgang Reitzle pour Holcim, Bruno Lafont pour Lafarge), le premier PDG, Éric Olsen, était issu de Lafarge. Mais on le sait, depuis, les accusations portées contre Lafarge ont emporté B. Lafont et É. Olsen, ouvrant la voie non seulement à une prise de contrôle complète du nouvel ensemble par les ex-dirigeants d'Holcim, c'est-à-dire d'abord la puissante famille des Schmidheiny[37], mais aussi et surtout à un rééquilibrage majeur au sein de l'industrie cimentière mondiale, au profit de CRH, principal bénéficiaire des cessions consenties par Lafarge et Holcim[38], de Cemex et des géants chinois[39].

**35** – Dominique Barjot, « L'ascension des entreprises cimentières brésiliennes : l'exemple du groupe Votorantim », dans Delorme Prado (Luiz Carlos) et Moraes Vodopives (Hildete de) (dir.), « Concurrence et régulation au Brésil », *Entreprises & Histoire*, n° 99/2020, p. 79-106.

**36** – Holcim-Lafarge, « Une fusion entre égaux pour créer Lafarge Holcim », communiqué, Paris et Zurich, 7 avril 2014 ; Holcim-Lafarge, « Création d'un groupe à l'avant-garde de l'industrie des matériaux de construction », 7 avril 2014, p. 8. Documents consultés le 8 avril sur les sites respectifs de Lafarge et d'Holcim.

**37** – Heinrich O. Staub, *Von Schmidheiny zu Schmidheiny*, Zurich, Switzeland, 1994.

**38** – "CRH assumes Lafarge-Holcim will proceed", *Global Cement News*, 19 mars 2015.

**39** – Peter Edwards, "Global Cement Top 100 Report 2017-2018", *Global Cement Magazine*, 4 décembre 2017, p. 6 et 8.

# ONE HYPOTHESIS, TWO METHODS, TWO RESULTS. SHOWN WITH THE EXAMPLE OF THE WORLD'S TRUCK MARKET, 1970-2000

**Harm G. Schröter**
Professor of Economic History, University of Bergen (Norway)

## INTRODUCTION: HYPOTHESIS, DEFINITIONS, SOURCES[1]

The period covered here is the heyday of the "Triad", 1970 to 2000, during which the world's economy was to a large extent determined by the three regions: the USA, Western Europe and Japan. This, at least, was the conviction of the famous Japanese economist Kenichi Ohmae, who published his arguments in 1985[2], which were quickly and widely adopted by both politicians and eco-

1 – I want to thank all discussants of previous versions of this contribution, above all the participants in our session at the joint congress of the Business History Society of Japan and the European Business History Association in Paris and the "Caris" workshop in Kyoto. I also want to thank all colleagues who helped me through conversations, exchange of emails or other means of communication. Here my special thanks go to Ingo Köhler, Zejuan Li, and Patrick Fridenson, who took their time to evaluate the contribution. I specially thank our colleague William Hubbard for his efforts with the manuscript. All errors are mine, of course.
2 – Kenichi Ohmae, *Triad power: the coming shape of global competition*, New York, Free Press, 1985. For examples of ongoing reflection see Claude E. Barfield, Günter Heiduk and Paul J.J. Welfens (eds.), *Internet, economic growth, and globalization: perspectives on the new economy in Europe, Japan, and the USA*, Berlin and New York, Springer, 2003. During the 1990s the "Triad" was a widespread-used term in economic research, comprehen-

## ABSTRACT

Contributions to economic history usually try to verify or falsify their hypothesis by applying one chosen method. Here we suggest generally using more than just one method, because different methods may lead to different results. As an example we test the hypothesis that during a whole generation the world's truck market was dominated by the triad USA, Western Europe and Japan. In order to keep our argument straightforward we use very simple statistical methods. This contribution starts with a statistical overview of the world truck market, because there is very little general literature on trucks. The abundant literature on the car industry more or less ignores truck manufacturing. On that basis we apply to the world truck industry Ohmae's thesis of triadization – what mattered in world economics was what happened in the Triad of the USA, Western Europe, and Japan. Does the distribution of the world's truck industry support his thesis? We found that the support varies depending on the methodology applied. We first tested the thesis using a macro-economic view, based on countries and then using a micro-economic view, based on enterprises. Both methods provide some evidence that supports the thesis. However, the micro-economic perspective supports Ohmae's thesis to a significantly larger degree than the macro-economic perspective does. The result based on one method is questionable, the other is not. Finally we underline the close relationship between analytical method and results. The difference between micro-economic and macro-economic analyses in these cases underlines once more the importance of using both approaches independently and in parallel; applying only one or the other would provide an incomplete picture of the international economic activity in question.

## RÉSUMÉ

UNE HYPOTHÈSE, DEUX MÉTHODES, DEUX RÉSULTATS. DÉMONTRÉ PAR L'EXEMPLE DU MARCHÉ MONDIAL DES CAMIONS, 1970-2000

Les contributions à l'histoire économique tentent généralement de vérifier ou de falsifier leur hypothèse en appliquant une méthode prédéterminée. Nous suggérons ici d'utiliser généralement plus d'une méthode, car des méthodes distinctes peuvent conduire à des résultats différents. À titre d'exemple, nous testons l'hypothèse selon laquelle, pendant toute une génération, le marché mondial du camion aurait été dominé par la triade États-Unis, Europe occidentale et Japon. Pour que notre argumentation reste claire, nous utilisons ici des méthodes statistiques très simples. Cette contribution commence par un aperçu statistique du marché mondial du camion : en effet, il existe très peu de littérature générale sur les camions. L'abondante littérature sur l'industrie automobile ignore plus ou moins la fabrication de camions. Sur cette base, nous appliquons à l'industrie mondiale du camion la thèse de la triadisation d'Ohmae – ce qui compte dans l'économie mondiale, c'est ce qui s'est passé au sein de la triade États-Unis, Europe occidentale et Japon. La répartition de l'industrie mondiale des camions confirme-t-elle cette thèse ? Nous avons constaté que le degré de cette confirmation varie en fonction de la méthodologie appliquée. Nous avons d'abord testé la thèse en utilisant une approche macro-économique, basée sur les pays, puis une autre micro-économique, basée sur les entreprises. Les deux méthodes fournissent des preuves qui soutiennent la thèse. Cependant, la perspective micro-économique soutient la thèse d'Ohmae dans une mesure beaucoup plus importante que la perspective macro-économique. Le résultat découlant d'une méthode est discutable, l'autre ne l'est pas. Enfin, nous mettons en lumière la relation étroite entre la méthode d'analyse et les résultats. La différence observée entre les analyses micro-économiques et macro-économiques dans ce cas précis souligne une fois de plus l'intérêt d'utiliser les deux approches indépendamment et parallèlement. De fait, l'application de l'une ou l'autre seulement fournirait une image incomplète de l'activité économique internationale en question.

JEL Classification: **N80, F23, B15**
Key words: **Trucks, Methods, FDI, Exports, Triad**
Mots clés: **Camions, Méthodes, IDE, Exportations, Triade**

nomists. Our question is: to what extent did the Triad matter in the world's truck manufacture?

The world's markets for cars and trucks are very different (see Tables 4 and 16). In 1970 Japan produced 13.8% of the world's cars but 35.9% of its trucks. Western Europe in 1985 produced 37.4% of the world's cars, but the corresponding percentage for trucks was only 11.7%. In 2000 the USA manufactured only 13.5% of cars worldwide but 41.1% of trucks. Similar disparities are found in the statistics on the registration of cars and trucks in the three regions. Yet we have fairly good information on cars but very little on trucks.

Choosing the period between 1970 and 2000 was based on the general state of the world's market. Up to the 1960s the world's truck market was totally dominated by the USA. Until the 1960s more vehicles were registered in the USA than in the rest of the world as a whole (figure 1). What mattered between the end of the Second World War and the 1960s was what happened in the United States. Only since the 1970s has the rest of the world's market - taken together - mattered more than that of the United States. The year 2000 was chosen to close the period investigated because thereafter the relative economic weight of the Triad in the world's economy contracted considerably owing to the growth of the BRICS (Brazil, Russia, India, China, and South Africa) and later the Next eleven (N-11) countries (Bangladesh, Egypt, Indonesia, Iran, Mexico, Nigeria, Pakistan, Philippines, South Korea, Turkey, and Vietnam).

This contribution focuses entirely on the *truck producing* industry. There is quite an amount of research on the motor vehicle industry, including an international research group called Gerpisa[3]. However, nearly all of it is focused on the car industry. Information on the truck industry is much more limited. There are a few specialized journals and a number of remarkable books on individual companies, such as the German truckmaker MAN[4], but information on countries is thin, not comparative or compatible with others, or covering only a few years. Indeed, in most cases it simply does not exist[5]. There is no scholarly written book on the worldwide development of the truck industry. Even the enormous amount of theoretical literature on competition and competitive advantage or that on the distribution of world industry as well

ding the world's three regions of economic heavy-weight. See for instance: Daniel Van Den Bulcke, "The strategic management of multinationals in a triad-based world economy", *Research in global strategic management*, vol. 5, 1995, p. 25-63. The geographical definition of the Triad was later adjusted to include the four *Tiger states* (Hong Kong, Singapore, South Korea, and Taiwan) and Canada, but here we stick to the original definition.

3 – GERPISA is an international network of researchers in economics, management, history, and sociology, all studying the automobile industry.

4 – The journals focus on technical, administrative or managerial issues. An example is *International Journal of Heavy Vehicle Systems*. See also: Johannes Bähr, Ralf Banken and Thomas Flemming, *Die MAN, eine deutsche Industriegeschichte*, München, Beck, 2008.

5 – Grunow-Osswald as well as Niemann and Hermann provide few useful figures (Elfriede Grunow-Osswald, *Die Internationalisierung eines Konzerns. Daimler-Benz 1890-1997*, Vaihingen/Enz, DaimlerChrysler AG, 2006; Harry Niemann and Armin Hermann (eds.), *100 Jahre LKW; Geschichte und Zukunft des Nutzfahrzeuges*, Stuttgart, Steiner, 1996).

as that on individual countries gave only limited insight[6]. Consequently, the following remarks provide only a few preliminary ideas on developmental trends. At the beginning of our period transport regulations that disfavored road transport still prevailed in both Europe and Japan, so we can presume the USA figured highly in the truck market during the 1970s. How long did this last? When was the famous thrust of the Japanese motor vehicle industry felt in the world's truck market? What was Europe's contribution? Drawing on Kenichi Ohmae's idea, we put forward the following hypothesis: *During a period of about 30 years, from 1970 to 2000, the world's truck industry was dominated and directed by companies based in the Triad of the* USA, *Western Europe and Japan.*

Before we test our thesis with different methods we need to define what a truck is. In the broadest sense a truck is a motor vehicle for transporting cargo. The definition is not related to any idea of size. Thus, minivans and SUVs are also considered as trucks. In the statistics used here busses are included under "trucks" if not otherwise stated. Since the number of busses has never amounted to more than 1 or 2% of the number of trucks, the inclusion is unlikely to skew comparisons. The expression "commercial vehicle" is no more precise than "truck". Neither term refers explicitly to size or weight. "Commercial" here means the transportation of goods or passengers, usually for a fee. Consequently, in some countries a taxicab may be registered as a commercial vehicle, though its size and design is typically no different from a common car. In the USA a car is by definition a "commercial vehicle" if it is owned by or registered with a company rather than a private person. This applies also to some European countries. Very generally, cars may be understood as consumer goods and trucks as investment goods, but the intention of the vehicle's buyer is not reflected in available statistics (in contrast to many statistics on FDI) so the distinction has no practical meaning for us. Still, as a rule of the thumb, trucks are larger and heavier than cars. The majority of them are vans of different sizes, not trucks or lorries with a gross vehicle mass (GVM) of above six tons. Representative for our contribution are vehicles, such as the Toyota Hiace with its *cab-over-engine* design or the Ford Bronco *pick-up*, both with a GVM of little more than two tons. The precise proportions of light and heavy trucks can only be given from 2000 (Table 1); the data confirm the absolute predominance of light trucks but also a cautious trend towards more heavy trucks. As in most of literature on the motor vehicle industry, all information in this contribution refers to units (single vehicles), not financial figures.

6 – Here Peter Dicken is the best-known author. But even his special part on the automobile industry (chapter 15, "'Wheels of Change': The Automobile Industry", p. 477-509) did not help, as it provides too little information on trucks apart from all automobiles. Peter Dicken, *Global Shift. Mapping the Changing Contours of the World Economy*, Los Angeles, Sage, 2015.

Toyota Hiace (photo provided by: Two hundred percent. - Eigenes Werk, CC BY-SA 3.0, https://commons.wikimedia.org/w/index.php?curid=4086127)

TABLE 1 **WORLD PRODUCTION OF TRUCKS BY SIZE, 2000 AND 2015**

| Year | light trucks | % | heavy trucks | % |
|---|---|---|---|---|
| 2000 | 14,993,266 | 88.3 | 1,977.023 | 11.7 |
| 2015 | 18,490,519 | 84.4 | 3,429,026 | 15.6 |

Here the USA-definition is applied: a light truck is a commercial vehicle with a payload capacity of less than 4,000 pounds (1,815 kg).

Source: OICA online statistics (http://www.oica.net/category/production-statistics/2016-statistics/ accessed on 14.2.2019), own calculations.

As hinted above, the situation for information and sources on the international truck sector is simply deplorable. While abundant information on selected products, such as the amount of tuna or herring caught, is available, there is very little on motor vehicles. And what does exist usually does not separate trucks from cars. For our period there are two principal sources of world-wide data on trucks: *World Automotive Market* (WAM, later: *World Automotive Market Report*) and *Ward's Automotive Yearbook* (Ward's). Both distinguish only between "cars" and "trucks and busses". Since the 1950s both provide an annual census, i.e. registered units, and production figures on a national basis. National production is even broken down according to enterprises. There is no distinction between production and assembly. Both publications share the weakness that not all enterprises are included every year. For instance, WAM omitted the American truckmaker Paccar in the USA statistics for 1996 but included the figures for its Dutch subsidiary DAF in the Netherlands's[7]. WAM

7 – Our impression is that the editor of *World Automotive Market Report*, provided by the USA-based Overseas Automotive Council, collects the figures from the national, private agencies. In its 75th edition in 2006/2007 we have a proof for this impression, for the editor thanks various national organizations, such as Fourin, Inc., Japan

Ford Bronco of 1986 (photo by: Joost J. Bakker from IJmuiden - 1986 Ford Bronco Eddie Bauer, CC BY 2.0, https://commons.wikimedia.org/w/index.php?curid=15749798).

and Ward's also do not always provide the same figures. Using the example of 1996 again, they give identical information for France down to the last digit. For Canada, however, they present substantially different figures. According to Ward's, Canada in 1996 produced 1,128,360 trucks and busses out of a total output of 2,411,980 vehicles. WAM's figures are 2,250,810 and 4,841,804 respectively. Total world production of trucks and busses in 1996 was 17,255,533 units according to WAM but only 14,586,037 units according to Ward's. Even though the two publications apply identical or very similar definitions and methods, their figures are not interchangeable. Consequently we had to choose one of them; for reasons of accessibility the choice fell on WAM.

There are also a few other sources of information. Since 1976 the long-standing trade newspaper *Automotive News* has published an international *Market data book* that contains similar but less differentiated data than WAM. *World Automotive Statistics* is available from 1984, which means that it covers only half of our period. Another possible source is the international trade association *Organisation Internationale des Constructeurs d'Automobiles* (OICA) founded in 1919 in Paris. OICA provides statistics on production – and sales – according to countries and enterprises. The OICA statistics also distinguish between cars,

Automobile Manufacturers Association or the Canadian Vehicle Manufacturers' Association, etc. These associations handed over the numbers they had collected from their national sources. However, vehicle makers which did not inform their national association were simply left out, on a national as well as on an international scale. This is our explanation for why a few companies, such as Freightliner, do not turn up in the statistics. However, these omissions have negligible consequences for an analysis of the overall truck industry worldwide.

light commercial vehicles, heavy commercial vehicles, and busses. In our case, however, these riches were of little use because they are available online only for the years since 1998. All requests for access to the OICA archive were ignored[8].

FIG. 1 **WORLD VEHICLE REGISTRATIONS, 1955–1980**

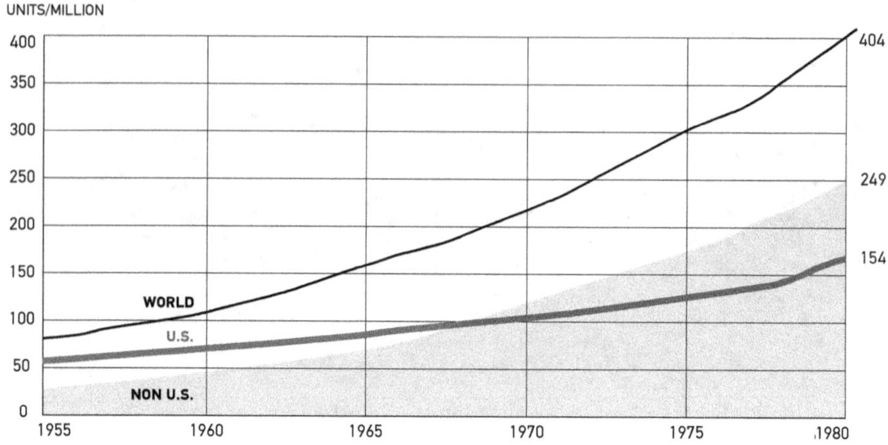


Source: WAM 1981, p. 21.

## TESTING OUR THESIS WITH TWO MACRO-ECONOMIC METHODS: A) THE TRUCK MARKET AND B) THE TRUCK PRODUCTION, BOTH ACCORDING TO COUNTRIES

An overview of the world's truck market (number of registered units) shows a four-fold increase between 1970 and 2000 (Table 2). The importance of the Triad – the USA, Western Europe and Japan – in the world's truck market is very clear, but it is above all the USA's truck market that was the decisive player during this period. In 1970 the USA accounted for 36.8% of the world's truck market and its share increased to 43.1% in 2000 (Table 4). Thus the USA's market also experienced one of the highest growth rates with a 4.5-fold increase. The USA's performance is surprising since during these years it was Japan that had the most expansive economy overall but the number of registered trucks in Japan increased 'only' 2.6 times between 1970 and 2000. Perhaps the difference was caused by macro-economic shocks that hit Japan harder than the USA? Table 2 does not reflect the oil crises in 1973/1974 and 1979/1980, but after the Japanese asset price bubble burst in 1991, the country's truck market stagnated. By contrast Western Europe's truck market expanded steadily from the late 1980s and overtook Japan's position from the mid-1990s; for the entire period

8 – We have received not even a negative reply to our many letters and emails sent over several years.

its truck registration increased 3.6 times, which was considerably higher than Eastern Europe's 2.6-fold increase. In all other regions truck registrations increased, but at lower rates. For example, the South American truck market experienced a 2.3-fold increase. However, South America, Africa, Asia (without the Far East), and the Pacific taken together accounted for only a third of the world's truck market throughout our period. Indeed the regional distribution of truck registrations was remarkably stable. Perhaps the most striking issue to explain is how the Triad could maintain its two-third share of the world's truck market for thirty years. This stability is quite puzzling, because these were the decades when first the economy of Japan and later the economies of the East Asian "tiger states" – Korea, Taiwan, Hong Kong, and Singapore – expanded greatly. From 2000 onwards the full entry of China onto the world's economic stage started a new era.

TABLE 2 **WORLD TRUCK AND BUS MARKET, 1970–2000** (in mill. registered units)

| Region | 1970 | 1975 | 1980 | 1985 | 1990 | 1996 | 2000 |
|---|---|---|---|---|---|---|---|
| Africa | 1 | 2 | 3 | 4 | 4 | 4 | 4 |
| America, North | 20 | 27 | 37 | 42 | 48 | 73 | 90 |
| of which USA | 18 | 25 | 34 | 39 | 44 | 65 | 83 |
| America, Central and Caribbean | 1 | 1 | 2 | 3 | 4 | 3 | 4 |
| America, South | 3 | 4 | 7 | 8 | 9 | 6 | 7 |
| Asia / Far East | 10 | 12 | 17 | 24 | 34 | 40 | 44 |
| of which Japan | 8 | 10 | 14 | 17 | 22 | 22 | 21 |
| of which others Far East and Asia | 2 | 2 | 3 | 7 | 12 | 18 | 23 |
| Europe, East | 5 | 6 | 10 | 12 | 13 | 12 | 13 |
| Europe, West | 8 | 10 | 11 | 13 | 18 | 24 | 26 |
| Pacific | 1 | 2 | 2 | 2 | 3 | 3 | 3 |
| Triad | 34 | 45 | 59 | 69 | 84 | 111 | 130 |
| World total | 49 | 64 | 89 | 108 | 133 | 165 | 191 |

No information for 1995.
Triad: USA, Western Europe, Japan.
Source: WAM, own calculations.

While the number of registered truck units quadrupled, the world's production of trucks trebled (Table 3). The Triad's share of this output was decisive, though it shrank from 89.9% in 1970 to 64.7% in 2000 (Table 4). In 1970 five of the six countries with a sizable truck production (over 200,000 units) were in the Triad. Fifteen years later in 1985 the situation was much the same. But by 2000 a profound change had occurred. Now there was large-scale truck production in 15 countries: six in the Triad and nine outside. The shift surely reflected the normal spread of a mature technology or, in other words, it was a consequence of the process of globalization[9]. Inside the Triad the growth pattern of truck production was very uneven. Taken over the entire period, Japan's truck output declined by 14.7%, whereas Europe's doubled and the USA's quadrupled. This long-term view, however, distorts the comparison, because it overlooks important short-term variations. Between 1970 and 1985 both the USA and Japan had more than doubled their output. Already in 1970 Japan was the world's largest truck producer (see Table 3). In the next fifteen years its truck production expanded by 221%, by far the strongest increase worldwide. In 1985 Japan supplied 40.4% of the world's market for trucks! However, during the next 15 years the country's truck production slumped to below the level of 1970, a sharp and painful contraction. The USA's experience was the opposite. The country's output of trucks in 1980 was below the 1970 level, but in the 1980s it recovered to expand strongly, more so than other manufacturing in the USA. The record in the third regional component of the Triad, Western Europe, was mixed. The UK's declined; Italy's and Germany's stagnated; France's grew a bit, and newcomer Spain' grew considerably. In all, Western Europe doubled its truck production between 1970 and 2000, but its share of the world's truck production fell by more than one-half during the same period. In general, neither upswings nor downswings were as strong and long-lasting as those experienced by Japan and the USA.

TABLE 3 **WORLD PRODUCTION OF TRUCKS AND BUSSES** (in 1,000 units, threshold 200,000 units)

| Country | 1970 | 1975 | 1980 | 1985 | 1990 | 1996 | 2000 |
|---|---|---|---|---|---|---|---|
| France | 292 | 347 | 440 | 385 | 474 | 393 | 469 |
| Germany (W) | 314 | 278 | 358 | 279 | 316 | 280 | 395 |
| Italy | | | | | 246 | | 316 |
| Spain | | | | | 374 | 321 | 667 |
| UK | 460 | 381 | 389 | 263 | 270 | 228 | |
| USSR / Russia | | | 872 | 879 | 350 | 228 | 233 |
| Japan | 2,092 | 2,373 | 4,004 | 4,624 | 3,538 | 2,751 | 1,784 |
| Korea | | | | | 335 | 552 | 513 |
| Indonesia | | | | | | | 308 |
| China | | | | | | 855 | 1,464 |
| India | | | | | | 289 | 283 |
| Thailand | | | | | | 315 | 315 |
| Brazil | | | | 207 | 252 | 345 | 323 |
| Canada | 250 | 390 | 526 | 846 | 820 | 1,100 | 1,342 |

9 – Globalization defined as the growth of inter-connectedness of many issues; see David Held *et alii*, *Global Transformations. Politics, Economics, Culture*, Oxford, Polity Press, 1999.

| Country | 1970 | 1975 | 1980 | 1985 | 1990 | 1996 | 2000 |
|---|---|---|---|---|---|---|---|
| USA | 1,734 | 2,249 | 1,593 | 3,485 | 3,808 | 5,750 | 7,312 |
| Mexico | | | | | 222 | 266 | 656 |
| Triad | 4,892 | 5,628 | 6,784 | 9,036 | 9,026 | 9,723 | 10,943 |
| World | 5,834 | 7,078 | 9,633 | 11,450 | 12,112 | 15,213 | 17,807 |

No figure: production below 200,000 units.
No information on year 1995; Russia: 1984 instead of 1985.
Source: WAM, own calculations.

Before the 1990s large-scale production of trucks in countries outside the Triad was largely absent. The chief exception was Canada, where the number of trucks manufactured increased steadily, attaining a level in 2000 that was over five times higher than in 1970. For the Soviet Union the record is incomplete. During the 1980s the Soviet Union turned out about 800,000 units; surely a good number of trucks was produced earlier, but we have no data. The collapse of the Soviet Union drastically changed the economic framework of its largest successor state, Russia, which reduced truck output attributed to Russia by two-thirds. New large-scale truck producing countries, such as South Korea, Brazil, and Mexico, emerged in the second part of our 30-year period, and in the last half of the 1990s they were joined by China and India.

A comparison of demand (registration) and supply (production) by region gives a more differentiated view of the role of the Triad (Table 4). At the beginning of our period the Triad's producers supplied not only their own domestic markets, but also the whole world with trucks. In 1970 its share of world production was 19.6 percentage points larger than its share of world registration, a dominance which remained until the mid-1980s (1985: 19.7). However, this position was lost in the decade and a half that followed; in 2000 the Triad's truck production was 2.5 percentage points lower than its registration. The reversal of the balance implies that after 1985 truckmaking expanded much faster in the rest of the world than in the Triad, surely an expression of the globalization of truck production. Whether this indicates a rapid relative decline of the competitiveness of the truckmaking companies in the Triad or a large upswing of producers in non-Triad countries is a question to consider.

A closer look at the data reveals that the shares of this slump were very unevenly divided. The USA did not retreat at all; on the contrary, its share of the world's truck production rose to reach 41.1% in 2000. The oft-told story of "old and declining industry"[10] in the USA and its "rust-belt" during the 1990s was not true of truckmaking. During the first half of our period the USA was not able to meet the demand of its home market. This disparity receded from

10 – See: Lael S. Brainard and Thierry Verdier, "The political economy of declining industries: Senescent industry collapse revisited", in *Journal of International Economics*, vol. 42, February 1997, p. 221-237; Toni Pierenkemper *et alii*, "Old Industries in Europe, 1911-2000", in Youssef Cassis, Andrea Colli and Harm G. Schröter (eds.), *The performance of European big business during the twentieth century*, Oxford, OUP, 2016, p. 171-189.

the mid-1980s. The USA's share of the world's truck market increased, but so did the country's share of world production. In 2000 the gap was only 2.0 percentage points. Also here an impact of the period's oil crises is hardly to be seen. Western Europe's experience deviated from that of the USA. Its share of world registration remained fairly stable, fluctuating between 10 and 20%, but its share of world production plummeted by nearly a half, from 24.3% in 1970 to 11.7% in 1985 and 13.6% in 2000. From the 1980s Western Europe's truckmakers produced more or less what their domestic market could absorb. The statistics show little dynamism but also little impact of the oil crises. Does this stagnation signal a lack of competitiveness in the world's market? The Japanese record was dramatically different. In the first two benchmark years Japan produced trucks for the world rather than for itself. Its output share was nearly twice its market share! As in the USA Japan's imbalance between output and domestic market had disappeared by 2000. Indeed, in that year the country's share of world registration slightly exceeded its share of world production; that is it imported more trucks than it exported. Japan's 1991 crash surely contributed to this shift, but the uninterrupted contraction of truckmaking in the 1990s suggests that there may be micro-economic reasons as well. Can we deduce from these figures first an exceptional international competitiveness of the Japanese truck industry followed by an exceptional decline of this position?

TABLE 4 **TRUCKS: WORLD REGISTRATION AND WORLD PRODUCTION** (in percentage)

| Region | 1970 reg. | 1970 prod. | 1985 reg. | 1985 prod. | 2000 reg. | 2000 prod. |
|---|---|---|---|---|---|---|
| **USA** | 36.8 | 29.7 | 35.1 | 30.4 | 43.1 | 41.1 |
| **Japan** | 16.7 | 35.9 | 15.8 | 40.4 | 10.7 | 10.0 |
| **W. Europe** | 16.8 | 24.3 | 11.9 | 11.7 | 13.4 | 13.6 |
| **Triad** | 70.3 | 89.9 | 62.8 | 82.5 | 67.2 | 64.7 |
| **Rest** | 29.7 | 10.1 | 37.2 | 17.5 | 32.8 | 35.3 |

Source: WAM, own calculations.

So far our analysis has found contrasting data regarding the position of the Triad in the world's truck market. The decline of Western Europe's competitive advantage in truck production to a level where it managed no more than supplying its own market share means that it neither supports nor undermines Ohmae's thesis. Japan's development is puzzling. After 1985 its competitive position in truck manufacture seems to have collapsed so far that in 2000 it could not even entirely supply its domestic market. Baring major external interventions like wars, such state-wide sectoral collapses are extremely rare in economic development. Evidently something went very wrong in Japan during that time. The USA's record represents a strong contrast to the performances of Western Europe and Japan. From 1970 to 1990 (except for 1980) the USA supplied roughly 30% of the world's output of trucks, which was less than the country's demand as expressed by the number of registered vehicles. During the 1990s both supply and demand expanded enormously in the USA; in 2000 the country's share of the world's truck registration stood at 43.1% and its share of world production at 41.1%. Such rapid growth of an "old" industrialized country is exceptional. It is the more exceptional as the 1990s was the decade when economic growth in the Far East except Japan – the four "Tiger" states – began to be felt in the world's economy. In addition truck production in Canada and China also began rapid expansion at this time. Yet precisely during this decade the USA greatly improved its competitive position in the world economy, not only in information technology but also in trucks. Was it the result of the deregulation of the transport and communication sectors in the USA[11]? Our quantitative approach can raise such questions but not answer them. Another possibility would be a shift in market preferences. The growing penchant of USA consumers for pickup trucks surely contributed to the new development. We have combined the sales figures for cars and light trucks reported by the Big Three in USA vehicle manufacturing: GM, Ford, and Chrysler. They reveal that light trucks accounted for 14.8% of the USA's truck market in 1970 and a remarkable 49.2% in 2000[12]. Although these figures from the Big Three do not mirror the entire market, they do represent an overwhelming proportion of it. Consequently, we can conclude that while the USA truck industry reacted to changes in consumer preference and supplied its home market accordingly; Japan and Europe evidently did not.

The macro-economic evidence on the truck market and truck production according to countries supports our initial thesis of the Triad's decisive role to a certain extent. Throughout our period it accounted consistently for about two-thirds of the world's *registered* trucks. However, during the same years, the Triad's share of world truck *production* contracted enormously from nearly 90% in 1970 to around 64.7% in 2000. Even so, this situation still supports Ohmae's thesis because even after this great contraction two-thirds of all trucks were still manufactured in the Triad (though a very different picture can be imagined for another 15 years later). Yet the degree of support given by the two macro-economic results of A) a steady share in registration and B) a declining share in production are quite different.

11 – Around 1980 several acts concerning the deregulation of transport were passed in the USA: The Airline Deregulation Act of October 24, 1978; the Motor Carrier Act of 1980 of July 1, 1980; and the Staggers Rail Act of October 14, 1980.

12 – The figure was 28.7% for 1985 (all figures calculated from Michel Freyssenet, « Les ventes automobiles aux États-Unis par groupe automobile et catégorie de véhicule, 1946-2014 ». Document d'enquête. 13 tableaux et 16 graphiques. Édition numérique, freyssenet.com, 2008 et mises à jour).

## TESTING OUR THESIS WITH MICRO-ECONOMIC METHODS: WORLD TRUCK PRODUCTION ACCORDING TO ACTORS

The Harvard business strategy guru, Michael Porter, is surely correct in saying that "a firm's proximate 'environment' shapes its competitive success over time.[13]" However, at closer look such a statement does not help very much in explaining the world's distribution of truck manufacturing. Without exception all large truckmakers were primarily producers of cars, and their truck business was secondary. Furthermore, developments in truckmaking were not only contradictory in all countries, but also contradictory in a different way in all countries. Western Europe was successful in cars and heavy trucks but not in light trucks. The USA was successful in light trucks but much less so in cars and heavy trucks. Japan excelled in cars and light trucks but not in heavy trucks. And these results were generated in pretty much identical economic environments. Thus, rather than general business management theory we need more specific information and research on the truckmaking industry.

Porter's five forces of competitive position - powerful buyers, competitive rivalry, powerful suppliers, new entrants, and substitution - can serve as a starting point for our analysis[14]. Except for United Parcel Service (UPS), the American multinational package delivery company, there were no powerful buyers in the world's truck market during our period. The same applies to suppliers, which formed a much less concentrated industry than today. With Canada, South Korea and China new entrants were on the horizon, but much less felt before 2000 than after. Inside the Triad there were no new entrants; instead there occurred a concentration of truckmaking enterprises. A sizable substitution, however, did indeed take place. Usually substitution would reduce sales or production figures of the product involved, but in our case it worked in favor, at least in one important country, the USA: from the 1980s millions of USA vehicle customers exchanged their cars for light trucks (pick-ups, minivans, or SUVs). Consequently, as with the exception of the USA four of Porter's five forces are second rank, we can presume that the driving force in the world's truck market was competitive rivalry.

Within this competitive rivalry many issues, such as technology, education of the workforce, production management, or finances, played an important role together with many more. It is not our task here to figure out the reasons behind success in the truck industry. Our aim is more modest: to point out large trends which constitute changes in the distribution of the world's truck industry. While the macro-economic view counts all trucks made in a defined country regardless of enterprise, the micro-economic approach looks at single enterprises regardless of political borders. Consequently, we must include foreign direct investment (FDI). In other words, decision-making in transna-

**13** – Michael Porter, *The competitive advantage of nations*, London, Macmillan, 1990.
**14** – *Ibid*.

tional enterprises used to be concentrated at the center of the mother company, which has meant that the wishes of subsidiaries abroad could be overruled[15]. As with the macro-economic data, we look here also for large-scale actors. Only companies that turned out more than 25,000 units worldwide – according to data in WAM, which includes all types of trucks – are taken into account.

**WORLD TRUCK MANUFACTURERS, 1970–2000**

| | |
|---|---|
| Ashok | BAIC (Beijing Automotive Industry Holding) |
| Changan | Chrysler |
| DAF (later Paccar) | Daihatsu |
| Daimler-Benz (Mercedes-Benz, Freightliner Trucks, Sterling Trucks, Unimog, Western Star, Fuso) | Dongfeng |
| FAW (First Automobile Works) | Ford |
| Freightliner Trucks (later Daimler-Benz) | Fuji/Subaru |
| Fuso (later Daimler-Benz) | GAZ |
| General Motors (GMC, later Volvo) | Hino |
| Honda | Hyundai |
| International Harvester (later Navistar) | Isuzu |
| Iveco (Fiat) | Kia |
| Kenworth (Paccar) | Leyland Trucks (later Paccar) |
| Mack (later Volvo) | Mahindra |
| MAN | Mitsubishi |
| Navistar (International Harvester) | Nissan |
| Paccar (DAF Trucks, Kenworth, Peterbilt, Leyland Trucks) | Peterbilt (later Paccar) |
| PSA (Peugeot) | Renault |
| Scania | Sterling Trucks (later Daimler-Benz) |
| Tata | Toyota |
| UAZ | UD Nissan Diesel |
| Unimog (Daimler-Benz) | Volkswagen |
| Volvo (Mack, White, GMC) | Western Star (later Daimler-Benz) |

Threshold for entry: more than 25,000 units turned out worldwide in at least two of seven benchmark years during the period between 1970 and 2000; indication of change of ownership until 2000 in brackets.

Source: WAM, own compilation.

This list of the world's truck manufacturers includes more than ten companies from both Europe and the Far East but only five from the USA (as of the year 2000). A comparison of this list with the data in Table 2 shows that the average size of the companies on the list varies greatly: The smallest are in Europe

15 – A classic example was the wish by Opel to sell its vehicles outside Europe. Opel argued that with the limited market in Europe it had little chance for survival in the long run without this access to overseas markets. However, its parent-company GM (since 2017 PSA) denied Opel the right to sell on other continents.

and the largest in the USA. Since the macro-economic data indicated that Japan had greater problems that the rest of the Triad, we begin the micro-economic approach with an examination of Japanese truck manufacturers. Again we need to keep in mind that the figures provided are not precise or complete enough to be taken as the total reality. Moreover, we have limited our attention to sizable production figures, defined as more than 5,000 units per year. For instance, Toyota produced trucks in Venezuela throughout the period, but only in 1975 and 1985 did its output there exceed 5,000 units. Thus, in all other benchmark-years included in Table 5 it appears that Toyota did not produce trucks in Venezuela; the absence is the result of the choice of statistical threshold. Toyota's world total, however, does include output in all countries irrespective of threshold; consequently, the totals are larger than the sum of individual country's figures. This contribution is not about the statistics of individual truckmakers but about trends in the distribution of truck manufacturing generally.

## Japanese enterprises

In 1970 Toyota, which includes Daihatsu from 1998, manufactured its trucks exclusively in Japan. Five years later it had started sizable production in Venezuela and above all in South Africa. Though Toyota added more countries, most importantly Australia, its output in Japan grew much faster and peaked in the 1980s. Thereafter the company's Japanese truck production contracted until in 2000 it was less than 50% of the 1985 figure. As can be seen in Table 5 Toyota clearly used FDI to pursue a globalizing strategy. The number of countries having Toyota plants with sizeable truck production stood at nine by 2000. But the company's FDI strategy did not lead to steadily growing total output. Toyota's peak year for truck production in both Japan and the world was 1985, after which output declined. Evidently even an active globalization-policy was unable to stop this development.

TABLE 5 **TOYOTA'S TRUCK PRODUCTION** (in 1,000 units, threshold 5,000 units)

| Country | 1970 | 1975 | 1980 | 1985 | 1990 | 1996 | 2000 |
|---|---|---|---|---|---|---|---|
| Argentina | | | | | | | 17 |
| Australia | | | 33 | 69 | 48 | 54 | 33 |
| Brazil | | | | | 5 | | |
| Canada | | | | | | | |
| Colombia | | | | | | 7 | |
| India | | | | | | | 22 |
| Indonesia | | | | | | | |

| Country | 1970 | 1975 | 1980 | 1985 | 1990 | 1996 | 2000 |
|---|---|---|---|---|---|---|---|
| **Japan** | 541 | 876 | 990 | 1,096 | 866 | 739 | 436 |
| **Malaysia** | | | | 10 | 17 | | |
| **New Zealand** | | | | 5 | 11 | | |
| **Portugal** | | | 9 | 5 | 11 | 15 | 5 |
| **South Africa** | | 27 | 35 | 36 | | 37 | 27 |
| **Taiwan** | | | | | | | 19 |
| **Thailand** | | | | | | | 79 |
| **USA** | | | | | | | 253 |
| **Venezuela** | | 6 | | 10 | | | |
| **Total** | 541 | 909 | 1,067 | 1,231 | 958 | 852 | 891 |

Source: WAM, own compilation.

Toyota is not only the largest Japanese truckmaker, it has also been a trendsetter in the Japanese motor vehicle industry generally. Toyota took up foreign production of trucks at least a decade earlier than any of the other Japanese firms. Nissan, Daihatsu, Mitsubishi, and Suzuki did so first in 1985, Isuzu in 1990, and Mazda and Suzuki in 1995. In the truck sector then Toyota was clearly a first mover[16]. Was its initiative mirrored also in the Japanese truck industry as a whole? If so, this would underpin the contention of Michael Porter and Mariko Sakakibara that the business strategy of Japanese firms is strongly imitative[17]. Japan's second largest supplier of trucks is Nissan. In 1970 the company produced its entire output - 479,466 units - in Japan. Nissan's domestic production of trucks peaked in 1980; by 2000 it had declined to less than one-third of the peak level (Table 6). The reduction, however, was to a large extent compensated for by production abroad; in 2000 Nissan turned out 3.5 times more trucks abroad than in Japan. The company's output in the USA was much larger than in its home country. Although it started globalizing truck production a decade after Toyota, in due course Nissan pursued the strategy of transferring globalizing production to countries of demand much more vigorously than Toyota itself. The diversification evidently helped the company to moderate the post-1985 decline in its total output. Nissan's world truck production fell by some 13% between 1985 and 2000, whereas Toyota's dropped by over 30%.

16 – This seems to be in contrast to part of the literature on cars. See: Kazuo Wada, "Why did Toyota respond less quickly to globalisation?", *Entreprises et Histoire*, n° 80, 2015, p. 134-154.
17 – "Japanese firms exhibit a strong tendency *to imitate each other's strategy*." Italics in the original version. Michael E. Porter and Mariko Sakakibara, "Competition in Japan", *Journal of Economic Perspectives*, vol. 18, n°1, Winter 2004, p. 243.

TABLE 6 **NISSAN'S TRUCK PRODUCTION** (in 1,000 units, threshold 5,000 units)

| Country | 1970 | 1975 | 1980 | 1985 | 1990 | 1995 | 2000 |
|---|---|---|---|---|---|---|---|
| **Australia** | | | | 22 | 21 | 11 | 20 |
| **Japan** | 479 | 572 | 751 | 671 | 458 | 217 | 208 |
| **Malaysia** | | | | 11 | 14 | | |
| **Mexico** | | | | 16 | 38 | 50 | 44 |
| **Portugal** | | | | | 5 | 5 | |
| **South Africa** | | | | 19 | | 24 | 20 |
| **Spain** | | | | | 80 | 101 | 104 |
| **Thailand** | | | | | | | 79 |
| **USA** | | | | 107 | 139 | 132 | 268 |
| **Total** | 479 | 572 | 751 | 846 | 755 | 540 | 743 |

Source: WAM, own compilation.

Japan's third largest truck producer was Mitsubishi. Its general development followed the up-down pattern traced by Toyota and Nissan. The company's output was 211,000 units in 1970, rising to 595,000 in 1985, then falling back to 447,000 in 2000, a decline by 25%. Like Nissan, Mitsubishi began to shift its production abroad in the 1980s. Unlike Nissan, its largest foreign plant in 2000 was not situated in the USA but in Taiwan.

The crucial role of FDI in the production record of Japanese truckmakers was demonstrated above in the contrast between Toyota and Nissan. It is strongly confirmed by a comparison of the output of all companies divided into two groups: one with no FDI, the other with FDI. The first group, consisting of Daihatsu, Hino, Honda, and Subaru, did not invest substantially abroad until 2000. The second group, consisting of Isuzu, Mazda, Mitsubishi, Nissan, Suzuki and Toyota, did invest substantially in foreign production facilities, though in most cases not until after 1985. The data in Tables 7 and 8 show emphatically that a FDI strategy paid off in truckmaking. Both groups experienced an overall decline between 1985 and 2000, but for the non-FDI companies the collective fall was huge – 63.2%, whereas for the FDI companies the contraction was much smaller at 18.6%.

TABLE 7 **TRUCK PRODUCTION BY JAPANESE NON-FDI COMPANIES** (in 1,000 units)[18]

| Company | 1970 | 1985 | 2000 |
|---|---|---|---|
| **Daihatsu** | 148 | 417 | 170 |
| **Hino** | 57 | 63 | 48 |
| **Honda** | 116 | 164 | 59 |
| **Subaru** | n.a. | 325 | 80 |
| **Total** | 321 | 969 | 357 |

Source: WAM, own compilation.

TABLE 8 **TRUCK PRODUCTION BY JAPANESE FDI COMPANIES** (in 1,000 units)

| Company | 1970 | 1985 | 2000 |
|---|---|---|---|
| **Isuzu** | 127 | 374 | 528 |
| **Mazda** | 205 | 379 | 167 |
| **Mitsubishi** | 211 | 595 | 447 |
| **Nissan** | 479 | 846 | 731 |
| **Suzuki** | 127 | 546 | 513 |
| **Toyota** | 746 | 1231 | 845 |
| **Total** | 1895 | 3971 | 3231 |

Source: WAM, own compilation.

During our period by far the largest market for trucks was the USA. Did it pay for Japanese truckmakers to invest there? Table 9 shows the output of those companies that had manufacturing facilities in the USA at least in 2000. Their combined contraction between 1985 and 2000 was much *lower* than that for the entire FDI group: 4.0% versus 18.6% (Table 8). So was the USA the most rewarding place to allocate FDI? There is no simple answer. It is yes or no depending on the choice of companies, for this is a good example of an overview being distorted by the considerable variance of its components. The biggest outliers here are Mazda and Isuzu; both have FDI in the USA, but their records go in opposite directions in 1985-2000. Mazda's worldwide truck production dropped by 58%, whereas Isuzu's grew by 41%. In 2000 both Nissan and Toyota manufactured roughly one-third of their trucks in the USA, yet Nissan's contraction in 1985-2000 was "only" 13.6% while Toyota's was 31.4%. The record of the two FDI companies without investment in the USA confirms the complexity of the picture. Mitsubishi's FDI was largely in Taiwan; between 1985 and 2000 its truck output declined by 25%. Suzuki's FDI was mainly in China by 2000; its output declined by only 6%.

18 – This group includes companies with little FDI, such as Daihatsu, which produced 5,000 units in Australia in 1985 and 9,000 units in Malaysia in 1990. In 1995 and in 2000 no FDI turned out more than 5,000 units, which is our threshold. (Source: WAM).

TABLE 9 **TRUCK PRODUCTION BY JAPANESE COMPANIES WITH FDI IN THE USA** (in 1,000 units)

| Company | 1970 | 1985 | 2000 |
|---|---|---|---|
| Isuzu | 127 | 374 | 528 |
| Mazda | 205 | 379 | 167 |
| Nissan | 479 | 846 | 731 |
| Toyota | 746 | 1,231 | 845 |
| Total | 1,557 | 2,830 | 2,271 |

Source: WAM, own compilation.

Of all the Japanese companies producing abroad, only two - Nissan and Suzuki - manufactured more trucks outside Japan than in their home country. And only Suzuki managed to turn out nearly as many trucks in 2000 as in the 1980s. Summing up the Japanese performance by enterprise, the contraction of production between 1985 and 2000 was substantial but partly compensated for by increasing output abroad. The enterprises that did not follow an FDI strategy suffered a contraction of two-thirds, those that did only suffered a contraction of about 20%. In sum, without FDI Japanese truckmakers would have had a disastrous time in the decade and a half before 2000. Moreover, in contrast to oft-asserted findings in the literature, Japanese truck manufacturers did not imitate each other's business strategy, at least when FDI is concerned.

## USA enterprises

The USA's truck industry showed a quite different picture. The country's market was dominated by only three companies (the Big Three): Chrysler, Ford, and General Motors. Other companies which concentrated on the manufacture of heavy trucks, such as Mack, White, or Navistar, played minor roles. Compared with the Big Three, these specialized companies were much smaller. For instance, Navistar's output amounted to only about 5% of the production of each of the Big Three. Ford and GM vied for leadership throughout the thirty-year period. In 1970, Ford produced the most trucks, in 1985 GM; in 2000 Ford was again on top. (Tables 10 and 11)[19].

19 – Foster, Patrick, *Ford Tough: 100 Years of Ford Trucks*, Minneapolis: Motorbooks, 2017.

TABLE 10 **FORD'S TRUCK PRODUCTION** (in 1,000 units, threshold 5,000 units)

| Country | 1970 | 1975 | 1980 | 1985 | 1990 | 1995 | 2000 |
|---|---|---|---|---|---|---|---|
| **Malaysia** | | | | 5 | 10 | | |
| **Mexico** | 14 | 22 | 49 | 36 | 36 | 50 | 97 |
| **Philippines** | | 9 | 5 | | | | |
| **Portugal** | | | | | 18 | 10 | |
| **South Africa** | 11 | | 17 | | | 10 | 13 |
| **Spain** | | | | | 6 | | |
| **Taiwan** | | | | | 13 | 20 | 5 |
| **Turkey** | | | | 10 | 8 | 6 | 41 |
| **UK** | 141 | 129 | 138 | 101 | 132 | 150 | 110 |
| **USA** | 641 | 692 | 582 | 1,218 | 1,394 | 2,079 | 2,404 |
| **Venezuela** | 5 | 16 | 17 | 12 | 7 | 14 | 10 |
| **Total** | 812 | 868 | 808 | 1,382 | 1,624 | 2,339 | 2,680 |

Source: WAM, own compilation.

TABLE 11 **GM'S TRUCK PRODUCTION** (in 1,000 units, threshold 5,000 units)

| Country | 1970 | 1975 | 1980 | 1985 | 1990 | 1995 | 2000 |
|---|---|---|---|---|---|---|---|
| **Argentina** | 9 | 9 | | | | | |
| **Australia** | 29 | 27 | 22 | 16 | 17 | | |
| **Brazil** | 11 | 39 | 44 | 32 | 39 | 39 | 78 |
| **Canada** | 68 | 189 | 255 | 281 | 293 | 277 | 331 |
| **Germany** | 9 | | | 35 | 19 | | |
| **Mexico** | 13 | 20 | 22 | 37 | 62 | 49 | 259 |
| **Philippines** | | 5 | | | | | |
| **Portugal** | | | | | 15 | 29 | 37 |
| **South Africa** | 10 | 19 | 15 | 15 | n.a. | 18 | 23 |
| **Spain** | | | | | 10 | 49 | 40 |
| **UK** | 102 | 91 | 96 | 61 | 20 | 13 | 15 |
| **USA** | 614 | 952 | 776 | 1,538 | 1,473 | 1,856 | 2,232 |
| **Venezuela** | 5 | 10 | 19 | 11 | 5 | 14 | 9 |
| **Total** | 870 | 1,361 | 1,249 | 2,026 | 1,953 | 2,344 | 3,024 |

Source: WAM, own compilation.

Chrysler's truck production in the 1970s was far behind that of its Big Three rivals, but after the corporation's bailout in 1979/1980 it recovered to expand its truck offerings. Growth was especially strong in the 1990s, and by 2000 its truck output equaled roughly two-thirds of Ford's and GM's (Table 12).

Navistar exemplifies the smaller USA truckmaking companies. In 1970 it had a sizable niche position in the North American market, which it lost in the middle years of our period. In the 1990s Navistar slowly regained its original standing, partly through the acquisition of International Harvester, a similar specialized truckmaker (Table 13)

TABLE 12 **CHRYSLER'S TRUCK PRODUCTION** (in 1,000 units, threshold 5,000 units)

| Country | 1970 | 1975 | 1980 | 1985 | 1990 | 1996 | 2000 |
|---|---|---|---|---|---|---|---|
| **Argentina** | 6 | 6 | | | | | |
| **Australia** | | 6 | | | | | |
| **Austria** | | | | | | | 30 |
| **Brazil** | 3 | 11 | 7 | | | | 5 |
| **Canada** | 10 | 25 | 53 | 390 | 311 | 440 | 413 |
| **Colombia** | | | 10 | | | | |
| **France** | | 25 | | | | | |
| **Mexico** | | | 50 | 27 | 59 | 79 | 222 |
| **South Africa** | 4 | | | | | | |
| **Spain** | 5 | 6 | | | | | |
| **Turkey** | | | | | 5 | | 6 |
| **UK** | | 19 | | | | | |
| **USA** | 176 | 320 | 119 | 214 | 354 | 1,138 | 1,351 |
| **Venezuela** | | 8 | | | | | |
| **Total** | 204 | 426 | 239 | 631 | 729 | 1,657 | 2,027 |

Source: WAM, own compilation.

TABLE 13 **NAVISTAR'S TRUCK PRODUCTION** (in 1,000 units, threshold 5,000 units)

| Country | 1970 | 1975 | 1980 | 1985 | 1990 | 1995 | 2000 |
|---|---|---|---|---|---|---|---|
| **Brazil** | 8 | | | | | | |
| **Canada** | 14 | 15 | 16 | 11 | 9 | 14 | 19 |
| **Mexico** | 1 | | | | | | |
| **USA** | 155 | 102 | 66 | 74 | 72 | 143 | n.a. |
| **Venezuela** | 1 | | | | | | |
| **Total** | 179 | 117 | 82 | 85 | 81 | 157 | n.a. |

Source: WAM, own compilation.

As seen in Tables 10 to 13 the business strategy of FDI was used substantially by all four USA companies already in 1970. If the number of foreign countries involved is used as an indicator of the extent of internationalization, then

Ford's and GM's truck business was more international in 1970 than Toyota's in 2000. However, FDI was not nearly the success for USA truckmakers that it was for their Japanese competitors. Ford, GM, and Chrysler invested early in Europe, but their transplants did not grow better than their indigenous rivals. Nor was their FDI particularly successful elsewhere, except in Canada and Mexico. The locational pattern of the Big Three's truckmaking was remarkably similar over the years to 2000: consistent and overwhelming concentration in the USA plants (around three-quarters of total output for Ford and GM); considerable and growing FDI in Canada since the 1970s; and massive FDI in Mexico in the 1990s. The expansion of USA truckmakers into neighboring countries was connected with general USA trade policies. The FDI in Canada was first promoted by the Canada-USA Auto Pact of 1965, and the move into Mexico (and Canada) can be linked to the *North American Free Trade Agreement* (NAFTA) of 1994, which created a trilateral trade bloc that provided enterprises mutual custom-free access to the markets of the USA, Mexico, and Canada. Both USA and Japanese truck companies used FDI as part of their business strategy, but the FDI's content contrasted starkly. The USA's firms started early, and their FDI was geographically diverse before concentrating on their neighbors in North America. Moreover, despite FDI their production remained overwhelmingly concentrated in their home country and home continent[20]. By contrast, Japanese truckmaking companies took up FDI relatively late, in the 1980s; their FDI went farther afield - to Taiwan, Malaysia, and China as well as the USA, Europe, South America, and South Africa; and most strikingly by 2000 their FDI output was greater than their domestic output. Given that FDI has been the key to the Japanese success in truck manufacturing, we are left to wonder why FDI was so little exploited by USA firms.

### Western European enterprises

In 1970 European enterprises turned out about 24% of world truck production. But in the following 15 years they clearly had lost their competitive edge, for their share had shrunk to 11.7%. There were five substantial producers of trucks in Europe: Daimler-Benz[21], Fiat, PSA (Peugeot), Renault, and Volkswagen (VW), but compared with their major USA and Japanese rivals, truckmakers in Western Europe were dwarfs. Nonetheless they exhibit the same general conditions that were seen in Japan and the USA. All five producers mentioned have always been primarily known for their cars, not for their trucks. The European enterprises that specialized in heavy trucks and busses, such as Scania or MAN, did not have an annual production that met our threshold of

**20** – The proportion of total output produced in facilities located in North America was, in 1970 and 2000 respectively: 81% and 98% for Chrysler; 80% and 90% for Ford; and 80% and 95% for GM. (calculated from WAM).
**21** – Grunow-Osswald, Elfriede, *Die Internationalisierung eines Konzerns. Daimler-Benz 1890-1997*, Vaihingen/Enz: DaimlerChrysler AG, 2006.

100,000 units. Throughout our period the trend in production was fairly the same across all five companies: a certain upswing until 1980; stagnation during the 1980s; and moderate growth during the 1990s. Collectively, the European truckmakers do not show much effect of the 1970s energy crisis, but they hit hard times in the 1980s, a decade earlier than the Japanese. The truck firms in Western Europe did not differ as much in size as those in Japan. The largest was Renault France (Table 14).

TABLE 14 **RENAULT'S PRODUCTION OF TRUCK PRODUCTION** (in 1,000 units, threshold 5,000 units)

| Country | 1970 | 1975 | 1980 | 1985 | 1990 | 1995 | 2000 |
|---|---|---|---|---|---|---|---|
| **Argentine** | | | | | | 13 | 14 |
| **France** | 104 | 98 | 221 | 214 | 325 | 261 | 296 |
| **Portugal** | | | | | 11 | 8 | |
| **Spain** | | | | | 73 | 15 | 57 |
| **Total** | 104 | 98 | 221 | 214 | 409 | 297 | 367 |

Source: WAM, own compilation.

The pattern of FDI found in European truckmakers differed from that of both Japanese and USA's truckmakers. Germany's Daimler-Benz and VW invested abroad early and widely. France's Renault and PSA were latecomers that started FDI first in the 1990s. Italy's Fiat fell in between, with FDI in several countries during the second part of the 1980s. Most importantly, however, none of the European FDI made any significant impact at the world's level. Except for VW European firms avoided investing in Asia, just Japanese enterprises, except for Nissan, were not heavily engaged in Europe. USA truck companies did not invest much in East Asia, but they did invest early and sizably in Europe, although their European FDI hardly grew over time. Even with the help of FDI European truckmakers were unable to match the 1980s expansion of their Japanese competitors or the 1990s growth of their USA rivals. By 2000 Europe had become marginalized in world truck production on the levels of both country and enterprise (Table 4).

## Conclusion

It is clear that writing on the truck market and truck manufacturing needs to be separated from writing about cars. The trends are very different. In 2000 Japan and Europe produced respectively about 10 and 14% of the world's trucks, but 20 and 35% of its cars. Also the absolute figures underline the importance of keeping cars and trucks separated; in 2000 41 million cars were manufactured, but only 18 million trucks. On all motor vehicle markets throughout the world the share of trucks grew steadily; in the USA in 2000 trucks accounted for nearly one-half of all motor vehicles registered.

Following Kenichi Ohmae's work on triadization we tested the thesis: *During a period of about 30 years, from 1970 to 2000, the world's truck industry was dominated and directed by companies based in the Triad* (USA, Western Europe, and Japan). Indeed throughout our period the Triad represented two-thirds or more of both markets (census or registration) and production. World truck manufacturing underlines the decisive influence of the Triad during this period. However, a closer look reveals three different levels of evidence:

A) Throughout the period 1970 to 2000 a large majority of the world's trucks were registered in the Triad. The Triad's market share (registration) remained steady at about two-thirds of the world's total. Indeed it even grew a bit between 1985 and 2000, while its position in the world's car market, though from a higher level, declined (tables 4 and 16).

B) As presumed, the Triad's share of production, calculated according to country, was higher than its market share. But it shrank more or less steadily from 1970 and ended 25 percentage points lower by 2000. The result represents a verification of the thesis, but not an impressive one. Truck manufacturing in the rest of the world expanded as an indicator of globalization.

C) When enterprises rather than countries are the basis of analysis, our thesis is significantly strongly confirmed. In 1970 Triad truckmakers accounted for 86% of world production, and by 2000 the share had fallen only to 78%, a reduction of no more than eight percentage points, that is less than a third of the alternative measurement. The extent of the Triad's dominance, then, is a function of how the data are organized and measured. The Triad's dominance was considerably stronger on the company-level than on the country-level.

However, an analytical approach focusing on the Triad as a single entity omits the enormous variation within the whole. The slump of the European countries as well as their constituent enterprises was counterbalanced by the expansion of both the USA and Japan. The Japanese domestic contraction after 1985 was compensated for by the growth in the USA of both domestic companies and the Japanese subsidiaries in the country.

This result has consequences concerning the evaluation of globalization in our case. From a macro-perspective globalization had developed much further than indicated by the micro-perspective. Enterprises could evidently maintain their control of markets and manufacture to a much greater extent than countries. Except in Europe where the enterprises underperformed throughout our period, the world's shares of the Triad's enterprises were generally larger, even much larger, than the shares of the Triad's countries. This would seem to indicate that truck manufacturers collectively managed the challenges of globalization much better than their countries did.

TABLE 15 **TRUCKS: SHARE OF WORLD PRODUCTION BY ENTERPRISE AND COUNTRY** (in percentage)

| Region | 1970 firms | 1970 countries | 1985 firms | 1985 countries | 2000 firms | 2000 countries |
|---|---|---|---|---|---|---|
| **USA** | 40.0 | 29.7 | 38.5 | 30.4 | 46.7 | 41.1 |
| **Japan** | 34.5 | 35.9 | 43.2 | 40.4 | 20.1 | 10.0 |
| **W.-Europe** | 11.4 | 24.3 | 8.3 | 11.7 | 11.4 | 13.6 |
| **Triad** | 85.9 | 89.9 | 90 | 82.5 | 78.2 | 64.7 |
| **Rest** | 14.1 | 10.1 | 10 | 17.5 | 21.8 | 35.3 |

Source: WAM, own calculations.

Of course, our statistical overview has some clear limitations. The quality of the data is fairly good but not ironclad. Aggregate statistics mirror only general trends, not short-term deviations, and these might be very important for an analysis. Thus the statistics presented here do not help much to find the reasons for the indicated changes. For example, why did the oil crisis of the 1970s have so little repercussion on Japanese truck manufacture and the burst of the asset price bubble in the 1990s so much? Still, they can clarify other issues, such as the change of preference of USA customers from cars to trucks. They can also illuminate the differential process of globalization generally: Individual transnational enterprises seem to have managed the challenges of globalization much better than their base countries.

This leads to our final, fundamental point: the close relationship between analytical method and outcome. There is a substantial difference in performance depending on how the Triad is defined: as a collection of countries or as a collection of enterprises (see table 15). The shares of world production calculated according to the macro-economic approach based on countries and the micro-economic approach based on enterprises often differ considerably. The method based on a macro-approach supports the thesis only to a certain extent. Here the triad lost 25.2% over the 30 years in question; and consequently the defense of the thesis is weak. But by applying the micro-approach, the triad lost only 7.7%. There the support of the thesis is more or less granted. Once more, the choice of method is decisive for the scholarly result. Consequently our plea is: for robust conclusion both approaches need to be employed. (This insight is not new, but its consequences are too often omitted!)

TABLE 16 **CARS: WORLD REGISTRATION AND WORLD PRODUCTION** (in percentage)

| Region | 1970 reg. | 1970 prod. | 1985 reg. | 1985 prod. | 2000 reg. | 2000 prod. |
|---|---|---|---|---|---|---|
| **USA** | 47.9 | 28.5 | 35.8 | 24.6 | 25.9 | 13.5 |
| **Japan** | 3.8 | 13.8 | 7.5 | 23.0 | 10.4 | 20.4 |
| **W. Europe** | 32.9 | 47.9 | 32.2 | 37.4 | 35.8 | 34.7 |
| **Triad** | 84.6 | 90.2 | 75.5 | 85.0 | 72.1 | 68.6 |
| **Rest** | 15.4 | 9.8 | 24.5 | 15.0 | 27.9 | 31.4 |

Source: WAM, own calculations.

## BIBLIOGRAPHY OF WORKS CITED


### Books

Bähr, Johannes, Ralf Banken, and Thomas Flemming, *Die MAN, eine deutsche Industriegeschichte*, München: Beck, 2008.

Barfield, Claude E., Günter Heiduk, and Paul J.J. Welfens (eds.), *Internet, economic growth, and globalization: perspectives on the new economy in Europe, Japan, and the USA*, Berlin and New York: Springer 2003.

Dicken, Peter, *Global Shift. Mapping the Changing Contours of the World Economy*, Los Angeles: Sage, 2015.

Foster, Patrick, *Ford Tough: 100 Years of Ford Trucks*, Minneapolis: Motorbooks, 2017.

Grunow-Osswald, Elfriede, *Die Internationalisierung eines Konzerns. Daimler-Benz 1890-1997*, Vaihingen/Enz: DaimlerChrysler AG, 2006.

Held, David et al., *Global Transformations. Politics, Economics, Culture*, Oxford: Polity Press, 1999.

Kenichi Ohmae, *Triad power: the coming shape of global competition*, New York: Free Press 1985.

Niemann, Harry, Hermann, Armin (eds.), *100 Jahre LKW; Geschichte und Zukunft des Nutzfahrzeuges*, Stuttgart: Steiner, 1996.

Porter, Michael, *The competitive advantage of nations*, London: Macmillan, 1990.

### Articles, book chapters, misc.

Brainard, Lael S. and Verdier, Thierry, "The political economy of declining industries: Senescent industry collapse revisited", in: *Journal of International Economics*, Vol. 42, (February 1997), 221-237.

Freyssenet, Michel, *Les ventes automobiles aux États-Unis par groupe automobile et catégorie de véhicule, 1946-2014*. Document d'enquête. 13 tableaux et 16 graphiques. Édition numérique, freyssenet.com, 2008 et mises à jour.

Toni Pierenkemper et al., *Old Industries in Europe, 1911-2000*, in Cassis, Youssef, Colli, Andrea, and Schröter, Harm G. (eds.), *The performance of European big business during the twentieth century*, Oxford: OUP, 2016, 171-189.

Porter, Michael, E. and Mariko Sakakibara, Competition in Japan, *Journal of Economic Perspectives*, Vol. 18, No. 1 (Winter 2004) 237-50.

Van Den Bulcke, Daniel, "The strategic management of multinationals in a triad-based world economy", in Research in global strategic management, 5 (1995), pp. 25-63.

Wada, Kazuo, "Why did Toyota respond less quickly to globalisation?" in *Entreprises et Histoire* (2015), n° 80, 134-154.

# FRENCH MULTINATIONALS AND SPANISH HUMAN CAPITAL, C. 1950s-1990s

**Esther M. Sánchez**
Associate Professor of Economic History at the University of Salamanca, Spain

**Rafael Castro**
Associate Professor of Economic History at the Autonomous University of Madrid, Spain

## Introduction[1]

The success that Spain met with the great industrial and technological challenges that it faced in the second half of the 20th century largely depended on foreign assistance[2]. As in other developing countries, American and European multinationals were actively involved in the development of human capital in Spain. Their aim was to create an industrial and scientific-technical milieu capable of internalizing, in the short to medium term, the knowledge and

1 – This paper is part of Research Projets HAR2017-86086-R (Spanish Ministry of Economy and Competitiveness), PGC2018-098057-A-I00 (Spanish Ministry of Economy and Competitiveness) and SA241P18 (FEDER UE-Junta de Castilla y León).

2 – For an overview, see: Nuria Puig and Rafael Castro, "Patterns of International Investment in Spain, 1850-2005", *Business History Review*, No.83, 2009, p. 505-537; and Nuria Puig and Adoración Álvaro, "The Long-Term Impact of Foreign Multinational Enterprises in Spain: New Insights into an Old Topic", *Journal of Evolutionary Studies in Business*, No.1/2, 2016, p. 14-39.

capabilities exported together with capital[3]. The State and the firms collaborated in sending Spanish experts to foreign centres (universities, engineering schools, business schools, laboratories, industries), as well as in training in-house workers, technicians and engineers. The interventionist policy of Franco's regime favoured these processes by demanding a minimum degree of domestic content in all the subsidiaries and projects from foreign origin. In this way, the learning generated positive effects for both the sender and receiver: Local firms improved processes and products, while multinationals gained competitive experience that facilitated their worldwide expansion. Furthermore, the investment extended beyond the multinational-subsidiary framework to reach other companies and sectors, move on to official pedagogical programmes and contribute to industrial and scientific-technical policies[4].

3 – Peter J. Buckley, "Business history and international business", *Business History*, No.51, vol. 3, 2009, p. 307-333; Geoffrey Jones, *Multinationals and global capitalism from the nineteenth to the twenty-first century*, Oxford, Oxford University Press, 2005; Geoffrey Jones, "Firms and Global Capitalism", in L. Neal and J. G. Williamson (eds.), *The Cambridge History of Capitalism, vol. 2. The Spread of Capitalism: from 1848 to the present*, Cambridge, Cambridge University Press, 2014, p. 169-200.

4 – Santiago López and Jesús M. Valdaliso, *Historia económica de la empresa*, Barcelona, Crítica, 2007; Nuria Puig and Adoración Álvaro, "The Long-Term Effects of Foreign Investment on Local Human Capital: Four American Companies in Spain, 1920s-1970s", *Business History Review*, vol. 92, 2018, p. 425-452.


## ABSTRACT

**France made a significant contribution to the Spanish economic miracle starting in the late 1950s, not only with capital investment and exports, but also through the transfer of knowledge and skills. The aim of this paper is to explore the influence of French multinationals in the enhancement of Spanish human capital, from specialized assembly-line workers and technicians to engineers, executives and managers. Based on a wide variety of sources, we will focus on three relevant sectors with large spillover effects: the nuclear sector, the defence industry and car manufacturing represented by Renault's subsidiary. These case studies will allow us to gain insight into the internationalization and internalization processes of issuing and host economies.**

## RÉSUMÉ

**LES MULTINATIONALES FRANÇAISES ET LE CAPITAL HUMAIN ESPAGNOL, C. 1950-1990**

**La France contribua intensément au miracle économique espagnol dès la fin des années 1950, non seulement par le biais des investissements directs et des exportations, mais aussi par le transfert de connaissances et de compétences. L'objectif de cet article est d'explorer l'influence des multinationales françaises sur la mise en valeur du capital humain espagnol, des ouvriers et techniciens spécialisés dans les chaînes de montage aux ingénieurs, en passant par les cadres et les managers. Grâce à une grande variété de sources, nous nous concentrerons sur trois secteurs importants qui eurent des retombées significatives : le nucléaire, l'industrie de la défense et la construction automobile représentée par la filiale de Renault. Ces études de cas nous permettront de mieux comprendre les processus d'internationalisation et d'internalisation des économies d'origine et d'accueil.**



JEL Classification: **F23, L14, N44, O14, O25**

Key words: **France, Spain, 20th Century, Multinational enterprises, Knowledge and skill transfer, Automotive industry, Nuclear industry, Military Industry**

Mots clés: **France, Espagne, XXe siècle, Entreprise multinationale, Transfert de connaissances et compétences, Industrie automobile, industrie nucléaire, industrie militaire**

Beginning with the 1953 Agreements, the United States assumed the leading role in foreign assistance to the Spanish economy. However, diversification was discussed early on, intensifying as Spanish authorities confirmed Spain's excessive dependence on the world leader and the need to approach Western Europe to guarantee its admission to the European Economic Community (EEC). From France's point of view, Spain constituted first and foremost a very important *economic* partner: a well-known neighbouring country with great potential for growth and therefore able to absorb the French products, technologies and capital that needed to overtake the internal market. Spain provided the added advantage of serving as a springboard for exportation to Latin America due to its historical, cultural and economic links with various countries of the region.

French-Spanish relations went through difficult times following World War II. France positioned itself as the standard bearer of the international condemnation of Franco's Spain and unilaterally decreed the closing of the Pyrenees border between 1946 and 1948. However, this inflexible position did not last long. It was revoked when French authorities confirmed that, first, the Americans and British, who were more lukewarm in their condemnation of the dictatorship, had broadened their economic positions in Spain; and second, the Cold War had exalted the strategic situation of the Iberian Peninsula and the anti-communism of Franco's regime. So, the French government ended up renewing bilateral (non-political) agreements with Spain. The U.S.-Spanish Pacts and the Spanish economic liberalisation (1959 Stabilization Plan and 1960s Development Plans) incentivized French action towards Spain. Meetings between leaders proliferated, as did economic, cultural and scientific-technical exchanges. Those were the years of the French *Trente Glorieuses* and the Spanish economic miracle, which required workers with technical expertise and offered great business opportunities. As a result, the economic and scientific-technical relations eclipsed the political ones. France participated in numerous equipment and infrastructure projects undertaken in Spain, introduced commercial and industrial subsidiaries, signed financial assistance protocols, facilitated Spain's entry into international agencies, and concluded the 1969 Convention on Cultural, Scientific and Technical Cooperation. The years following Franco's death were marked by discrepancies around Basque terrorism and Spain joining the EEC. However, the political disagreements hardly influenced economic relations. France continued to hold a primary position among Spain's commercial and financial partners, after the United States, and alternating positions with West Germany and Great Britain. France also retained its traditional leadership position in the field of technology, receiving 25% of the total technology transfer contracts (licences and technical assistance) concluded between Spanish and foreign firms[5].

5 – Esther M. Sánchez, *Rumbo al Sur. Francia y la España del Desarrollo, 1958-1969*, Madrid, CSIC, 2006; Esther M. Sánchez, «Francia y la España del tardofranquismo y la transición. Sinergias económicas en un marco de cambio político, 1970-1986», *Hispania*, vol. 76, n° 254, 2016, p. 847-882; Rafael Castro, *Génesis y transformación de*

International business scholars have often highlighted the positive long-term effects of multinational enterprises on host economies in terms of technological upgrading and managerial development[6]. The findings, however, have not brought conclusive evidence yet, as the impacts have largely depended on the institutional characteristics of the host economy, on the industries and firms that cross borders and even on the period in which borders are crossed. The large casuistry has led to a growing need for contextualization, empirical research and case studies[7].

The aim of this paper is to analyse the French training of Spanish human capital, its means, content and scope, in the second half of the 20th century. We have chosen three strategic spheres in which the industrial policies and corporate interests of both countries converged: the nuclear sector, the defence industry and the manufacturing of Renault cars. These three spheres mobilized enormous financial and diplomatic resources, involved many and varied actors, and generated multiplying effects over numerous ancillary sectors and industries. The institutional frameworks, corporate decisions of multinationals and labour preconditions differed in many aspects. Nonetheless, in general terms, the Spanish agents demonstrated, in laboratories, in firms, and within public administrations, good capacity for absorbing foreign knowledge and extending some competitive advantage. In this way, sufficient human capital was accumulated to undertake, first, the internal process of development and modernization, and second, the exportation of this process to third countries. Despite their significance, these learning dynamics have barely been studied by researchers working on French-Spanish relationship.

## THE DEPLOYMENT OF THE NUCLEAR SECTOR

From the late 1940s onwards, Spanish authorities opted for developing a nuclear industry in Spain similar to that of the world's great powers, an industry that would palliate energy restrictions while bringing political gain. The size of the

*un modelo de inversión internacional: El capital francés en España, c.1850-2006*, PhD Dissertation, Complutense University of Madrid, 2010; Rafael Castro and Esther M. Sánchez, «How does Knowledge cross borders? The SOFRE group in the Spain of the Planning, 1959-1976", *Industrial and Corporate Change*, vol. 24, No.6, 2015, p.1247-1283.

6 – Theodore H. Moran, Edward M. Graham and Magnus Blomstrom (eds.), *Does Foreign Direct Investment Promote Development?*, Washington D.C., Peterson Institute, 2005; Rajneesh Narula and John H. Dunning, "Multinational Enterprises, Development and Globalization: Some Clarifications and a Research Agenda", *Oxford Development Studies*, vol. 3, No.38, 2010, p. 263-287; Klaus E. Meyer; Ram Mudambi and Rajneesh Narula, "Multinational Enterprises and Local Contexts: The Opportunities and Challenges of Multiple Embeddedness", *Journal of Management Studies*, vol. 2, No.48, 2011, p. 235-252; Santiago M. López, José Molero and Francisco Santos-Arteaga, "Poverty traps in a frictionless world: The effects of learning and technology assimilation", *Structural Change and Economic Dynamics*, vol. 22, 2011, p. 106-115; Nuria Puig and Adoración Álvaro, "La huella del capital extranjero en España: un análisis comparado", *Revista de Historia Industrial*, n° 58, 2015, p. 249-285; N. Puig and A. Álvaro, 2018, *op. cit.*

7 – For an overview, see Adoración Álvaro Moya, Susanna Fellman and Nuria Puig, "Business history special issue on foreign investment and the development of entrepreneurial and managerial capabilities in host economies", *Business History*, vol. 7, No.62, 2020, p. 1063-1078.

projects, together with the technological gap and the limited financial capacity of the Spanish economy, made foreign assistance an indispensable resource. The United States was the nuclear partner *par excellence*: The first Spanish physicists were trained in the great laboratories of Oak Ridge, New York, Detroit, Chicago, Denver, Los Angeles and Columbus; the Export-Import Bank provided the credits; and the Westinghouse and General Electric companies contributed the technology and know-how[8]. Yet, France also participated in these processes from very early on, extending its assistance in all the phases of the fuel cycle, from uranium extraction to the management of radioactive waste.

From its beginnings, the Spanish state agency Nuclear Energy Board (*Junta de Energía Nuclear*, JEN), created in 1951, encouraged the training abroad of its nuclear scientists and experts. Its collaboration with the French Atomic Energy Commission (*Commissariat à l'Énergie Atomique*, CEA) led dozens of Spanish specialists with an interest in the application (civil and military) of atomic energy to undertake in-house training in French laboratories and industries, especially in the fields of mining, chemistry and uranium metallurgy. The success of this collaboration was decisively influenced by the personal friendship between José Mª Otero Navascués, director and then president of the JEN, and Bertrand Goldschmidt, director of International Relations for the CEA. Otero and Goldschmidt met in 1951 and hit it off instantly despite the environment of mistrust that enveloped French-Spanish relations at that time. Both scientists shared great optimism on the prospects of nuclear energy as well as a desire to free their countries from United States control by encouraging the use of natural uranium (produced nationally) instead of enriched uranium (under U.S. monopoly until 1974)[9]. Together, Otero and Goldschmidt organized the first visits of Spanish scientists and engineers to the French facilities in Saclay, Fontenay-aux-Roses and Le Bouchet. Goldschmidt promoted the sending to Spain of research materials (minerals, equipment, manuals and specialized scientific journals such as *L'Âge Nucléaire*) and Spain's entry into international

8 – Joseba De la Torre and Mar Rubio-Varas, *The Economic History of Nuclear Energy in Spain*, Palgrave Macmillan, 2017; Joseba De la Torre and Mar Rubio-Varas, «Electricidad nuclear y procesos de aprendizaje: el papel de Westinghouse y de General Electric en la experiencia española (c. 1955-1973)», *Revista de Historia Industrial*, n°74, 2018, p. 107-136; Joseba De la Torre and Mar Rubio-Varas, «American Nuclear Training: científicos, ingenieros y empresarios españoles en los Estados Unidos del desarrollo atómico», in L. Camprubí, X. Roqué and F. Sáez de Adana (eds.), *De la guerra Fría al calentamiento global. Estados Unidos y el nuevo orden científico mundial*, Madrid, Catarata, 2018, p. 85-110. About the history of nuclear energy in Spain, there are also essential: Rafael Caro (ed.), *Historia nuclear de España*, Madrid, Sociedad Nuclear Española, 1995; Ana Romero de Pablos y José Manuel Sánchez Ron, *Energía nuclear en España. De la JEN al CIEMAT*, Madrid, CIEMAT, 2001; Albert Presas, «Science on the Periphery. The Spanish Reception of Nuclear Energy: an Attempt at Modernity?», *Minerva*, vol. 43, No.2, 2005, p. 197-218; Pablo Soler, *El inicio de la ciencia nuclear en España*, Madrid, Sociedad Nuclear Española, 2017; Ana Romero de Pablos, *Las primeras centrales nucleares españolas. Actores, políticas y tecnologías*, Madrid, Sociedad Nuclear Española, 2019.

9 – Bertrand Goldschmidt, *Las rivalidades atómicas*, Madrid, Junta de Energía Nuclear, 1969; R. Caro, *op. cit.*; and note from the Ministère des Affaires Étrangères, Direction des Affaires Politiques, Service des Affaires Atomiques, 27 Oct. 1964, *Documents Diplomatiques Français*, 157, 2002.

organizations related to the atom, for instance the Nuclear Energy Agency of the Organisation for Economic Co-operation and Development (OECD)[10].

In 1956, the JEN and the CEA signed an agreement to intensify bilateral nuclear cooperation. This agreement normalized the exchange of information, materials and experts in the wake of the Spanish-U.S. nuclear agreement signed the year before. Spanish physicists, medical doctors, geologists, engineers, technicians and directors of electrical companies regularly crossed over the Pyrenees to visit French nuclear facilities. Most of these facilities were managed by the CEA and the public corporation Electricité de France (EDF): mines, laboratories, industrial uranium treatment plants and nuclear power plants. Spanish experts also attended training and specialization courses organized by universities, engineering schools and the National Research Council (*Centre National de la Recherche Scientifique*, CNRS)[11]. From 1956 to 1965, the Association for the Organization of Stays for Foreign Technicians in French Industry (*Association pour l'Organisation des Stages de Techniciens Étrangers dans l'Industrie Française*, ASTEF) registered a total of 152 stays in France of Spanish nuclear experts (17% of the total). The majority of them came from the JEN and industrial engineering schools in Barcelona, Madrid and Bilbao[12].

Meanwhile, leading French personalities presented in Spain, in congresses and exhibitions, the latest global nuclear advances and the advantages of French techniques and industry. For example: the exhibit "*El Átomo y sus Implicaciones Pacíficas* [The Atom and its Peaceful Implications]" (Madrid, May 1958), the "*Jornadas Nucleares Hispano-francesas* [Spanish-French Nuclear Conferences]" (Madrid, October 1963) and the "*Primera Exposición de la Técnica Francesa* [First Exhibition of French Technique]" (Madrid, October 1964). In parallel, various geo-chemical and geo-physical experts of the CEA were transferred to Spain to collaborate in the exploration and exploitation of uranium deposits in the provinces of Córdoba and Salamanca[13]. Besides, schools of industrial engineers frequently integrated French professors into their staff while dispatching their students to French academic institutes[14]. The latter were *stagiaries* who developed a successful professional career in France in centres of reference such as the *Institut de Physique Nucléaire d'Orsay* and the CNRS. However, the majority of beneficiaries returned to Spain, as planned, ending up in universities, research

10 – See letters in the Archives Historiques du Commisariat à l'Énergie Atomique-France (CEA), FAR 2008-22-73, dossiers 1-6.

11 – «L'Enseignement du nucléaire en France», *Revue* Générale *Nucléaire*, n° 5, 1984.

12 – Stays of a minimum of three months, co-financed (in variable proportion) by the CEA, the JEN and the Ministries of Economy and Foreign Affairs of both countries. ASTEF, *Annuaire des anciens stagiaires*, Paris, 1956-1965, and "Españoles en el CEA", Archivo General de la Administración-Spain (AGA)-Industria, box 71/4054.

13 – Armando Durán, «Las relaciones internacionales y la colaboración internacional», JEN-Primer coloquio de información geológica y minera de los minerales radiactivos, 1959, AGA-Industria, box 71/8816. More details in Esther M. Sánchez and Santiago López, *Historia del uranio en España. De la minería a la fabricación del combustible nuclear*, Madrid, Sociedad Nuclear Española, 2020, p. 89-91.

14 – Francesc X Barca, *Els inicis de l'enginyeria nuclear a Barcelona. La cátedra Ferran Tallada (1955-1962)*, PhD Dissertation, Universitat Politècnica de Catalunya, 2002; Alfons Carpio Rovira, *Ciència i política exterior francesa a l'Espanya de Franco: el cas des físics catalans*, Barcelona, Institut d'Estudis Catalans, 2010.

institutes, engineering schools or civilian and military laboratories, and also participating in the building of reactors and other nuclear infrastructure of the Spanish atomic programme. French training was largely connected with U.S. training, acquired by French scientists and engineers educated on the other side of the Atlantic or through the commercial and scientific-technical treaties between France and the United States[15].

French-Spanish nuclear collaboration reached its zenith in the agreement to build the Vandellós 1 nuclear power plant in Tarragona (east coast of Spain), using French technology and financing[16]. It was the third commercial reactor installed in Spain, after Zorita in Guadalajara and Santa María de Garoña in Burgos, both of which were sponsored by the United States. With a capacity of 480 MW, the Vandellós 1 power plant would supply industrial and domestic energy primarily to the Tarragona-Barcelona area and secondarily to the south-east regions of France. In 1966, after determining the practical modalities of the operation (location, financing, legislation, coordination), the Spanish government announced a public tender offer for a *turnkey project*[17]. The winner (and only competitor) was the group *Société pour l'Industrie Atomique* (SOCIA), made up of 25 French construction, engineering and capital goods firms[18]. SOCIA provided the main equipment, and then hired 50 more Spanish companies for the civil work, the supply of classical electro-mechanical equipment and the manufacturing of the reactor core. In addition, several dozen local SMEs, simultaneously hired by the Spanish companies, carried out different jobs for the power plant. Some of these SMEs were born in the heat of nuclear business, and others adapted to it, diversifying and modernizing their production. In total, the participation of Spanish industry accounted for 42% of the project[19].

Given the emergent situation of the French technology, less tested than the American one, the French and Spanish promoters conceived Vandellós 1 as a valuable training exercise, which allowed them to access new products

15 – The United States did not support the development of the French (nuclear) *force de frappe* but received French personnel in its laboratories and companies and agreed that technical and logistical information be sent to the CEA and EDF to guarantee that France remained in NATO. Villain, Jacques, *La forcé nucléaire française. L'aide des États-Unis*, Paris, Institut de Stratégie Comparée, 2014.

16 – Negociation process and most outstanding milestones in HIFRENSA, *Vandellós I. Historia de la primera central nuclear catalana*, Barcelona, HIFRENSA, 1997 ; Esther M. Sánchez, «La connexió hispano-francesa: intercanvis d'energia elèctrica i cooperació nuclear, c. 1950-1990», *Recerques*, n° 61, 2010, p. 101-136; and J. De la Torre and M. Rubio-Varas, 2017, *op. cit.*

17 – In turnkey projects, which were common in the construction of large infrastructures in contemporary (developed or developing) countries, the main contractor assumes all responsibility for the design and construction of the plant, committing to completing the project by a set date and for a fixed price.

18 – Indatom, SEEN, GAAA, Alsthom, Campenon Bernard, Alcatel, Ateliers et Forges de la Loire, Compagnie Electro-Mécanique, Babcok & Wilcox, Stein & Roubaix, Compagnie Générale d'Electricité, Compagnie Générale de Télégraphie Sans Fil, Neyrpic, Péchiney, Saint Gobain Techniques Nouvelles, Forges et Ateliers du Creusot, Jeumont-Schneider, Ugine Kuhlmann, Société Industrielle Delattre-Levivier, Compagnie de Constructions Mécaniques Procédés Sulzer, Chantiers de l'Atlantique, Société Hispano-Alsacienne, Société Parisienne pour l'Industrie Électrique and Merlin Gerin Contracts in AGA-Industria, boxes 8588 and 8589.

19 – The ownership of the plant was assigned to Hispano-Francesa de Energía Nuclear S.A. (HIFRENSA), made up of EDF and the Spanish companies FECSA, HECSA and ENHER. See Minutes of the Board of Directors of HIFRENSA, 19 Nov. 1970, Archives d'Electricité de France (AEDF), box 891165. For top Spanish companies taking part in Vandellós 1, see E. Sánchez, 2010, *op. cit.*, p.128.

and processes on site, and so correct errors on an on-going basis and test improvements applicable to this and future projects: "the building site is the best school [...] we are all going to learn, train ourselves and, later, train others"[20]. During the 5 years that, as planned, it took to build Vandellós 1[21], SOCIA, EDF and the CEA organized courses for the power plant's Spanish workers and performed quality checks for the Spanish manufactured parts, often in collaboration with the French nuclear power plant Saint-Laurent-des-Eaux 1, upon which Vandellós 1 was based. The participating Spanish companies gradually internalized the skills needed to build and manage a nuclear power plant: they learned how to use new materials, transport large pieces of equipment and dangerous substances, conduct strict inspections, and comply with international standards of radiological protection and security. In this way, domestic human capital would lead to the construction of future Spanish power plants in which turnkey projects would give way to joint ventures with suppliers (foreign) and beneficiaries (domestic) sharing the design and construction of the plant. These projects would entail a national participation greater than 80%. Furthermore, the knowledge and capabilities acquired allowed the Spanish companies to cross borders and reproduce the know-how in developing countries. This was the case with the engineering and construction firms Tecnatom, SENER and Abengoa[22].

Vandellós 1 functioned from 1972 to 1989, the year it stopped operating because of an accident[23]. In 1990, the Spanish Ministry of Industry and Energy revoked the operating licence. The following year, given that the repair required was considered uneconomical[24], the long and complex process of dismantling the plant commenced. The plant's 300 permanent workers participated in the tasks. Subsequently, they had the option to be relocated to other nuclear facilities or take advantage of leaves and favourable early retirement plans. Some of the construction companies and engineering firms who had erected the power plant were also involved in its dismantling and waste management. Among these were the French members of SOCIA and the Spanish Entrecanales and

20 – «Note concernant la conduite de l'affaire Vandellós», 10 Ap. 1967, AEDF, box 890521. Same dynamics observed in Zorita nuclear power plant. in J. De la Torre and M. Rubio-Varias, *American Nuclear Training*, 2018, *op. cit.*

21 – The evolution of the works, illustrated in numerous photographs, can be followed in the 13 newsletters that HIFRENSA published between 1968 and 1972 and in the Acts of HIFRENSA, AEDF, box 891165.

22 – Tecnatom, SENER and Abengoa, established, respectively, in 1957, 1956 and 1941, now provide services in several European, American and Asian countries. Further information is provided on their corporate websites: <www.tecnatom.es>, <www.ingenieriayconstruccion.sener> and <www.abengoa.es> [last visited Feb. 2019]. For information on the internationalization process of Spanish engineering firms, we refer to Adoración Álvaro, Nuria Puig and Eugenio Torres, "Managing Foreign Knowhow and Local Human Capital: Urquijo Group and the Rise of Spanish Engineering Firms", *Business History*, forthcoming, Doi: 10.1080/00076791.2017.1413093; Adoración Álvaro, "The Globalization of Knowledge-Based Services: Engineering Consulting in Spain, 1953-1975", *Business History Review*, vol. 88, 2014, p. 681-707; and Mauro F. Guillén (2001), *The Rise of Spanish Multinationals: European Business in the Global Economy*, Cambridge, Cambridge University Press.

23 – The accident reached level 3/7 (*major incident*) on the INES scale (International Nuclear Event Scale) of the International Atomic Energy Agency.

24 – The accidents of Three Mile Island (1979) and Chernobyl (1986) had increased demands (costs) in regard to safety, especially for natural uranium reactors.

Távora and INITEC (previously AUXIESA), together with new firms such as Empresarios Agrupados, Nusim and Geocisa. The dismantling of the plant presented an excellent business and learning opportunity both for France, which had only undertaken the closing of the Marcoule and Chinon natural uranium power plants, and for Spain, faced with its first great technological challenge of dismantling a nuclear power plant. Nuclear engineers from both countries identified improvements in the process that went on to form part of their dismantling plans in matters of security, recycling of materials and reuse of facilities[25].

France never led another nuclear megaproject in Spain, due to the combined effect of the nuclear moratorium decreed in Spain in the 1980s and the competition with the United States and Germany. Nonetheless, bilateral collaboration continued to be present during the entire fuel cycle, as is shown by the successive agreements for natural uranium exploration and extraction in Niger, the manufacturing of enriched uranium in the framework of the European consortium Eurodif, and the agreements between French and Spanish corporations (AREVA-ENRESA, EDF-ENUSA, EDF-ENSA, etc.) to build nuclear infrastructures in third countries. The renewal of the 1956 agreement in 1982 was not in vain; it resulted in the ratification of traditional spheres of cooperation and the inclusion of new business opportunities, such as fusion reactors, the handling of radioactive waste and the landscape reclamation of old nuclear facilities. More than 25 years later, the training of qualified personnel continued to be a priority, in addition to having become a much more balanced and bi-directional process[26].

## THE MANUFACTURING OF MILITARY EQUIPMENT

With the 1953 Agreements, the United States became Spain's military first reference, but these Pacts also encouraged the participation of French public and private institutions in the process of modernizing the Spanish armed forces[27]. To this end, French authorities collected information regarding the condition of the U.S. materiel supplied to Spain. They concluded that it was mostly second-hand equipment lacking ammunition and replacements, and, most importantly, with no Spanish industrial offsets. Indeed, unlike what took place in other allied countries, such as France itself, the offsets provided to the Spanish defence industry in the military agreements with the United States had been minimal. This was due to the low negotiating capacity of Franco's

25 – ENRESA, *Central Nuclear de Vandellós I. Memoria del desmantelamiento, 1998-2003*, Madrid, ENRESA, 2003; CSN, *Desmantelamiento y clausura de centrales nucleares*, Madrid, CSN, 2008.

26 – «Les relations industrielles franco-espagnoles», note from the Ministère du Redéploiement Industriel et du Commerce Extérieur, 9 Oct. 1984, AMAE-F, Europe, Espagne, 1982-1986, vol. 5148.

27 – Esther M. Sánchez, "French Military Action in Spain from Dictatorship to Democracy: Arms, Technology and Convergence", *Journal of Contemporary History*, vol. 50, No.2, 2015, p. 376-399.

regime, the absence of businesses in the transactions and the Spanish desire to obtain supplies immediately. Thus, local firms that had managed to survive the American cyclone were, in the best of cases, relegated to a secondary or subsidiary position, that is, to the manufacturing of low-tech parts and maintenance or repair of imported devices[28]. Considering that industrial offsets could become its best bargaining chip, France opted for offering the Spaniards co-manufacturing agreements that would improve the capacity of Spanish labour and contribute to the expansion and modernization of Spain's armament industry, largely integrated in a public holding, the National Industrial Institute (*Instituto Nacional de Industria, INI*). The Spanish partners received this proposal with enthusiasm: In addition to promoting long-desired national industrial growth, it allowed Spain to reduce their dependence upon the United States and move closer to Western Europe. According to different testimonies, some Spanish officials were also seduced by the possibility of gathering information regarding the French atomic weapon programme[29].

Military cooperation between Spain and France was reignited at the end of the 1950s, spurred by the alliance in Morocco and the return to power in France of Général Charles de Gaulle. The reciprocal visits of high-ranking military officers, joint exercises, training visits to schools and bases, and the exchange of technical information and logistical facilities proliferated[30]. Spanish military personnel became familiar with French equipment, which, as in the case of *Daphné* submarines, *AMX* combat cars, and *Mirage* airplanes, would later form part of the Spanish land, sea and air units. Except for a few occasions, as in the Ifni and Algerian Wars, France conferred upon the military collaboration with Spain a commercial non-strategic dimension.

The contacts and negotiations established throughout the 1960s culminated in the general agreement of June 22, 1970, applicable to all arms purchase-sale operations between Spain and France. Particular conditions of technical assistance and instructional plans were regulated in specific protocols that were signed for each transaction. In all of the texts, the French government committed to interceding to outsource all of the work possible to Spanish industry, including the high-tech phases. For its part, the Spanish government promised to facilitate customs proceedings for the entry of goods and ensure that local firms reached minimal conditions of quality, price and delivery times.

The first military equipment co-manufacturing agreement dates back to 1965, the year the contract for construction in Spain, with a French licence, of four conventional *Daphné* submarines (Delfín S-61, Tonina S-62, Marsopa S-63 and Narval S-64, in Spanish terminology) was approved. The manufacturing of the *Daphné* class submarines was carried out in the shipyards run by

**28** – «Réflexions sur l'Espagne», 17 Nov. 1953, Service Historique de la Défense-France (SHD), box 10T 308.

**29** – «Recherche de la bombe atomique perdue», 3 Mar. 1966, SHD, box 12 S 110.

**30** – These activities were registered in the annual reports of military attachés, available in the Archivo Histórico del Ejército del Aire-Spain (AHEA), boxes 10940 to 10952 and 10961. They can also be accessed in SHD, boxes 10T302, 14S54 and 14S55, and the journal *Ejército*.

the *Empresa Nacional Bazán de Construcciones Navales Militares* in Cartagena (Murcia) with technical assistance from the French naval shipbuilder *Direction des Constructions Navales* (DCN), belonging to the Ministry of Defence. To guarantee the operation's success, the Cartagena shipyards expanded and modernized their facilities, including the communication infrastructure and the navigations systems. In parallel, the engineers, technicians, master builders and operators in charge of the assembling, handling and maintenance of the submarines received various training courses in France. Between 1977 and 1984, a new bilateral project undertook the construction of four *Agosta* (Galerna S-70, Siroco S-71, Mistral S-73 and Tramontana S-74) submarines, in conditions similar to those of the construction of *Daphné* submarines[31]. During the last decade of the 20th century, Bazán and the DCN concluded a series of agreements for the joint construction of submarines in Chile, Malaysia and India. By the 21st century, Bazán's successor, Navantia, embarked alone on the manufacturing and marketing of S-80 submarines using its own technologically advanced design. The technological level achieved by the Spanish corporation was due in great part to the technical assistance and training received from France which, as far as the manufacturing of submarines is concerned, only refused to facilitate nuclear propulsion[32].

The Spanish Ground Forces, considered "the most backward because of its organization, equipment and thinking"[33], experienced a similar process, when, in 1970, the French Ministry of Defence gave it 19 *AMX 30* combat tanks (with ammunition and replacements) and agreed to manufacture 180 more tanks in the Seville workshops of the *Empresa Nacional Santa Bárbara de Industrias Militares S.A*[34]. In the framework of this operation, various agreements for granting licences and for technical assistance were signed, experts were trained in the equipment proper operation and maintenance, and the joint selling of tanks to third countries, particularly Venezuela and Egypt, was arranged. The road was not obstacle free. Bazán was slow in resolving problems related to cost and quality that affected components such as the transmission and clutch. As a result, the importation of French parts took longer than expected. Furthermore, the German *Leopard* tank, manufactured by the Krauss Maffei Corporation, was found to be a dangerous competitor. Germany presented financing and industrial offers that made the Spanish government reconsider the possibility of terminating the *AMX* contract, which, in the end, did not take place[35]. *Santa Bárbara Sistemas* (Santa Barbara Systems), integrated into

31 – Camil Busquets *et alii*, *Los submarinos españoles*, Madrid, Agualarga, 2002.

32 – Note to the French Minister of Foreign Affairs, 20 Oct. 1975, AMAE-F, Europe, Espagne, 1971-1976, vol. 421.

33 – "Refléxions sur l'Espagne", 17 Nov. 1953, SHD, box 10T 308.

34 – «Protocolo de cooperación técnica e industrial en materia de co-fabricación de carros de combate», 4 Jun. 1970, AMAE-F, Europe, Espagne, 1961-1970, vol. 356. Technical features of the AMX-30 tanks in Ministerio del Ejército, *Manual del carro de combate AMX-30*, Madrid, Ministerio del Ejército, 1977.

35 – «Les relations industrielles franco-espagnoles», note from the Ministère du Redéploiement Industriel et du Commerce Extérieur, 9 Oct. 1984, AMAE-F, Europe, Espagne, 1982-1986, vol. 5148.

the U.S. multinational General Dynamics from 2001, currently occupies a leading position in the design and manufacture of these armoured vehicles.

The co-manufacturing of aeronautic materials also took off in 1970. Between 1970 and 1972, 30 Mirage IIIE airplanes arrived at the Manises (Valencia) airbase, and between 1975 and 1982, 73 Mirage F1 and an F1 flight simulator were parked in Los Llanos (Albacete). Additionally, the French construction company *Avions Marcel Dassault-Bréguet Aviation* (AMDBA) granted the Spanish *Construcciones Aeronáuticas S.A.* (CASA) the licences to manufacture 58 units in its Seville and Getafe facilities. In March 1970, a select group of pilots from the Manises 101 Escuadrón received initial training at the French Dijon-Longvic airbase, where they learnt the operation of the Mirage IIIE and its systems[36]. Throughout the following years, dozens of Spanish pilots followed initial and supplementary training courses in various regions of France. Most notable were the trainings in air control, simulation, interception and in-flight refuelling received at the Dijon, Luxueil and Nancy bases, as well as specialization courses organized by the construction corporation AMDBA (radio-electronic, switchboards, mechanics, photography, hydraulics, electricity, armament, servo-drives and equipment) and by its traditional providers: SNECMA (motors and technical instruction), Thomsom-CSF (radar, maintenance and instruction) and Matra (missiles)[37]. Several dozen professional mechanics were also trained in France[38]. In this way, Spain could count on a detachment of experts capable of carrying out the periodic revision of devices (entire or parts) and the repair of ordinary malfunctions without mediation by French personal. The arrival of the Mirage to Spain entailed a complete reorganization of the Manises and Los Llanos bases. Among other work, it was necessary to improve the control and fuelling systems; create a maintenance unit; condition workshops, warehouses, runways and hangars; and expand the housing stock. CASA was the main recipient of industrial compensations linked to the Mirage. AMDBA bought various models of planes from CASA and ceded to it the manufacturing of fuselages, radars and other parts intended for use in French manufactured airplanes and helicopters. Furthermore, AMDBA helped CASA promote and sell its devices in Latin America, the Middle East and the French-speaking territories of Africa, and also facilitated its access to European projects such as the consortium Airbus Industrie (currently Airbus group)[39].

36 – Salvador Mafé, *El Mirage III en España*, Madrid, Instituto de Historia y Cultura Aeronáutica, 1991, p. 26.

37 – See a listing (not systematic) of courses and trainees in AHEA, boxes N2534-2, A10951 and A11141. Evidence forged from personal records in Ignacio Bengoechea, «El Mirage III y el espíritu de la caza», *Revista de Aeronáutica y Astronáutica*, n° 873, 2018, p. 342-349.

38 – «Relations militaires franco-espagnoles», report from État-Major des Armées, 11 Jun. 1979, SHD, box 12 S 436.

39 – «Application de l'accord de coopération militaire», report from the Ambassador Guillet, 1975, AMAE-F, Europe, Espagne, 1971-1976, vol. 408. More details in José M. Román, *CASA: los primeros 75 años, 1923-1998*, Madrid, CASA, 1998; Carmen Erro, *El empresario fotógrafo. José Ortiz Echagüe*, Madrid, EADS CASA, 2012; and José Sanmillán, «Del Breguet XIX al Eurofighter. CASA cumple 75 años», *Revista de Aeronáutica y Astronáutica*, n° 672, 1998, p. 316-326.

In short, in the military sphere, beginning in the 1970s, France and Spain signed a series of bilateral agreements that envisaged broad participation of the local industry and labour reaching at least 25% and often more than 80%[40]. At first, the Spanish defence industry lacked the capabilities needed to assimilate French equipment. For this reason, considerable effort in prior training was indispensable. With time, Spanish human capital gained access to high-tech activities and participated in the design of its own products, such as S-80 submarines, CASA transport aircrafts and diverse components for armoured vehicles. The co-manufacturing agreements also benefitted the domestic auxiliary industry that was allocated hundreds of contracts derived from the construction and maintenance of main equipment[41]. In this manner, France contributed to mitigate the technological and educational gap of the Spanish armed forces. Using the co-manufacturing agreements, France managed to have military relations with Spain that were more balanced than were Spanish-U.S. relations. So, France advanced positions in a field (the military) that at first appeared to be the reserve of the great American power. Currently, the Spanish armament industry holds a prominent position in the national and international industrial fabric, having a high investment in innovation and numerous externalities derived for the auxiliary industry and the civil sector (civil aviation, engineering and construction, electronics, informatics, telecommunications, chemistry, etc.).

## THE AUTOMOBILE AND THE FASA-RENAULT COMPANY

Founded in 1898, French automobile company Renault installed in Spain its first sales subsidiary in 1908 and its first manufacturing subsidiary in 1951. In the latter year, just 637 automobiles were built in Spain, compared to 360,000 in France and 8 million in the United States[42]. *Fabricación de Automóviles S.A.* (FASA) was the firm in charge of managing Renault's industrial processes in Spain, using French technology and Spanish capital. FASA's headquarters were established in Madrid, but its first assembly plant was built in Valladolid, a nucleus in the Castilla-León region, that had abundant and relatively qualified labour in the metallurgy sector[43], in addition to rail links with the rest of Spain

40 – Esther M. Sánchez, «Francia, las Fuerzas Armadas españolas y el suministro de aviones Mirage», *Ayer*, vol. 116, 2019, p. 77-104; and E. Sánchez, 2015, *op. cit.*

41 – See José M. García Alonso, *La base industrial de la Defensa en España*, Madrid, Ministerio de Defensa, 2010; Viçent Fisas, *Las armas de la democracia: Exportaciones españolas de armamento*, Barcelona, Crítica, 1991; and the corporate websites of Navantia, Santa Bárbara Sistemas and EADS CASA: <www.navantia.es, www.gdels.com and www.airbus.com> [last visited February 2019].

42 – Esther M. Sánchez and Cebrián, Mar, «Venta, ensamblaje e innovación: el largo siglo de Renault en España», in C. Barciela, G. L. Fontana, R. Vallejo and M. Vilar (eds.), *La industria del automóvil de España e Italia en perspectiva histórica*, Alicante, Universidad de Alicante, 2018, p. 230.

43 – Since the beginning of the century, workshops dedicated to manufacturing and repairing metallic products, electrical elements and transport materials had concentrated in Valladolid. Before the civil war, the company Carburador IRZ was known for assembling carburettors for the Hispano-Suiza company. During the conflict,

and with France, available electrical energy, and various local personalities and institutions who were interested in the initiative[44]. The first vehicle assembled in Valladolid was the 4 CV, a utilitarian vehicle in the lower-to-medium price range that was very popular in France and already known in Spain as a result of imports in the previous decade. FASA's official 1951 authorization of operating in Spain established that the value of materials and elements manufactured nationally should reach a minimum of 25% of the vehicle cost price, a percentage that would progressively increase to 100% by 1957. The directors of Renault in France were sceptical. They did not believe that the parts and assemblies manufactured in Spain could reach, even in the medium term, sufficient conditions of quality and price. The only exception was the supplies by the Spanish subsidiaries of French multinationals: Michelin (tires, air chambers, and covers) and Saint-Gobain (mirror base gaskets and mirrors)[45].

The evolution of national manufacturing was positive but, in fact, slow and limited. Some Spanish businesses participated in the construction of the assembly line designed and supervised by Renault. Among these were Talleres Vulcano and Hermenegildo Mozo of Valladolid, which supplied part of the electrical, iron and steel materials. Other national firms located outside of the region joined afterwards, participating in the manufacturing process of parts and components for the 4 CV[46]. The majority were from Catalonia (35.6%), the Basque Country (25.7%) and Madrid (20.7%), with those from Castilla-León representing a mere 8% of the total[47]. During the first years of FASA, quality problems were at the top of the agenda. The chief supply chain officer, Moisés Miguel Gandarillas, reveals that many local businesses were limited to "directly and manually copying foreign parts"[48], thus creating non-standardized products that met few of the technical harmonization requirements demanded by Renault. Furthermore, they tended to miss deadlines and exceed anticipated costs due to the technological gap, difficulties

Carburadores IRZ and Talleres Gabilondo were dedicated to the production of motors and other components for vehicles and aeroplanes of Franco's army. Subsequently, the society Talleres de RENFE was formed, specializing in the repair of railway materials. Pablo Alonso, Montserrat Álvarez and Pedro P Ortúñez, «Formación y desarrollo de un distrito metalúrgico en Valladolid (c. 1842-1951)», *Investigaciones de Historia Económica*, vol. 15, 2019, p. 177-189.

**44** – Tomàs Fernández de Sevilla, *El desarrollo de la industria del automóvil en España: el caso de FASA-Renault, 1951-1985*, PhD Dissertation, Universitat de Barcelona, 2013.

**45** – « Nécessité de prendre les dispositions voulues pour faire passer la majorité des actions de la FASA entre les mains d'éléments qui nous soient favorables », unsigned, 8 Dec. 1952, Archives Historiques Renault-France (AHR), Secrétariat du PDG, box 75.

**46** – Principally, Fabricación de Carrocerías SA-FACSA (automotive body components), Fabricaciones Mecánicas SA-FAMESA (motors and mechanical parts for steering and suspension), Industrias Subsidiarias de Aviación SA-ISA (transmissions), Fábrica Española de Magnetos SA-FEMSA (electrical devices), Nueva Montaña Quijano SA-NMQ (motors and mechanical components), COINTRA (sheet metal), Rahemo SL (radiators), Elesio Gatón SA (metallic batteries and tongue splash guard), Industrias derivadas del Aluminio-INDAL (aluminium plates), Talleres Miguel de Prado (fittings) and Defensa Anti Gas S.A.-DAGSA (rubber sheets and stumps).

**47** – Data for 1962, *La Vanguardia*, 9 Dec. 1962.

**48** – Moisés M. Gandarillas, *La fabricación de automóviles Renault en España. El 4CV*, Valladolid, M.M. Gandarillas, 2003, p. 52.

with sourcing raw materials and financial and organizational problems. The major pitfalls were concentrated in the motor-propulsion assembly, especially in the transmission and the motor[49]. Spanish authorities did not give way in their effort to demand high percentages of local manufacturing. However, the reality was that during the 1950s and 1960s, these percentages barely reached 15-20% of the total. This circumstance did not go unnoticed by the habitants of Valladolid, who commented that the city's only contribution to the FASA automobiles was "the air in the tires"[50].

In 1964, Renault acquired 49.9% of FASA's social capital, that is, the maximum amount authorized by the standing Spanish law. That same year, Valladolid was prioritized in the first Spanish Development Plan, a regional policy closely based upon French indicative planning. Renault's increased participation in FASA translated into important commercial and industrial investments[51]. The complete automation of assembly lines acquired special relevance due to the introduction of *machines transfer*, capable of reaching 1,500 units daily and exceeding the threshold of mass production[52]. FASA's main suppliers FACSA and FAMESA also took advantage of the incentives of regional policy to install infrastructure and automate processes in order to meet the growing demand. Renault achieved average percentages of 25-30% of the total Spanish automobile production, generating an important spillover effect on the closest geographic areas and productive sectors and becoming a valuable exporting platform for French multinationals[53].

How did they resolve the quality problems presented by locally manufactured parts and assemblies? Like other multinationals, Renault provided technical assistance through its technology licencing contracts between parent company and subsidiary. This assistance entailed regularly sending French experts to Spain. At the same time, the corporation organized courses and in-house additional and specialization training in its headquarters and French branches[54]. In general, the assembly line workers were instructed in Valladolid according to the methods of rationalization and scientific organization of work used by

**49** – « Nécessité de prendre les dispositions voulues... », AHR, Secrétariat du PDG, box 75.

**50** – « Medio siglo de Fasa-Renault », *El País*, 31 Aug. 2003.

**51** – As an illustration, from 1953 to 1973, production increased from 707 to 181,674 units, the turnover from 35 to 2,073 million pesetas, and manpower from less than 300 to 26,101 persons. FASA-Renault (various years).

**52** – Threshold set at 10,000 units annually. Jordi Catalan, «La creación de la ventaja comparativa en la industria automovilística española, 1898-1996», *Revista de Historia Industrial*, n° 18, 2000, p. 123.

**53** – Mar Cebrián, «¿Industrializar Castilla? El caso del Polo de Desarrollo de Valladolid 1964-1975», in J. De la Torre and M. García-Zúñiga (eds.), *Estado y mercado: los Planes de Desarrollo durante el franquismo*, Pamplona Universidad Pública de Navarra, 2009, p. 178 and 287; Josefa Fernández and Rosario Pedrosa, «El impacto de FASA-Renault en la economía de Castilla-León», in A. Vázquez, P. Garofolli and J. P. Gilly (eds.), *Gran empresa y desarrollo económico*, Madrid, Síntesis, 1997, p. 215-235.

**54** – From 1919, Renault had a professional training school in its central branch of Billancourt, near Paris. Almost every type of corporate personnel passed through its doors, from manual labourers to engineers and cadres. Nonetheless, the language and nationality requirements made access difficult for foreigners. For this reason, FASA's human capital, as well as that of other foreign subsidiaries, was instructed in its own factories. Emmanuel Quenson, *L'école d'apprentissage Renault, 1919-1989*, Paris, CNRS, 2001.

all automobile manufacturers[55], whereas the engineers, technicians and directors received several months of training in France. In these trainings, they learned industrial organization routines, financial policy, human resource management, accounting, informatics, marketing and promotion, corporate culture and company global strategies[56]. These were key components of the business school programmes devised in the U.S. that, in previous years, had been introduced in France and Spain[57].

The reports preserved in the Renault Historical Archives show that the Spanish *stagiaires* were well considered by their hosts due to their willingness to work, camaraderie, discipline and ability to adapt. Negative, or less favourable, aspects were an insufficient grasp of the French language, an excessively theoretical training and their lack of familiarity with more modern techniques[58]. In a few years, FASA and its auxiliary industries' human capital managed to internalize the knowledge and capabilities of French multinationals. As a result, the models that followed the 4 CV could incorporate high percentages of autochthonous manufacturing: 91.8% for the Gordini, 91.7% for the R-4S, 88.6% for the R-8, 87.4% for the R-10 and 100% for the Alpine[59]. FASA (since 1965 FASA-Renault) became the first assembly plant of Renault automobiles outside of France and was often presented as an example of both the successful internalization of the Régie Renault and the excellent relations between Spain and France.

During the 1970s and 1980s, FASA-Renault was affected by the double oil crisis that sparked labour conflict[60]. The stalemate was resolved relatively quickly owing to the increase in domestic sales and, specifically, foreign sales led by the R-5 model[61]. The FASA-Renault *Memorias* assert that the training of Spanish sales representatives in sales techniques and promotion was crucial for confronting these years of crisis[62]. The Spanish subsidiary also benefitted

55 – Alain Touraine, *L'évolution du travail ouvrier aux usines Renault*, Paris, CNRS, 1955; Mauro F. Guillén, *Models of Management: Work, Authority, and Organization in a Comparative Perspective*, Chicago, University of Chicago Press, 1994, chapter 4.

56 – The Alliance Française organization promoted language assistance. « RNUR: Les usines de montage automobiles comme facteur d'expansion industrielle des pays en voie de développement: l'exemple de Renault », 1967, Archives Nationales de France-Centre des Archives Contemporaines, Industrie, box 19900583/6.

57 – Hubert Bonin, "American Business Spreading Modernity into France", in H. Bonin and F. de Goey (eds.), *American Firms in Europe (1880-1980): Strategy, Identity, Perfection and Performance*, Geneva, Droz, 2009, p. 503-648; Nuria Puig, "Educating Spanish Managers: The United States, Modernising Networks, and Business Schools in Spain, 1950-1975", in R.P. Amdam, R. Kvälshaugen and E. Larsen (eds.), *Inside the Business Schools: The Content of European Business Education*, Oslo, Copenhagen Business School Press, 2003, p. 58-86.

58 – Renault Directorate's meeting, 25 Ap. 1961, AHR, fonds Vernier-Palliez, box 34.

59 – FASA-Renault (several years). Except for some luxury and sporty versions, of all the models that followed the 4 CV, the R-16 was the only model not manufactured in Valladolid.

60 – The strikes of the 1970s were highly politicized, mixing labour demands with anti-Franco resistance. FASA-Renault (several years). Elsie Charron, « FASA-Renault: un cas d'hybridation », *Actes du GERPISA*, n° 11, 1994, p. 116-143.

61 – Tomàs Fernández de Sevilla, "Renault in Spain: From assembly to manufacture, 1961-1972", *Business History*, vol. 52, No. 3, 2010, p. 484-486.

62 – From 1973 to 1983, the number of Renault points of sale in Spain grew from 661 to 1,600, commercial manpower from 26,101 to 38,989, and the number of annual training courses in sales and post-sales techniques from 40 to 200, approximately. FASA-Renault (several years).

from the plans for restructuring the French parent company which, to fix its financial structure and guarantee its international competitiveness, proceeded to generalize *Toyotism* and the "just in time" system, previous agreements of technical assistance and in-house training of its personnel in Japan. Thus, at the beginning of the 1980s, FASA-Renault had become the first Spanish producer of passenger cars and derivatives (and also the first Renault factory in a foreign country). FASA-Renault did not carry out massive layoffs in the years of the Spanish industrial conversion, even though it had to yield social capital to the parent company (71.1% in 1980), slow the pace of incorporating manpower, and transfer part of Valladolid's manpower to Palencia. The option of modernization (robotization, computerization, energy saving) was taken up again in the 1990s. These changes involved new contributions of technical assistance, advice and training, which translated into a significant increase in the number of semi-skilled personnel and of the presence of Spaniards in management positions.

Currently, with four factories (two in Valladolid, one in Palencia and one in Seville), Renault-España is one of the largest, most dynamic and most competitive corporations of the Spanish corporative fabric. Owing to French assistance, two fundamental qualitative leaps influenced its trajectory: first, the assembly in Spain of parts and sets manufactured in France, to the detriment of the importation of complete vehicles; and second, the substitution of French imports with Spanish manufactured parts. In recent decades, the Spanish subsidiary has managed to synchronize its production times with those of Renault-France and remain on the cutting edge of industrial innovation in all phases of the production process (assembling, stamping, chassis, welding, plating, painting). From its R&D facilities, organized as small-scale replicas of those of the headquarters, it has participated in the design of new automobile models, exclusively manufacturing some of them such as the R-7 in 1974 and the Captur (Valladolid), the Twizy (Valladolid) and the high-end Megane (Palencia) in the 2000s. Its national external suppliers, the majority of whom are today located in Valladolid, have also been involved in this process of growth and modernization, though they have specialized in more low-tech phases and products (plastics, steel, textiles, paint, electrical equipment, etc.) and maintained a considerable dependency on Renault and other French and foreign multinationals[63].

## Conclusions

Spanish modernization relied heavily on foreign investment and technology. Thanks to this foreign assistance, Spanish human capital gained access to

63 – See a list of the main companies in the automotive sector in Castilla-León at present in Josefa Fernández and Olga Ogando, *La economía de la provincia de Valladolid*, Almería, Fundación Cajamar, 2011, p. 535-537.

professional training and specialization opportunities that would have been difficult to acquire domestically, at least in the short term and at a low cost. Foreign multinationals soon observed that to ensure the success of their investments in Spain, it was necessary to create an industrial, corporate and scientific-technical environment capable of absorbing the knowledge and experiences exported together with the capital. Moreover, if they wanted to remain in Spain, they had to accept Francoist industrial legislation, that is, ensure that local professionals and products replaced the foreign ones as soon as possible, which made the training of personnel necessary. Far from being passive recipients, the Spaniards proved to be proactive in regard to foreign teachings, aware of their usefulness for ensuring economic growth and gaining an international presence. They demanded these teachings, internalized them, and adapted them, first to the particularities of the internal market and later to those of external markets. In this way, the learning promoted by foreign assistance allowed for the accumulation of a human capital suitable for carrying out large industrial and scientific-technical projects in an increasingly autonomous and competitive way. More recent information was accessed, new products arrived, modern industrial processes were applied, corporate management was professionalized, and negotiation and work in international contexts became normal practices. The obtained experience drove the expansion of a national industry that was competitive in technology and quality and capable of carving out a niche for itself in international markets. That said, the advancements achieved were sectorial and therefore limited. Decades of delayed development, together with the instability and dispersion of domestic investment efforts, prevented Spain from reaching the average level of R&D&I of the OECD. This delay continues to mark Spanish industry.

In this study, we have focused on France's role in three of the most relevant sectors of the Spanish economy in the second half of the 20$^{th}$ century: nuclear, military and automotive. The French case leads us to draw certain main conclusions. First, the French way of investing in Spanish human capital involved multiple approaches, the following being particularly noteworthy: the training of Spanish personnel in France; the dispatching of experts, materials and information to Spain; and technical assistance tied to technology transfer agreements. A large number and variety of actors participated and interacted in these activities: CEOs, engineers, technicians, scientists, ministers, diplomats, military personnel, and many more. We highlight the idea that the teaching-learning process reached all levels of the scientific-technical field and industrial production, from the most renowned researchers and scientists to recent graduates, and from technical and management senior leadership to the assembly line. With time, many of the Spanish firms that emerged in the nuclear, armament and automotive sectors owing to French (and foreign) assistance became fundamental actors, even at the global level. Besides, foreigners were progressively replaced by nationals in responsibility posts and medium-high-tech tasks. The sectors analysed in this paper reveal that the training programmes endorsed by France ran a multilateral course among the corporations, educational centres and administrations of both countries. Favoured for a wide network of ties (both formal and informal, individual and institutional), knowledge was spread beyond the subsidiaries and joint ventures, reaching other companies and educational and scientific institutions as well. In this way, a flexible and multifaceted scheme was created that had many indirect and multiplying effects and that benefitted both senders and receivers.

The French authorities often branded their economic activity in Spain as modest and disappointing. They considered that, due to the geographic proximity, the antiquity of their relationship, and the ambition of the development programmes in both countries, these activities should have had more satisfactory results. It is true that the externalities derived from the great projects of French industry in Spain were hardly perceptible in the short term. However, in the medium to long term, they played a fundamental role in the advancement of Spain's industrial and technological modernization. The long-term multi-sectoral approach provides a fruitful basis to analyse the effects of multinational enterprises on host economies in terms of technological upgrading and managerial development. This paper has tried to shed light on a topic that, despite the spectacular growth in international business scholarship in recent decades, remains relatively unexplored and misunderstood.

# LA STRATÉGIE DE RENAULT EN RUSSIE DES ANNÉES 1960 À NOS JOURS

**Boris Vinogradov**
Docteur en histoire de Sorbonne Université

## Introduction

L'implantation des entreprises automobiles françaises en Russie est une longue histoire dont Renault est un acteur clé. En vue d'expliquer le succès de Renault en Russie, le présent texte propose de reconstituer l'histoire de la présence de la marque au losange dans le pays. Dans les années 1950, Renault entame un rapprochement avec les industriels soviétiques et signe ses premiers contrats de livraison d'équipement industriel. Les principaux outils de coopération économique entre la France et l'Union soviétique, à l'époque, sont de nature étatique. Dans les années 1960, la Régie Renault s'attaque au marché soviétique et y réussit une implantation industrielle exemplaire. C'est la stratégie choisie par Renault pour réussir sa coopération avec la Russie qu'il s'agira d'analyser ici.

## RENAULT EN UNION SOVIÉTIQUE : TRANSFERT DE TECHNOLOGIES ET FORTE PRÉPONDÉRANCE DU FACTEUR POLITIQUE

Dans les années 1950, l'industrie automobile soviétique est orientée vers la hausse de la production des camions et véhicules industriels[1]. Puis, au milieu des années 1960, l'Union soviétique opte en faveur du développement intensif de l'industrie des voitures particulières. Cependant, dans ce secteur, l'industrie automobile soviétique a peu d'expérience. Surtout, elle manque de l'équipement moderne nécessaire à la production massive des voitures particulières. En conséquence, les dirigeants du parti communiste de l'URSS décident d'intensifier les échanges commerciaux avec les pays occidentaux et de se rapprocher des technologies occidentales avancées, afin de combler le retard technique de l'Union soviétique. À cette même époque, l'industrie automobile française suit les tendances de l'économie de marché et se concentre sur la production de voitures particulières à bas prix, la forte demande pour ces voitures assurant la croissance particulière de la production. La France est traditionnellement l'un des principaux producteurs automobiles et dispose alors d'un haut niveau d'équipement technique.

1 – John P. Hardt, « Les relations commerciales soviétiques et l'évolution politique en U.R.S.S », *Revue d'études comparatives Est-Ouest*, 1975, n° 6, p. 26.


## ABSTRACT

**RENAULT'S STRATEGY IN RUSSIA FROM THE 1960S TO THE PRESENT DAY**

**The French automobile industry is remaining today one of the most important in the world. In 2018, the French automotive industry ranked tenth among world producers and third in Europe. Renault's positions appear particularly strong in Russia. The French car manufacturer is maintaining its presence on the Russian market, despite different challenges of the 20th century. During the Soviet era, Renault succeeded in numerous industrial projects on the territory of the USSR and carried out significant technology transfer. After the fall of the Soviet Union, Renault invested in the construction of the automobile plant in Moscow. In 2014, the Renault Russia plant became the 4th plant of the Groupe Renault-Nissan-Mitsubishi in terms of production volume. This paper will monitor and explain Renault's brand's strategy in Russia.**



## RÉSUMÉ

**L'industrie automobile française demeure aujourd'hui l'une des plus importantes du monde : en 2018, son industrie automobile nationale plaçait la France à la dixième place des producteurs mondiaux et au troisième rang en Europe. Les positions de Renault apparaissent particulièrement fortes en Russie. Le constructeur automobile français maintient sa présence sur le marché russe, malgré les nombreux bouleversements que connaît le pays au XX^e^ siècle. À l'époque soviétique, la marque au losange réussit de nombreux projets industriels sur le territoire de l'URSS et réalise un transfert d'importance des technologies. Après la chute de l'Union soviétique, Renault investit dans la construction d'une usine automobile à Moscou. L'usine « Renault Russie » devient en 2014, la quatrième usine du Groupe Renault en volume de production. Il s'agira ici d'observer et d'expliquer la stratégie de la marque sur le marché russe.**



JEL Classification: **L24, N14, N74, R4**
Key words: **Russia, USSR, strategy, technology transfer**
Mots clés: **Russie, URSS, Renault, stratégie, transfert de technologies**

Dans les années 1960-1964, Renault signe des contrats pour la fourniture de machines-outils aux usines de camions de Likhatchev, de Gorki et de Minsk. L'ensemble de ces livraisons représentent près de 40 millions de francs. La coopération entre la marque au losange et l'Union soviétique se réalise sur une base règlementaire solide, dont les documents principaux sont les accords, les protocoles d'accords et les contrats de coopération.
En 1962 et 1964, la Régie Renault signe deux accords pour la fourniture de machines-outils à l'usine d'automobiles de Gorki et à celle de tracteurs de Minsk. En mai 1966, Christian Beullac[2], directeur général de la fabrication chez Renault, Yves Georges, directeur de la Recherche et du développement, et Jacques Maison, Directeur commercial exportation, rencontrent les autorités soviétiques. Ces dernières proposent que Renault fournisse le matériel et les techniques nécessaires à la restructuration et au développement de l'usine automobile Moskvitch pour porter sa capacité de 80 000 à 350 000 véhicules par an. Il s'agit de la possibilité de signer un accord de coopération scientifique et technique. La Régie Renault donne son accord de principe, mais souligne le besoin de longues négociations pour définir les conditions de paiement, à établir avec l'accord du gouvernement français, et pour dresser la liste complète des matériels, des équipements et des techniques à mettre à disposition.

Le 15 octobre 1966, deux importants protocoles sont signés : le premier porte sur la coopération scientifique et technique dans le domaine de l'industrie automobile entre le Comité d'État du Conseil des Ministres de l'URSS pour la Science et la Technique (GKNT), d'une part, et la Régie Renault et Peugeot, d'autre part ; le second est un protocole relatif à la coopération dans le domaine des fournitures de matériels, d'études et de procédés technologiques destinés à la fabrication de pièces et éléments d'automobiles dans les usines d'URSS, passé entre la Régie Renault et le Ministère du Commerce Extérieur de l'URSS.

Dans ses négociations avec l'Union soviétique la Régie Renault est bien aidée par son statut d'entreprise publique, très important pour réussir toute négociation avec les pays socialistes. En effet, à la Libération, l'entreprise a été nationalisée et placée sous la tutelle du ministre de la Production industrielle. La direction est assurée par un président-directeur général, secondé par un conseil d'administration. Le conseil d'administration comporte, outre les représentants de l'État, qui sont majoritaires, des représentants du personnel et des usagers. De ce fait, les dirigeants sont de hauts fonctionnaires. C'est pourquoi ils prennent part aux missions officielles françaises lors de voyages en Union soviétique, tandis que les patrons des sociétés privées sont indépendants et cherchent eux-mêmes les partenaires à l'Est, ce qui rend leur tâche bien plus difficile. Dans le cas de Renault, c'est l'État français, représenté par son président, Charles de Gaulle, en voyage en URSS en 1966, qui propose à

2 — Maurice Badiche, « Renault et le transfert de technologie dans les pays de l'Est européen », *Culture technique* n° 25, *Automobile et progrès*, octobre 1992, p. 68.

l'Union soviétique l'aide de la Régie Renault pour la modernisation de l'industrie automobile soviétique.

L'une des particularités de la réalisation des projets de Renault en URSS à l'époque, entre 1954 et 1991, réside dans son caractère « interétatique » : la coopération se négocie entre les fonctionnaires des deux pays. Cela s'explique, d'un côté, par le fait qu'en Union soviétique, l'État détient le monopole pour tout commerce extérieur. Le statut de « Régie » favorise, de l'autre, le développement de Renault à l'étranger, développement assuré et négocié, pour l'essentiel, par la tutelle, à savoir, à l'international, le corps diplomatique français et les fonctionnaires du ministère des Finances et de l'Économie.

Les négociations sur les conditions financières de contrats sont souvent très difficiles. Plusieurs projets de coopération industrielle, faisant partie de protocoles et accords entre la Régie Renault et l'URSS ne voient jamais le jour à cause de désaccords survenus lors de négociations de contrats. Les modalités de règlement de contrats et les conditions de crédit-fournisseur constituent les raisons principales des échecs de négociations. Entre 1985 et 1991, aucun contrat dans le domaine de l'automobile n'est conclu entre l'Union soviétique et les industriels français. Les négociations entre la Régie Renault et l'URSS portent sur la construction de l'usine « clés en mains » de moteurs de 1700 $cm^3$. Il s'agit d'un projet important (6 à 7 milliards de francs courants)[3]. Ce projet se heurte, en 1984, à de nombreuses difficultés liées au fait que Renault ne peut s'engager dans un long et coûteux travail d'études et d'ingénierie sans avoir, en contrepartie, l'assurance de commandes subséquentes d'outillages et de machines. Début 1985, aucune commande de biens d'équipement n'ayant suivi pour le contrat AZLK, Renault renonce officiellement à poursuivre le projet moteur initial « clés en main ». Toutefois, les négociations sont poursuivies sous l'angle de cession de licence uniquement. Selon les Soviétiques, les difficultés proviennent du niveau des prix non compétitifs, poussés à la hausse par le coût des crédits plus chers que ceux de la concurrence. Il est donc à conclure que les négociations qui précèdent la signature de contrats avec la Régie Renault dépendent de plusieurs facteurs de nature différente.

Entre 1966 et 1985, l'ensemble des contrats réalisés représente, en prestation d'études, d'ingénierie et en fourniture de biens d'équipement, un montant de l'ordre de 10 milliards de francs courants[4]. Les accords avec Renault se placent parmi les plus grands succès économiques de l'Union soviétique de cette époque. L'implantation de Renault en URSS représente aussi un atout pour Renault. Ayant signé un accord avec la Régie Renault, « l'URSS affiche

3 – Archives Nationales, 19860634/12, Note : URSS - Régie RENAULT, septembre 1985.
4 – *Ibid.*

officiellement sa confiance dans la technologie française et dans une relation durable »[5] avec la France.

Les technologies et les équipements français permettent de moderniser l'industrie automobile soviétique dans une proportion considérable. En effet, les usines automobiles Moskvitch (AZLK) et Izhmach, l'usine de moteurs d'Oufa, ainsi que l'atelier de moteurs de l'usine des camions KAMAZ sont construits avec les équipements et machines-outils français. La coopération industrielle dans l'industrie automobile engendre le transfert de savoir-faire (*know-how*) et même de connaissances (*knowledge*) car elle implique presque toujours des échanges de spécialistes. La réalisation des projets automobiles français conduit plusieurs ingénieurs et mécaniciens français en URSS et *vice-versa*[6]. Les spécialistes français transmettent de nouvelles méthodes et de nouvelles connaissances à leurs collègues russes.

## RENAULT EN RUSSIE POST-SOVIÉTIQUE : UNE IMPLANTATION INDUSTRIELLE D'ENVERGURE

La coopération industrielle entre Renault et la Russie prend une nouvelle tournure après la chute de l'Union soviétique. Avec la dissolution de l'Union soviétique, le marché russe s'ouvre aux importations, mais aussi aux implantations industrielles. La mondialisation joue un rôle important dans le développement de l'industrie automobile des années 1990-2000. Cette dernière s'accélère au profit de créations d'usines dans les pays émergents[7]. Les raisons résident pour partie dans des principes d'évolution de marché, notamment la proximité de lieux de consommation à forte croissance, ainsi que, pour une autre partie, dans des considérations économiques comme celle d'abaisser les coûts de production pour conquérir les marchés des ex-pays socialistes qui sont restés *de facto* isolés jusqu'à la fin de l'année 1991. Les fusions et acquisitions de marques s'accélèrent, ce qui confère aux acteurs du secteur un caractère international. Le nombre de sites de production à l'international s'accroît[8].

**5** – Marie-Pierre Rey, « Le voyage du général de Gaulle en URSS », *Espoir*, 1966, n° 109, 1996, Ambassade de France en Russie, url : https://ru.ambafrance.org/IMG/pdf/le_voyage_du_general_de_gaulle_en_urss_juin_1966_espoir_no109_1996_marie-pierre_rey.pdf?18941/fa06b5af3aff33caf1b776a07cce59b68ba3908e

**6** – Sophie Cœuré et Rachel Mazuy, *Cousu de fil rouge. Le Voyage des intellectuels en Union soviétique- 150 documents des archives soviétiques*, Paris, Éditions du CNRS, 2013.

**7** – Dominique Barjot « Introduction » dans Dominique Barjot (dir.), "Globalization, national patterns of development and strategies of firms (19th-21st centuries)", *Revue Française d'histoire économique*, n° 1, mai 2015, p. 14-27 ; « Introduction. Globalisation, modèles nationaux de développement et stratégies des firmes (XIX$^{e}$-XXI$^{e}$ siècle) » dans Dominique Barjot (dir.), "Economic development, financing and business strategies (19$^{th}$-21$^{th}$ century)", *Revue Française d'histoire économique*, n° 9-10, 2018, p. 10-37.

**8** – Bruno Camus, « Les constructeurs face aux enjeux de la mondialisation », *Auto News*, 26 juin 2006 ; Frédérique Sachwald, « Mondialisation de l'automobile : l'impulsion japonaise », *Économie et Statistique*, n° 266, 1993, p. 31-45.

La transition de l'économie russe vers une phase de croissance économique durable, ainsi que le nombre croissant de véhicules étrangers assemblés sur le territoire de la Russie stimulent l'accélération de la motorisation du pays[9]. En 2005, le ratio de motorisation est d'environ 159,6 voitures pour 1 000 habitants. À titre de comparaison, ce ratio était de 5,5 en 1970, 44,5 en 1985 et 58,6 en 1990.[10]. En termes de niveau de motorisation, la Russie présente un retard important par rapport aux pays occidentaux[11]. Par exemple, en Europe occidentale et aux États-Unis, il y a 400 à 800 voitures pour 1 000 habitants. Cela indique, entre autres, un potentiel de croissance important. En 2000-2008, les revenus de la population augmentent d'une manière constante et la demande de voitures neuves est insatisfaite. L'État russe manifeste une attention particulière à l'augmentation du niveau de motorisation du pays, faisant de cette dernière un aspect important de la politique sociale[12].

## L'expansion de Renault à l'Est : un choix stratégique

La privatisation de Renault, lancée en 1990, permet au constructeur d'affronter plus solidement une concurrence internationale plus nourrie[13]. Vers la fin des années 1990, Renault entame des négociations avec le gouvernement roumain, avec l'objectif clair d'acheter le constructeur national Dacia[14]. Le rachat de Dacia en 1999 permet à Renault de s'introduire sur les marchés des pays de l'Est avec une nouvelle marque[15]. Depuis 1999, Renault a investi un milliard d'euros dans un site industriel en Roumanie, dans la ville de Pitesti[16]. Cette décision correspond également à une stratégie de croissance à l'international lancée par Renault avec pour but de devenir un acteur majeur de l'industrie automobile dans le monde, notamment dans les pays émergents.

Il est certain que l'internationalisation de la production automobile est un des objectifs des groupes automobiles français, à savoir Renault et PSA Peugeot Citroën. L'industrie automobile est, selon Raymond Woessner[17], « une des

9 – Irina Knyazeva, « Statisticheskoye izucheniye protsessa avtomobilizatsii naseleniya Rossii », *Simvol Nauki*, n°4, 2017, p. 109.

10 – Statistiques sur la motorisation de la Russie, Rapport de Rosstat, domaine Transport, url : https://www.gks.ru/folder/23455

11 – Sergey Dantsev, « Avtomobilizatsiya v Rossii : istoriya i perspektivy », *Problemy ekonomiki i yuridicheskoy praktiki*, n° 1, 2009, p. 86.

12 – *Ibid.*

13 – Bernard Bensaïd, « Les nouveaux défis de l'industrie automobile mondiale », *Oil & Gas Science and Technology*, No.3, 2000, p. 327.

14 – Julie Thoin-Bousquié, « Comment la Roumanie est devenue un pilier du groupe Renault », *L'Usine Auto*, 21 juin 2018.

15 – Patrick Dieuaide, « Profit Sharing and the Stability of Employment Relations at Renault-Dacia : The End of Compromise, *Revue française d'histoire économique*, n° 1, 2015, *op. cit.*, p. 130-145.

16 – *Ibid.*

17 – Raymond Woessner, « La territorialisation par l'industrie automobile : proposition pour la compréhension du phénomène par une entrée systémique », *Bulletin de l'association de géographes français*, n° 92-4, 2015, p. 466.

activités qui a le plus profondément renouvelé sa géographie productive depuis une décennie ». Les constructeurs français produisent de moins en moins en France et, de plus en plus, à l'international[18]. À titre d'exemple, en 2013, le Groupe Renault produit moins d'une voiture sur cinq en France. La mondialisation simplifie le processus de transfert de technologies et de la production. Ces dernières se dirigent vers les pays où les coûts de production sont plus bas. Très souvent, les producteurs automobiles français doivent organiser la production dans les pays émergents pour conquérir des parts de marché, comme c'est le cas avec le marché russe.

À la fois par sa taille ainsi que par son faible niveau de motorisation, le marché russe représente un fort intérêt pour Renault qui vise l'accélération de sa politique d'expansion à l'étranger. Louis Schweitzer, alors président directeur général de Renault[19], prend la décision de commencer l'implantation industrielle en Russie à la fin des années 1990[20]. Cette décision s'explique par nombreux facteurs, dont l'état pitoyable de l'industrie automobile russe dans les années 1990-2000. Les constructeurs automobiles russes ne sont en mesure ni de concevoir et ni d'organiser la fabrication en série de voitures dont le niveau technologique correspondrait à celui de leurs concurrents européens, américains ou asiatiques.

À l'inverse, Renault dispose de l'expérience, des équipements techniques et des fonds nécessaires à l'organisation de la production de voitures particulières en Russie. Avant de se lancer en Russie, Renault s'implante en Roumanie et réussit à réorganiser l'usine automobile de Dacia dont l'entreprise française prend le contrôle. À cette même époque, vers la fin des années 1990, Renault débute la conception d'un modèle destiné aux marchés des pays en voie de développement possédant un grand potentiel en matière de croissance du parc automobile.

Au début de l'année 1997, dans le cadre de la stratégie d'internationalisation décidée par Louis Schweitzer, la Russie est considérée comme un pays prioritaire : Renault y lance son implantation en 1998. À cette époque, la situation économique du pays est inquiétante : les risques de non-retour sur investissement sont très importants. Néanmoins, cela n'empêche pas Louis Schweitzer de saisir les perspectives offertes par ce marché. En raison de son faible niveau de motorisation, un marché automobile « vierge » vient de s'ouvrir au monde après la chute de l'Union soviétique. En raison de la faiblesse des constructeurs automobiles russes, ce marché peut s'avérer prolifique à un constructeur automobile qui réussirait à proposer une voiture correspondant aux attentes

**18** – Eco Menanteau, « Automobile : les constructeurs français produisent de moins en moins en France », *RTL*, 2 avril 2019.

**19** – Louis Schweitzer est président directeur général de Renault de 1992 à 2005.

**20** – Interview de Louis Schweitzer, propos recueillis par Boris Vinogradov, 24 mai 2018.

des consommateurs locaux, à la condition d'une amélioration de l'économie russe et, de ce fait, de l'augmentation des revenus de la population du pays.

## Renault à Moscou : de l'atelier de montage à la 4e usine du Groupe

L'objectif de l'implantation de Renault en Russie est à la fois la construction d'une usine automobile en Russie et la commercialisation d'automobiles spécialement conçues pour les marchés des pays en voie de développement. En Russie post-soviétique, Renault fait appel à la solution d'un partenariat public-privé. En 1998, Renault créée, avec la mairie de la ville de Moscou, une *joint-venture* appelée Avtoframos. Ce choix en faveur d'un partenaire public s'explique, en premier lieu, par les grands risques liés, à l'époque, à une association avec un partenaire privé russe. En second lieu, l'alliance avec un partenaire public en Russie offre une certaine protection contre tous les aléas d'un pays engagé dans une transition brutale vers l'économie de marché. La mairie de Moscou semble constituer un partenaire prometteur. En effet, la capitale de la Russie est l'une des destinations les plus sûres pour les investissements étrangers.

Le gouvernement de Moscou propose tout un éventail de mécanismes de soutien à un certain nombre d'entreprises russes et étrangères menant des activités industrielles et innovantes à Moscou[21]. En premier lieu, il s'agit d'allègements fiscaux à hauteur des montants inscrits au budget de la ville de Moscou. En second lieu, la mairie moscovite offre des garanties portant sur les crédits alloués aux investisseurs étrangers en vue de la réalisation de projets et de programmes d'investissement prioritaires pour la région moscovite.

Le 29 avril 1999, la première voiture sort de l'atelier. Il s'agit de la Renault Mégane, dont le maire de Moscou, Iouri Loujkov, monte un feu arrière, et le directeur des opérations internationales de Renault, Manuel Gomez, un feu avant, lors de la cérémonie d'inauguration du site industriel. Le prix de ce modèle en Russie se situe entre 13 500 et 19 000 dollars. L'ensemble des pièces détachées nécessaires pour assembler complètement un véhicule est importé en Russie depuis la Turquie[22] où se trouve encore aujourd'hui la plus grande usine Renault[23]. Il s'agit du processus bien connu, dans le secteur automobile, de l'optimisation des chaînes de valeurs[24] que pratiquent aussi les principaux concurrents mondiaux de Renault (Volkswagen et Toyota).

21 – *La stratégie de développement social et économique de Moscou pour la période 2012-2025*, Moscou, 2012, p. 22.

22 – Kirill Gorsky et Nikolaï Ivanov, « Luzhkov nadel robu Chtoby sobrat' pervyy rossiyskiy Renault », *Kommersant*, n° 74, 1999, p. 7.

23 – Usine Renault Oyak de Bursa (Turquie).

24 – Preston Perluss, « Global Value Chains : vists for study of historical firm strategies and regional economic developpement », dans Dominique Barjot et Marie-Claude Esposito (dir.), *Mondialisation, modèles nationaux de développement et stratégies d'entreprises XIXe-XXIe siècles. Globalization, national patterns of development and strategies of firms (19th-21st centuries)*, Paris, SPM, 2016, p. 138-148.

Le maire de Moscou, Iouri Loujkov, et le vice-maire, Valery Chantsev, apportent toujours leur soutien au projet de Renault à Moscou[25]. Cela s'explique par leur souhait de maintenir l'image de Moscou comme une ville industrielle et capable d'accueillir des usines technologiques modernes.

Le 26 février 2002, Renault annonce sa décision d'accélérer son développement en Russie en investissant 230 millions d'euros pour produire localement et pour commercialiser à partir de la mi-mai 2005[26], un futur véhicule aux dimensions de berline familiale. La ligne de fabrication mise en place à Moscou est détenue à 62 % par Renault et à 38 % par la mairie de Moscou. En 2002, elle atteint la capacité de production de 60 000 véhicules par an. En 2003, Renault produit et commercialise 11 357 véhicules en Russie. Avec une production en hausse de 38,8 %, Renault est présent sur ce marché qui connaît une forte croissance à 10 % par an en moyenne et qui se compose à plus de 80 % de véhicules à moins de 10 000 dollars[27].

Le cœur de la stratégie de Renault en Russie réside dans l'industrialisation d'un nouveau modèle, le projet X 90, future Logan. Il fait suite à la visite de Louis Schweitzer en Russie à l'automne 1997 quand, de retour en France, le PDG de Renault demande l'étude d'une voiture à 5 000 euros[28]. Cette décision représente une excellente opportunité pour l'entreprise. Les premières études montrent que le modèle Logan est parfaitement adapté aux réalités du marché automobile de la Russie. Dans un premier temps, la fabrication du modèle Logan est organisée en Roumanie. La décision de mettre en œuvre sa fabrication à Moscou est rendue publique en février 2003.

À la fin de 2004, la participation de Renault dans sa filiale russe Avtoframos atteint 76 %[29]. La demande en véhicules automobiles neufs augmente de 20 % en Russie en 2006[30]. Elle s'inscrit dans une courbe exponentielle : avec deux millions de ventes réalisées en 2006, le marché russe connaît une croissance globale de 20 %. Les importations de véhicules neufs progressent de 60 % à environ 750 000 unités tandis que les véhicules de fabrication russe passent de 46 % à 37 % des ventes totales[31].

Le 6 avril 2005, Louis Schweitzer inaugure l'usine Avtoframos à Moscou en présence du maire de la ville. Avec un marché automobile en forte croissance,

25 – Interview de Christian Estève, le directeur de la région Eurasie pour Renault à l'époque. Propos recueillis par Boris Vinogradov le 15 octobre 2015.

26 – Renault, *Rapport annuel 2002*, p. 45.

27 – *Ibid.*, p. 23.

28 – *Ibid*, p. 23.

29 – *Ibid*, p. 18.

30 – *Ibid.*

31 – *Ibid.*

la Russie est le deuxième pays, après la Roumanie[32], à accueillir la production du modèle Logan. La commercialisation de la voiture, sous la marque Renault, débute au printemps 2005[33]. L'usine Avtoframos déploie tous les outils et toutes les méthodes du système industriel de Renault. Renault investit 230 millions d'euros dans la construction de l'usine Avtoframos, ce qui en fait l'investissement le plus important réalisé en Russie par un constructeur européen à ce jour.

La politique commerciale de Renault en Russie (avec Avtoframos) repose sur trois objectifs majeurs :
- définir une gamme de produits locaux et de produits importés adaptés aux besoins du marché russe ;
- développer le réseau, c'est à dire passer de douze concessionnaires Renault à fin 1998 à deux cents concessionnaires (soit environ trois cents points de vente) à l'horizon 2006 ;
- créer une structure moderne de distribution ; faire de la qualité des services de l'après-vente l'un des principaux vecteurs de l'image de Renault-Avtoframos[34].

Avtoframos est également responsable des décisions d'investissement.

La fabrication des véhicules en grande série est réalisée sur des chaînes de production installées dans des usines. L'usine Avtoframos-Renault débute comme une usine *Semi Knocked Down* (SKD)[35]. Ce procédé consiste à monter des véhicules dont les pièces sont déjà reçues et partiellement assemblées. Le recours à ce schéma est une pratique commune des constructeurs automobiles qui créent des filiales à l'étranger. Dans la plupart des cas, il s'agit de filiales établies dans des pays où le prix de la main-d'œuvre est jugé bon marché. De surcroit, ce schéma permet d'éviter le paiement des taxes d'importation, en général bien plus élevées s'il s'agit d'un produit fini. La création d'emplois dans le pays d'assemblage autorise aussi à bénéficier d'allégements fiscaux.

Au fil de temps, l'usine Avtoframos évolue jusqu'à une nouvelle étape : celle de l'assemblage industriel dit *Complete Knocked Down* (CKD). Ce dernier implique une intégration industrielle plus importante. En effet, de nombreuses opérations sont exécutées sur place : cela peut être le cas pour la peinture ou le vitrage. Un grand nombre de pièces nécessaires sont importées, mais à l'état « brut », et sont transformées sur place.

**32** – Louis Schweitzer, « Comment j'ai imposé la Logan à Renault », *L'usine Nouvelle*, 18 janvier 2007.

**33** – « Renault - la production de la Logan débute en Russie », *Challenges*, 6 avril 2005.

**34** – Business plan RENAULT - AVTOFRAMOS, février 1999, Archives Renault Histoire, p. 65.

**35** – Business plan RENAULT - AVTOFRAMOS, *op. cit.*, p. 80.

## Renault à Togliatti : l'entrée d'AvtoVAZ dans le giron du groupe Renault-Nissan

Après avoir lancé la production du modèle Logan sur le site moscovite, Renault commence à s'imposer sur le marché russe et à rentabiliser ses investissements en Russie grâce au succès de ce même modèle Logan[36]. En parallèle, le producteur français accroît le niveau de localisation de sa production et élargit sa gamme de modèles. La réussite du Groupe Renault à Moscou attire l'attention du gouvernement de la Russie, qui cherche une solution pour sortir de la crise le plus grand producteur automobile national – AvtoVAZ. L'État russe propose à Renault d'apporter son savoir-faire afin de renouveler la gamme Lada. En 2008, le groupe Renault-Nissan signe un contrat scellant l'entrée du constructeur automobile français Renault, à hauteur de 25 % dans le capital du groupe public russe AvtoVAZ[37]. La transaction s'élève à un milliard de dollars, lors de la signature.

Pour le constructeur français, ce projet présente un certain nombre d'avantages : « l'idée était notamment de profiter des volumes de production de Lada-AvtoVAZ, à savoir plus de 700 000 véhicules en 2008 pour attirer les équipementiers étrangers et structurer le tissu local »[38], explique Christian Estève, Directeur général de Renault en Russie en 2009-2010. À terme, le constructeur français envisage aussi de fabriquer des Renault et des Nissan sur les lignes de production de Lada. En échange, il s'engage à apporter son savoir-faire en vue de renouveler la gamme Lada.

– En investissant dans AvtoVAZ, Renault prend de gros risques. Il cherche à accroître sa part de marché, mais sans garantie d'avoir un retour sur investissement[39]. Finalement, ce retour sur investissement se réalise bien, et ce en raison de l'importante part du marché automobile russe détenue par AvtoVAZ. L'unification des procédés industriels entre Renault, AvtoVAZ et Nissan joue un rôle primordial dans la restauration de la confiance à Togliatti. D'une façon globale, les enjeux visibles en 2011-2012 pour l'Alliance Renault Nissan AvtoVAZ en Russie concernent l'horizon 2016 : quatre sites de production, une capacité de production cumulée d'environ 1 750 000 véhicules/an et des ventes prévisionnelles de 1,6 million de véhicules en 2016, soit 40 % d'un marché de toutes marques s'élevant à 4 millions de véhicules.

– Le 12 décembre 2012, Carlos Ghosn, alors PDG du Groupe Renault-Nissan, signe un accord avec l'entreprise publique russe Russian Technologies. Selon

**36** – Interview de Louis Schweitzer, propos recueillis par Boris Vinogradov, 24 mai 2018.

**37** – Marion Le Renard, « Renault : nouvelle usine en Russie », *Auto Plus*, 23 mai 2008.

**38** – Interview de Christian Estève, le directeur de la région Eurasie pour Renault à l'époque. Propos recueillis par Boris Vinogradov le 15 octobre 2015.

**39** – Interview de Steve Chernysh et Jean-Paul Simet, 11 mars 2019, propos recueillis par Boris Vinogradov.

ce document, « Renault-Nissan détient une participation majoritaire dans la nouvelle société, Alliance Rostec Auto BV, dont dépend la firme AvtoVAZ, leader du marché automobile russe »[40]. Renault et Nissan investissent 23 milliards de roubles, soit environ 570 millions d'euros, avec l'objectif de posséder 67,13 % des parts de la coentreprise en 2014 contre 36 % en décembre 2012. La *joint-venture* détient, en 2014, 74,5 % du capital d'AvtoVAZ. En 2012-2014, le Groupe Renault-Nissan compte huit sièges au sein du conseil d'administration d'AvtoVAZ, lequel passe de douze à quinze membres.

– Renault est entré chez AvtoVAZ avec la bénédiction des autorités publiques, pour moderniser le constructeur et refaire de la marque Lada, un constructeur automobile-clé de l'industrie russe. Le dossier est suivi de près par le président de la Fédération de Russie lui-même, Vladimir Poutine, qui vient parfois devant les caméras apporter son soutien au constructeur national[41]. Renault et Nissan forment une alliance : ils se partagent moteurs et plateformes, organisent des achats en commun, tout en conservant chacun une gestion autonome. Désormais, AvtoVAZ s'y intègre. Les événements de Crimée et du Donbass en Ukraine rebattent pour un temps les cartes géopolitiques. De fait, les sanctions imposées à la Russie affectent le marché automobile. Néanmoins, ce projet fédère une vision commune et permet alors une saine intégration d'AvtoVAZ au sein du groupe Renault et de l'Alliance Renault Nissan Mitsubishi.

– L'usine de Renault à Moscou est reconnue, à la fin de 2013, comme un *leader* parmi toutes les usines automobiles russes et en ce qui concerne la localisation de la production[42]. Les voitures fabriquées sur ce site sont constituées à 75 % de pièces fournies par des fournisseurs russes[43]. En juillet 2014, Avtoframos change son nom et devient « Renault Russie ». Selon Bruno Ancelin, directeur général de Renault en Russie à l'époque, il s'agit d'un signe de bonne entente et de confiance. Renault est le seul constructeur à pouvoir intégrer dans son nom le mot « Russie »[44]. En 2014, en regard du volume de production, l'usine Renault de Moscou est la 4ème usine du Groupe Renault[45].

– La localisation constitue un élément important de la stratégie de Renault en Russie. En 2015, 95 % du volume total des ventes Renault dans le pays découlent des ventes de véhicules produits localement[46]. En 2017, ce chiffre atteint

**40** – Julien Bonnet, « Renault-Nissan finalise son accord de partenariat avec Avtovaz », *L'Usine Nouvelle*, 12 décembre 2012.

**41** – Robert Van Apeldoorn, « Comment Renault veut faire de la Russie son premier marché », *Trends - Tendances*, 26 septembre 2018.

**42** – Aleksandr Mirochkin, « Avtoframos nazvali predpriyatiyem s samoy vysokoy stepen'yu lokalizatsii », *Motor*, 13 septembre 2013.

**43** – *Ibid.*

**44** – Bruno Ancelin, « 2010-2014 : Des années fastes en Russie », *Renault Histoire*, n° 47, 2020, p. 160.

**45** – *Renault en Russie : une stratégie basée sur un plan produit robuste*. Renault, Dossier de presse, 2014, p. 13.

**46** – Anastasia Ivanova, « Avtomobili rossiyskogo proizvodstva zavoyevyvayut rynok », *Vedomosti*, 6 mars 2018.

99,2 %[47]. Renault travaille avec le réseau de fournisseurs locaux. Cela permet de rester concurrentiel dans des conditions de marché instable et d'atténuer les effets de la dépréciation, puis de la dévaluation du rouble.

## Conclusions

L'analyse des activités des entreprises automobiles françaises en Russie de 1954 à 2014 démontre la continuité de la présence de la Régie Renault sur ce marché. Le constructeur a réussi à mener à bien des projets automobiles tant à l'époque des Soviets que dans la Russie post-soviétique. La stratégie de Renault en Russie, à l'époque soviétique comme après la chute de l'URSS, reste la même : le constructeur français privilégie l'association avec des partenaires publics. Tout au long de sa présence sur le marché russe, les fonctionnaires constituent les principaux interlocuteurs et partenaires de la marque au losange. Dans les années 1960-1980, la Régie Renault fournit des équipements et des technologies en vue de la production de voitures de conception soviétique. Au cours de cette période les représentants de Renault nouent des contacts étroits avec des fonctionnaires ministériels et des directeurs d'usines soviétiques.

Même après l'effondrement de l'Union soviétique, Renault réussit à entretenir des liens étroits avec des industriels et des fonctionnaires de la Russie post-soviétique. Ces liens se révèlent particulièrement précieux, compte tenu du fait que, très souvent, les entreprises soviétiques nationalisées sont sous le contrôle de dirigeants issus de l'appareil d'État communiste. Il est donc compréhensible que Renault privilégie les partenaires publics en Russie. Louis Schweitzer lui-même souligne que Renault a « une grande habitude des négociations avec un actionnaire public »[48].

Pendant la construction de l'usine Renault (Avtoframos) à Moscou, le choix du partenaire public se justifie : la mairie de Moscou se montre toujours à l'écoute de Renault. La relation de confiance entre les mêmes partenaires joue un rôle primordial dans la réalisation du projet. L'usine entre en fonction en 2005. Elle permet d'assembler jusqu'à 60 000 véhicules par an à partir de 2007. L'exemple de l'usine de Renault à Moscou montre aux autres constructeurs qu'il est possible de construire des usines automobiles en Russie et d'y introduire les standards de qualité internationaux.

Le succès de Renault dans les relations avec les partenaires publics en Russie ne s'arrête pas avec la construction de l'usine de Moscou. En 2007, le gouver-

**47** – *Ibid.*
**48** – Interview de Louis Schweitzer, propos recueillis par Boris Vinogradov, 24 mai 2018.

nement de la Russie choisit Renault pour moderniser la plus grande usine automobile russe, AvtoVAZ. Il s'agit d'un projet de grande ampleur, que le président de la Fédération de Russie suit de près. Le fait que les pouvoirs publics russes choisissent Renault comme partenaire et lui proposent d'entrer dans le capital d'AvtoVAZ raffermit notre hypothèse concernant la continuité de la stratégie de Renault en Russie, dont le point essentiel réside dans une relation privilégiée avec les partenaires publics.

L'exemple de l'implantation de Renault en Russie ouvre une voie sur ce marché à d'autres grands groupes français en Russie. Michelin, Danone, Auchan s'implantent en Russie dans les années 2000-2010 et conquièrent assez vite une part importante du marché. L'implantation réussie de la marque au losange constitue un modèle d'internationalisation. Le groupe Renault a réussi une percée importante à l'Est de l'Europe et du bassin méditerranéen grâce à ses implantations en Roumanie, en Russie et en Turquie.

# VIRGIN FRANCE, COUP D'ESSAI DE L'INTERNATIONALISATION D'UN GROUPE ENTRE OPPORTUNISME ET DÉCENTRALISATION

**Nathalie A. Champroux**
Professeure d'Études anglophones à l'université de Tours

## Introduction

La France fut le pays tremplin de l'internationalisation du groupe britannique Virgin qui s'enorgueillit aujourd'hui d'être présent dans 35 pays à travers le monde, avec environ 70 000 employés d'une soixantaine d'entreprises à l'enseigne rouge et blanche. L'Hexagone fut en effet la destination de la première implantation réussie d'une filiale de Virgin Records, le label britannique d'édition musicale, puis d'une filiale de Virgin Retail, filiale qui fut à l'origine du premier Virgin Megastore ouvert hors du Royaume-Uni, sur l'avenue des Champs-Élysées de Paris.

Le cas de la création et de l'évolution de ces deux filiales françaises, Virgin France SA et Virgin Stores SA, présente l'intérêt d'alimenter les théories privilégiant l'opportunisme, l'influence des réseaux et la décentralisation comme moteurs de l'internationalisation des entreprises de service. Virgin France n'est pas née d'une stratégie d'internationalisation mûrement planifiée. La filiale fut plutôt le fruit du hasard d'une rencontre entre le patron de Virgin, Richard Branson, et le directeur du marketing international chez Polygram France, Patrick Zelnik. Le lien d'amitié et de confiance qui se tissa entre les deux hommes incita Branson à laisser carte-blanche à Zelnik, y compris pour l'ouverture d'un Virgin Megastore parisien. Ce sont ces deux incursions


## ABSTRACT

**VIRGIN FRANCE, A TEST OF THE INTERNATIONALISATION OF A GROUP BETWEEN OPPORTUNISM AND DECENTRALISATION**

France was the springboard country for the internationalisation of British group Virgin. In the early 1980s, Virgin successfully established Virgin France SA, the first foreign subsidiary of its British label, Virgin Records. In 1988, France welcomed another activity of the British parent company: the sale of cultural products. Virgin Stores SA, a French company despite its English name, was the first of a series of British Virgin Retail's foreign subsidiaries; it was at the origin of the first Virgin Megastore opened outside the United Kingdom, on the Avenue des Champs-Élysées, in Paris.

The analysis of the creation and evolution of these two French subsidiaries of Virgin seems to be fuelling the theories favouring opportunism, the influence of networks and decentralisation as drivers of the internationalisation of service companies. Virgin France SA was not born out of a well-planned internationalisation strategy in response to the desperate need to escape a saturated domestic market or to satisfy demanding financial partners. Rather, the subsidiary was the result of a chance meeting between Frenchman Patrick Zelnik and Britishman Richard Branson. The enthusiasm of the former, then the marketing director of Polydor, nourished the idea of a French subsidiary in the mind of the latter, founder and head of Virgin. The social bond that developed between the two men then prompted Branson to adopt a hands-off approach towards Zelnik. Firmly embedded in the creative industry market that was booming in the 1980s, it was Zelnik who had the idea of competing with FNAC, a cultural product distribution chain already well established in France, with his Parisian Virgin Megastore. We will study these two particular forays by Virgin into the French market, in what they reveal about the group's internationalisation process.

## RÉSUMÉ

La France fut le pays tremplin de l'internationalisation du groupe britannique Virgin. Au début des années 1980, Virgin parvint à y implanter avec succès Virgin France SA, la première filiale étrangère de son label britannique d'édition phonographique, Virgin Records. En 1988, la France s'enrichit d'une autre activité de la maison mère britannique : la vente de produits culturels. Virgin Stores SA, société bien française malgré son nom anglophone, inaugura la série de filiales étrangères de la britannique Virgin Retail ; elle fut à l'origine du premier Virgin Megastore ouvert hors du Royaume-Uni, sur l'avenue des Champs-Élysées de Paris.

Le cas de la création et de l'évolution de ces deux filiales françaises de Virgin présente l'intérêt d'alimenter les théories privilégiant l'opportunisme, l'influence des réseaux et la décentralisation comme moteurs de l'internationalisation des entreprises de service. Virgin France SA n'est pas née d'une stratégie d'internationalisation mûrement planifiée en réponse au besoin désespéré de fuir un marché intérieur saturé ou de satisfaire des partenaires financiers exigeants. Plutôt, la filiale fut le fruit du hasard d'une rencontre entre le français Patrick Zelnik et le britannique Richard Branson. L'enthousiasme du premier, alors directeur du marketing chez Polydor, a nourri chez le second, fondateur et patron de Virgin, l'idée d'une filiale française. Le lien social qui se tissa entre les deux hommes incita ensuite Branson à laisser carte-blanche à Zelnik. Bien ancré dans le marché de l'industrie créative en plein essor dans les années 1980, ce fut ce dernier qui eut l'idée de concurrencer la FNAC, chaîne de distribution de produits culturels déjà bien implantée dans l'Hexagone, avec un Virgin Megastore parisien. Ce sont ces deux incursions particulières de Virgin sur le marché français qu'il s'agit d'étudier ici, dans ce qu'elles révèlent du processus d'internationalisation du groupe.



JEL Classification: **D22, F23, L82, M16, N74, N84, Z11, Z13**

Key words: **Internationalisation, record label, exploitation rights, subsidiary, network, decentralisation, opportunism**

Mots clés: **Internationalisation, label discographique, licences d'exploitation, filiale, réseau, décentralisation, opportunisme**

particulières de Virgin sur le marché français qu'il s'agit d'étudier ici, dans ce qu'elles révèlent du processus d'internationalisation du groupe.

À notre connaissance, il n'existe pas d'ouvrage relatant l'histoire de Virgin France et de Virgin Stores, pas plus que d'archives ouvertes à exploiter. Les archives du groupe Virgin restent inaccessibles malgré nos demandes répétées et celles de Virgin France sont, pour le moment, en cours d'obtention. La présente étude s'appuie donc sur la presse grand public, les revues spécialisées consacrées aux secteurs de l'édition musicale, de la vente de disques et des artistes, ainsi que les ouvrages sur ces mêmes artistes, sur Branson et sur le groupe Virgin. Ces sources ont été complétées par des entretiens privés avec des anciens membres de Virgin France, dont Zelnik lui-même. C'est à partir de ces diverses données qu'il a été possible de dessiner les grandes lignes, présentées ici, des deux premières étapes de l'internationalisation de Virgin.

## NAISSANCE ET CROISSANCE DU GROUPE VIRGIN AU ROYAUME-UNI (LES ANNÉES 1970)[1]

La première vraie entreprise de Branson fut une petite société de vente par correspondance de disques à prix réduits, la Virgin Mail Order Record Company, qu'il monta en 1969. L'entreprise fut tout de suite très sollicitée, grâce à l'originalité des titres qu'elle proposait par l'entremise de Simon Draper, le cousin de Branson, sans pareil pour détecter les perles rares loin des étagères des disquaires grand-public britanniques. Néanmoins, l'équilibre des comptes, que Branson avait confié à son ami d'enfance, Nik Powell, s'avéra vite irréalisable. Dans ce contexte, une grève des postes britanniques porta le coup de grâce à l'entreprise en janvier 1971. Sans canal de distribution, Branson et Powell ouvrirent alors en urgence une petite boutique, au 24 Oxford Street à Londres, afin d'écouler leurs stocks. Cette boutique s'avérant constamment bondée de jeunes clients, Branson et Powell en ouvrirent en moyenne une nouvelle par mois à partir de la fin de l'année 1971. Un an plus tard, une vingtaine de villes de Grande-Bretagne bénéficiait des services d'un disquaire de Virgin.

En parallèle, Branson se lança dans une nouvelle activité avec l'édition musicale[2]. En 1971 toujours, il acquit le manoir de Shipton-on-Cherwell, près d'Oxford, qu'il transforma en résidence d'enregistrement, The Manor[3]. Le

1 – Voir Nathalie Champroux, *Richard Branson, l'aventure Virgin*, Paris, Economica, 2011.

2 – L'édition est l'une des quatre fonctions de la production de disques, avec l'enregistrement, la fabrication et la distribution. « L'éditeur est la personne - physique ou morale - qui prend l'initiative de rendre public un enregistrement. C'est l'aspect décisionnel qui définit la fonction, puisque toutes les phases industrielles peuvent être sous-traitées : l'éditeur sélectionne l'œuvre, la fait enregistrer par un interprète dans un studio, confie la bande à un fabricant, et le produit final à un distributeur. Il supporte, de plus, le risque financier de l'opération [...] ». Voir M.A. Chiavelli, *Étude sur l'évolution de la concentration et des prix dans l'industrie et le commerce du disque en France*, Bruxelles, CEE, coll. Études, Série Évolution de la concentration et de la concurrence, n° 30, juin 1979, p. 45.

3 – En 1978, Branson ouvrit un deuxième centre de studios d'enregistrement, les Townhouse Studios, dans l'ouest de Londres.

musicien Mike Oldfield y enregistra son premier album, *Tubular Bells*, à partir de l'automne de l'année 1972. C'est alors que Branson se tourna vers l'édition bien plus rémunératrice que la location du Manor et la vente de disques. En étroite collaboration avec Draper, il lança un *business angel* avant l'heure dédié à des artistes difficilement commercialisables. Cette nouvelle société fut créée à côté du réseau de disquaires, rebaptisé Virgin Retail, dont elle reprit le nom initial, Virgin Records[4]. Elle vint rejoindre le studio d'enregistrement dans un nouveau groupe déposé sous le nom de Virgin Music Ltd. La nouvelle Virgin Records, société d'édition musicale, déclara comme activité la négociation et la signature de contrat d'édition des œuvres dont elle détiendrait la propriété intellectuelle et se chargerait de la promotion. Elle fit appel à Island Records pour le pressage des disques et l'impression des pochettes, et la distribution des produits finis au Royaume-Uni et dans les pays du Commonwealth[5].

Le 25 mai 1973, Virgin Records sortit ses quatre premiers albums : un album de chansons enregistrées par divers artistes au Manor, *Camelo Pardalis* ; deux albums de groupes existants, *Flying Teapot* de Gong et *The Faust Tapes* de Faust, et les *Tubular Bells* de Mike Oldfield. Cette dernière œuvre fut immédiatement plébiscitée[6]. En quelques jours, elle fut propulsée dans le *hit-parade*[7] britannique, entrainant avec elle le nom de Virgin Records qui apparut soudain aux côtés des plus grosses maisons de disques.

Le terrain était alors bien occupé. D'un côté se trouvaient les *majors* comme RCA Victor Records, EMI, Pye Nixa Records, Warner-Elektra-Atlantic (WEA), Phillips et CBS ; de l'autre, les *indies*[8] telles qu'Island Records, Chrysalis et Charisma. Au milieu de cette rude concurrence, le succès initial de Virgin Records fut de courte durée. Il laissa place à un passage à vide, jusqu'à ce qu'en 1977, le label fît un redémarrage sur les chapeaux de roues avec les Sex Pistols. Lorsque, poussé à l'extrême par son manager Malcolm McLaren, ce groupe punk outrancier et destructeur fut lâché par son éditeur, A&M Records, ce fut Virgin Records qui accepta de le récupérer. Le label de Branson, présent aux côtés du groupe au moment de ses frasques les plus célèbres, bénéficia du tapage médiatique et put enfin élargir l'éventail de ses artistes au-delà de la tendance *hippie* dans laquelle il était enfermé[9]. Il se fit progressivement une

4 – En réalité, deux labels furent créés. Le second, Caroline, disparut vite et ne marque pas les esprits.

5 – Cette information est donnée par Branson (voir Richard Branson, *Richard Branson : L'autobiographie*, Paris, Scali, 2006, p. 146-149). En réalité, l'album *Tubular Bells* fut vendu pour la première fois sur un disque pressé par Lyntone, dans une pochette imprimée par Robor Ltd. La société Virgin Records était enregistrée comme le détenteur des droits d'auteur et la société Virgin Music Ltd comme l'éditeur ; Island Records et Electric and Musical Industries (EMI) étaient répertoriées comme les deux distributeurs (Island Records étant distribué par EMI).

6 – Six mois plus tard, Ahmet Ertegun, le patron d'Atlantic Records qui distribuait l'album de Mike Oldfield sur le sol américain, vendit *Tubular Bells* comme bande originale du film *L'Exorciste* qui sortit le 25 décembre 1973. À l'engouement américain subséquent succéda une seconde vague de passion britannique : au Royaume-Uni, *Tubular Bells* remonta tout en haut du *hit-parade*.

7 – Le *hit-parade* est le tableau des meilleures ventes.

8 – Sobriquet anglais donné aux labels indépendants.

9 – Virgin Records signa des artistes d'autres mouvances tels que Motors, Penetration, Human League, Orchestral Manœuvres in the Dark, Peter Tosh et U-Roy.

renommée, tant et si bien qu'au début de l'année 1981, Virgin Records détenait environ 4 % des parts de marché des disques 33 tours et 45 tours, et arrivait en cinquième position sur le tableau des maisons de disques vendant le plus sur le marché britannique, derrière CBS, Polydor, Arista et Chrysalis pour ce qui était de la vente des 33 tours, et derrière CBS, Polydor, Epic et Chrysalis pour ce qui était de la vente des 45 tours[10].

La crise économique que le Royaume-Uni traversa à la fin des années 1970 ne tarda cependant pas se répercuter sur l'industrie du disque, déjà touchée par la pratique d'enregistrements pirates sur cassette. En 1978-1979, l'augmentation des ventes de disques au Royaume-Uni fut de 12 %[11]. Le bénéfice avant impôt de Virgin Records n'atteignit même pas 500 000 livres sterling[12]. Branson se souvient qu'à partir de l'accès de Margaret Thatcher au poste de Premier ministre en mai 1979, sa « chaine de magasins commença à perdre de l'argent[13] ». Face à l'adversité, le patron de Virgin fut fidèle à sa philosophie de tirer parti des nouvelles opportunités qui se présentent en cas de crise[14]. Il continua sa course à l'investissement dans de nouveaux projets[15].

Le 7 juillet 1979, sans commune mesure avec les boutiques disséminées à travers le pays, le premier Virgin Megastore ouvrit ses portes aux numéros 14 et 16 d'Oxford Street à Londres. Ce fut alors le plus grand magasin de musique existant en dehors des États-Unis[16], avec sa surface de 4 000 $m^2$ occupant tout le rez-de-chaussée et le sous-sol d'un immeuble luxueux datant des années 1920[17].

Le nouveau concept répondait à point nommé à l'évolution des goûts de la génération de Branson, assoiffée de quantité et de *standing*. Certes, il y eut une pause lors de la récession de 1980-1981, ce qui valut au groupe un déficit de 900 000 livres sterling en 1980. Mais ensuite la société de consommation avança à grand pas ; Zelnik se souvient de cette période faste comme celle où régnaient « le triomphe du matérialisme, le culte de l'argent[18] ». Le succès du

10 – Ghislain De Murard, *L'industrie du disque*, Paris, DAFSA, Coll. Analyses de secteurs, 3e trimestre 1982, p. 68.

11 – Chas De Whalley, "Filth and Fury", *Music Week 1959-2009*, 50th Anniversary Edition, September 19, 2009, p. 16-18.

12 – Ghislain De Murard, *L'industrie du disque*, *op. cit.*, p. 154.

13 – Richard Branson, *Richard Branson : L'autobiographie*, *op. cit.*, p. 205.

14 – Sur cette philosophie, voir Jean-Claude Larréché, "Creative entrepreneurs can survive the crisis", article Insead Knowledge, *Economist Intelligence Unit*, 19 November 2008 ; et la video du discours de Branson au World Knowledge Forum à Séoul, Corée du Sud, en 2008, sur <http://knowledge.insead.edu/entrepreneurship-innovation/creative-entrepreneurs-can-survive-the-crisis-1766#1e5sxR5gaRyfGdkp.99>.

15 – Le groupe Virgin avait toujours maintenu sa stratégie d'expansion nationale par diversification, même si cette dernière n'était pas conceptualisée en ces termes. En 1978, Branson avait acheté le cabaret Venue et créé une petite société de production de clips vidéo. En 1979, le groupe s'enrichit de la création de la maison d'édition Virgin Books destinée à publier les biographies des stars de Virgin Records.

16 – Les mégastores de musique existaient aux États-Unis depuis l'ouverture, par Russ Solomon, de sa première Tower Records de 1 800 $m^2$ à San Francisco, en mars 1968. Le concept novateur de Solomon avait été celui d'un hypermarché spécialisé dans la musique.

17 – Joe Lyons avait construit cet immeuble de pierre en 1926 pour abriter l'un de ses somptueux restaurants Corner House.

18 – Propos de Patrick Zelnik rapportés par Christophe Ayad, « Patrick Zelnik, 52 ans. L'ancien patron de Virgin-France monte sa propre maison de disques, en quête d'une fraîche et profitable candeur. Nouvelle virginité », *Libération.fr*, 8 janvier 1999.

Megastore d'Oxford Street se confirma rapidement et entraina l'ouverture d'une dizaine de clones à travers le Royaume-Uni. Virgin Retail se rétablit de façon spectaculaire. Au début de l'année 1985, le nouveau directeur de la société, John Fewings, annonçait que, sur les deux dernières années, les ventes et les bénéfices avaient doublé et le chiffre d'affaires avait augmenté de 100 %. Fewings allait jusqu'à prévoir, pour l'ensemble de l'année, un chiffre d'affaires à 15,5 millions de livres sterling[19].

Quant au label discographique Virgin Records, à partir de 1981, il fut engagé dans un cercle vertueux où les artistes accédant au *hit-parade* s'y attirèrent les uns les autres. Au sein du groupe Virgin Music Ltd, qui comprenait aussi les studios d'enregistrement et Virgin Books, ce fut Virgin Records qui porta les profits, ces derniers étant évalués à 2 millions de livres sterling en 1982, 11 millions en 1983, 12 millions en 1984, 14 millions en 1985 et 32 millions en 1986. La musique de Virgin battait donc son plein au Royaume-Uni, sur un marché encore non-saturé, tandis que le groupe s'implantait sur le sol français.

## L'OCTROI DE LICENCES D'EXPLOITATION EN FRANCE DES ŒUVRES ÉDITÉES PAR VIRGIN RECORDS (1973-1979)

Si l'on s'en réfère à la définition du terme « internationalisation », il est possible de dater le début du phénomène d'internationalisation du groupe Virgin au lancement-même de la société d'édition musicale Virgin Records, en 1973. En effet, la société fut immédiatement confrontée au choix entre deux options. La première option était d'assister, impuissante, à l'exportation massive de ses albums à succès, à commencer par *Tubular Bells* aux États-Unis, pour la modique somme de la vente à prix de gros de ses disques sur le sol britannique. La seconde option était de négocier des licences d'exploitation de tout ou partie de son catalogue avec des labels étrangers. Branson préféra cette dernière, bien plus lucrative et efficace en matière de distribution. Ce furent donc les compagnies Columbia, Atlantic Records et Barclay qui furent chargées de l'exploitation et de la diffusion de *Tubular Bells* au Canada, aux États-Unis et en France respectivement. Or, recourir à ce type d'accord relève bien du phénomène d'internationalisation comprise, dans sa plus simple acceptation, comme un « processus d'implication croissante sur les marchés internationaux[20] », l'octroi de licences étant une activité d'internationalisation sortante d'une entreprise[21].

19 – Montant converti à partir du chiffre en dollars américains donnés par Nick Robertshaw, "Newest Virgin Store Off to Strong Start", *Billboard*, vol. 97, n°6, 9 February 1985, p. 9, 63.

20 – Lawrence S. Welch and Reijo K. Luostarinen, "Internationalization: evolution of a Concept", *Journal of General Management*, vol. 14, No.2, 1988, p. 36-64.

21 – Voir la liste de ces activités données par Paul Westhead, Mike Wright and Deniz Ucbasaran, "Issues surrounding the internationalization of SMEs: implications for policy makers and researchers", in G.I. Susman. (ed.), *Small and Medium-sized Enterprises and the Global Economy*, Cheltenham, Edward Elgar, 2007, Chapter 17.

Au début des années 1970, le marché français ne pouvait être qu'attractif pour la britannique Virgin Records. La France était le membre du marché commun de la Communauté européenne, auquel le Royaume-Uni venait d'accéder, le plus proche et le plus accessible géographiquement parlant. Et en 1973, le pays comptait près de 40 millions d'habitants de plus de 15 ans, dont 63 % déclaraient écouter de la musique autrement que par le biais des transistors et 9 % s'adonner à cette activité tous les jours ou presque[22]. Le marché français du disque était donc prometteur ; entre 1971 et 1975, la consommation de disques, bandes et cassettes enregistrées augmenta effectivement de 20 %[23]. Il existait une clientèle potentielle à ne pas rater.

Le marché français ne fut cependant pas facile à pénétrer pour Virgin Records. L'industrie musicale, industrie créative s'il en est, sévit dans un domaine où tout est affaire de goûts. Or, dans les années 1970, l'uniformisation culturelle ne dépassait pas les frontières. Preuve de la différence de goût entre les Français et les Britanniques, l'artiste qui vendit le plus de disques 45 tours en France en 1973 fut Michel Sardou, devançant les deux groupes de rock britanniques Pink Floyd et Rolling Stones[24]. Pour ce qui est des 33 tours, le premier succès de Virgin Records, *Tubular Bells*, ne figura dans la catégorie des disques vendus à plus de 75 000 exemplaires en France qu'en 1974. Devant lui, 29 albums furent vendus à plus de 100 000 exemplaires, 17 à plus de 150 000 exemplaires, huit à plus de 200 000 exemplaires, cinq à plus de 250 000 exemplaires, deux à plus de 300 000 exemplaires et deux à plus de 400 000 exemplaires. Les deux gagnants de ce palmarès furent *Le zizi* de Pierre Perret et Serge Lama *À l'Olympia*.

Ce décalage entre les goûts musicaux britanniques et français se répéta lors du deuxième succès de Virgin Records. Sur le sol britannique, le *God Save The Queen* du groupe punk Sex Pistols sortit le 27 mai 1977, en pleines cérémonies du Jubilé d'argent de la Reine Elizabeth II qu'il se fit fort de perturber. Interdit de diffusion sur les ondes, le titre bondit tout en haut du palmarès des *singles* les plus vendus au Royaume-Uni dès sa deuxième semaine d'existence. Il resta cinq semaines au total parmi les 15 meilleures ventes. Sur la même période, Laurent Voulzy, Marie Myriam et Michel Sardou se disputèrent le podium français où le titre *God Save the Queen* ne fit aucune apparition[25].

Les maisons de disques qui opéraient sur le sol français avaient conscience des limites de l'attractivité des choix de contre-culture de Virgin. De son côté, le label britannique n'essaya pas d'imposer immédiatement toutes ses productions sur le marché français. Ainsi, au démarrage de Virgin Records,

22 – Voir Pascale Goetschel et Emmanuelle Loyer, *Histoire culturelle de la France - 5e éd.: De la Belle Epoque à nos jours*, Paris, Armand Colin, 2018.

23 – Calcul du taux de croissance par l'auteur, à partir des indices de valeur de l'INSEE repris par Mario D'Angelo, *La renaissance du disque, Les mutations mondiales d'une industrie culturelle*, Paris, La Documentation Française, Notes et études documentaires, n° 4890, 1989, p. 100.

24 – Classement annuel des *singles* proposé par Tubes en France. Voir <https://tubesenfrance.com/annees-70/classements-de-1973/>.

25 – Voir <https://tubesenfrance.com/annees-70/classements-de-1977/>.

les albums *Camelo Pardalis* et *Faust Tapes*[26] ne furent pas destinés à être distribués hors du Royaume-Uni[27].

Il est difficile de savoir exactement avec quelles sociétés Virgin Records contracta des licences d'exploitation de ses titres en France à ses débuts. Dans ses mémoires, Branson indique que « Virgin était distribué par Barclay[28] ». Néanmoins, il semblerait que la Compagnie Phonographique Française Barclay CPF Barclay), cette maison réputée et très bien placée sur le marché français, ait distribué bien peu d'albums de Virgin Records, en dehors de *Tubular Bells*, même s'il y eut encore *You*, de Gong, et *Ommadawn*, le troisième album studio de Mike Oldfield sorti en 1975. Ce sont plutôt les noms d'Ariola-Eurodisc et Polydor qui apparaissent sur les pochettes des disques Virgin Records vendus en France au cours des toutes premières années d'existence du label britannique. Ariola-Eurodisc, filiale du groupe de presse allemand Bertelsmann, était la deuxième firme dominante sur le marché allemand, après Polygram, et possédait des filiales sur les marchés français, suisse et britannique. Polydor était une firme du groupe Polygram[29] qu'elle représentait sur le sol français avec Phonogram. En novembre 1978, Eddie Barclay vendit 40 % de sa maison à Polygram. À eux trois, Polydor, Phonogram et Barclay distribuèrent bientôt 8 % des labels vendus en France, ce qui plaçait le groupe Polygram en deuxième position sur le marché français, derrière le groupe Pathé-Marconi[30]. Virgin Records fut de ces 8 % : entre 1978 et 1979, ce fut Polydor qui distribua en France les artistes The Motors, XTC, Magazine, Penetration, et The Skids signés par le label de Branson.

La nature de l'accord de distribution entre Virgin Records et Polydor n'a pas encore été identifiée. Ce qui est certain est qu'à la fin des années 1970, Polydor jouissait d'une certaine liberté de traitement des titres de Virgin Records. La société avait le droit de choisir individuellement les morceaux et de les compiler, en procédant à un nouveau pressage de disques dans l'usine française de Polygram, la Compagnie Industrielle de Distribution de l'Image et du Son (CIDIS) créée à Louviers au début des années 1970. Les pressages français coûtaient moins cher aux consommateurs nationaux, mais ils étaient aussi moins beaux, sur vinyle noir quand, au Royaume-Uni, Virgin Records et Island/EMI utilisaient du vinyle transparent ou de couleurs vives. Polydor

**26** – Voir, à propos du rôle marketing de *Faust Tapes*, Pascal Bussy, « Faust », *Atem*, n°14, 1978, <http://emission-electrophone.fr/atem-9-faust/>. Noter que *Faust IV*, sorti également en 1973, n'a pas été non plus tout de suite distribué hors du Royaume-Uni et du Commonwealth.

**27** – Gong étant un groupe de rock australo-franco-britannique, dont l'éditeur attitré était BYG Records, jeune société française alors en grande difficulté financière, *Flying Teapot*, premier opus de la trilogie *Radio Gnome Invisible*, fut distribué en France. Les deuxième et troisième opus, *Angel's Egg* et *You*, furent édités par Virgin Records en décembre 1973 et octobre 1974. Avec la dissolution de BYG Records, leur distribution en France fut confiée respectivement à Polydor SA puis CPF Barclay.

**28** – Richard Branson, *Richard Branson : L'autobiographie*, *op. cit.*, p. 202.

**29** – D'origine française, la « Société Phonographique Française Polydor » fut rachetée par le groupe Philips en 1950. En 1955, elle devint la filiale française de Philips. Elle survécut au rapprochement de Philips et Siemens au début des années 1960 et à la création de Polygram en 1971.

**30** – Pathé-Marconi concentrait plus de 11 % des 800 labels recensés par la Phonothèque Nationale. Voir Ghislain De Murard, *L'industrie du disque*, *op. cit.*, p. 65.

pouvait aussi modifier la composition graphique et la nature du support d'impression des pochettes – et ses choix étaient davantage dictés par des logiques de réduction des coûts que par des considérations esthétiques[31]. En conséquence, si Polydor permit à Virgin Records de voir ses artistes distribués en France, il ne garantit pas à la société britannique l'image d'originalité et de qualité qu'elle se construisait chez elle. De plus, à en croire Branson[32], le seul et unique point d'écoute et de vente physique des disques du catalogue Virgin était une petite échoppe, à la fois disquaire et boulangerie, située dans le 14e arrondissement de Paris[33].

## LA CRÉATION DE LA MAISON D'ÉDITION VIRGIN FRANCE (AVRIL 1981)

À la fin des années 1970, Branson vint en France avec « l'intention affichée » de négocier un meilleur accord de distribution sous licence de l'intégralité du catalogue Virgin avec l'une des grosses maisons de disques implantées sur le marché[34]. La concentration des labels entre les mains de quelques sociétés puissantes était alors très forte : dix sociétés possédaient les 6 % de distributeurs qui mettaient à eux-seuls sur le marché plus de la moitié des labels recensés. Pathé-Marconi était le numéro un sur le marché français, juste devant Polygram. Ils assuraient la distribution de 11 % et 8 % des labels respectivement. Venaient ensuite WEA (7 %), RCA (6 %), CBS (4 %), Sonodisc (4 %), Carrère (4 %), Europe N°1 (4 %), Sofrason (3 %) et Vogue (3 %)[35]. Sans surprise, le patron de Virgin précise qu'il se rendit négocier chez Polygram.

Branson souligne néanmoins qu'il était « plutôt en quête d'un *leader* capable d'implanter Virgin en France[36] », ce qui n'est pas étonnant lorsque l'on considère la façon dont Polygram exploitait son catalogue. Son idée était de monter ses propres canaux de diffusion internationaux sous la forme de filiales-labels créés à l'étranger. Ces derniers distribueraient le catalogue de Virgin Records et seraient éditeurs d'artistes de leurs propres pays, ce qui enrichirait le catalogue Virgin. C'était un projet assez révolutionnaire à l'époque où les labels britanniques fonctionnaient par l'octroi de licences d'exploitation à des labels étrangers existants.

Branson avait déjà lancé un projet de ce type vers les États-Unis en 1978. Cette première manœuvre n'est pas sans rappeler le concept de « distance

**31** – Voir, sur ces différences marquées entre les disques et les pochettes des artistes signés par Virgin Records et produits de chaque côté de la Manche : Pol Dodu, *Discographie personnelle New Wave*, Creative Commons / Vivonzeureux, 2015, p. 48-49, 80-83, 86.

**32** – Richard Branson, *Richard Branson : L'autobiographie*, *op. cit.*

**33** – Basile Kamir, le correspondant français que Branson avait eu lorsqu'il était enfant, s'était installé comme disquaire dans une ancienne boulangerie, où il vendait les productions de Virgin Records tout en assurant le dépôt de pain.

**34** – Richard Branson, *Richard Branson : L'autobiographie*, *op. cit.*, p. 202, 204.

**35** – De Ghislain De Murard, *L'industrie du disque*, *op. cit.*, p. 65.

**36** – Richard Branson, *Richard Branson : L'autobiographie*, *op. cit.*, p. 202, 204.

psychique » invoqué dans les modèles comportementaux qui expliquent les processus d'internationalisation des entreprises[37]. Virgin Records avait été tout naturellement encline à viser le pays étranger qu'elle percevait comme le plus proche « psychiquement », c'est-à-dire non pas géographiquement, mais en matière de similitudes de langue, de culture et de système politique. Ken Berry fut donc chargé de créer la filiale Virgin America[38]. Collaborateur de longue date, Berry avait assuré la gestion financière de la Virgin Mail Order Record Company, puis celle de Virgin Records. Pourtant, en moins d'un an, Virgin America mit la clé sous la porte. Les qualités de gestionnaire de Berry n'avaient-elles pas suffi sans le flair artistique de Drapper ? L'enveloppe de 50 000 dollars avec laquelle le Britannique était parti s'était-elle avérée bien trop juste face aux moyens des *majors* américaines ? Les similitudes supposées entre les deux marchés étaient-elles en réalité inexistantes ? Quelles que soient les raisons de l'échec, Virgin Records dut renoncer et en revenir à l'octroi à ces *majors* de licences d'exploitation de ses artistes au cas par cas[39].

En ce qui concerne la France, le projet de filiale-label se concrétisa soudain au hasard d'une rencontre. Chez Polygram France, Branson rencontra Patrick Zelnik, directeur du marketing international qui s'occupait du catalogue de Virgin Records. Zelnik était passionné de musique : il jouait du piano, écrivait des chansons et comptait parmi ses amis Georges Brassens qui l'avait fait rentrer chez Polygram. Il était fan du catalogue de Virgin Records, qu'il connaissait presque par cœur, et des magasins Virgin de Londres[40]. Le jour où Branson tenta de vendre son catalogue pour 500 000 dollars au très réticent directeur de Polygram, Jacques Kerner, Zelnik le soutint avec tant d'enthousiasme que Branson aurait quitté la réunion en notant sur son cahier : « Patrick Zelnik Virgin France[41] ».

Le projet de filiale prit forme entre les deux hommes, mais pas uniquement : Zelnik se souvient que Branson en discutait aussi avec quatre ou cinq autres Français intéressés[42] et il pense que c'est le lien d'amitié qui s'est tissé entre

**37** – Sur ce concept de distance psychique, voir : J. Johanson and J-E. Vahlne, "The Internationalization Process of the Firm–A Model of Knowledge Development and Increasing Foreign Market Commitments", *Journal of International Business Studies*, vol. 8, 1977, p. 23-32 ; "The Mechanism of Internationalism", *International Marketing Review*, vol. 7, No.4, 1990, p. 11-24 ; "The Uppsala internationalization process model revisited: From liability of foreignness to liability of outsidership", *Journal of International Business Studies*, vol. 40, No.9, 1990, p. 1411-1431 ; et J-H. Bae and R. Salomon, "Institutional distance in international business research", in T.M. Devinney, T. Pedersen and L. Tihanyi (eds.), *The Past, Present and Future of International Business & Management*, Bingley, Emerald, 2010, p. 327-352. Voir aussi, sur la mise en à l'épreuve du concept distance psychique, S. O'Grady and H.W. Lane, "The Psychic Distance Paradox", *Journal of International Business Studies*, vol. 27, No.2, 1996, p. 309-333.

**38** – Richard Branson, *Richard Branson : L'autobiographie, op. cit.*, p. 201. Voir aussi Mark Jones, *The Virgin Records Discography: the 1970s*, Bristol, Bristol Folk Publications, 2013.

**39** – Au tournant des années 1980, Branson rencontra quelques *majors* américaines, dont CBS, afin d'obtenir un accord global de distribution sous licence. Mais même cette stratégie se solda par un échec. En 1987, lorsque les moyens financiers le permirent, la filiale Virgin Records America fut à nouveau implantée aux États-Unis, mais sans que les bénéfices soient au rendez-vous.

**40** – Patrick Zenik, entretien accordé à l'auteur le 17 mai 2016 dans les locaux de la direction de Naïve.

**41** – Richard Branson, *Richard Branson : L'autobiographie, op. cit.*, p. 203.

**42** – Recherche sur ces autres Français en cours.

Branson et lui qui a joué en sa faveur. D'une trentaine d'années tous les deux, Branson et Zelnik se ressemblaient. Ils n'étaient pas très à l'aise en public, l'un timide, l'autre étourdi ; ils partageaient un esprit entrepreneurial aiguisé, rapide et efficace et adoraient la fête. Ils se retrouvaient à Paris et à Londres et se logeaient mutuellement, pour travailler comme pour s'amuser. Zelnik raconte que c'est sur la nappe en papier du restaurant français La Coupole qu'il rédigea son premier *business plan* pour Branson. Après avoir pris en compte le salaire de deux personnes qu'il aurait besoin d'embaucher, le prix des disques, la TVA, le coût de location des locaux, etc., il détermina un seuil de rentabilité opérationnelle à 200 000 albums vendus la première année. Le lendemain matin, il découvrit que ce seuil était le double de ce qu'il avait annoncé à Branson. À sa grande surprise, le patron de Virgin accepta, comme si la différence importait peu[43]. Pour des tiers, Zelnik n'était pas le meilleur candidat à la création de la filiale, sosie de Woody Allen distrait et sujet à de violents accès de migraine. Mais, finalement, l'alchimie entre les deux esprits l'emporta sur la rigueur absolue.

Virgin France SA, filiale de Virgin Records, fut ainsi enregistrée en avril 1981, avec Zelnik à la direction générale, entouré, entre autres, de Philippe Constantin pour le recrutement des artistes, avec Thierry Haupais, et d'Alain Artaud-Macari, en charge de l'international puis directeur du marketing. À l'instar de ceux de Virgin Records, les débuts de la société française furent modestes mais menés tambour battant. L'équipe s'installa rue de Belleville à Paris, dans les locaux de Clouseau Musique, la maison d'édition musicale de Constantin. Elle ne reçut aucun salaire pendant les six premiers mois et Zelnik lui acheta lui-même les fournitures de première nécessité.

Virgin France fut d'abord chargée de représenter Virgin Records en France[44]. Le catalogue, toujours aussi spécialisé, était parfois difficile à vendre. Certains artistes phares le sauvèrent, dont The Motors, dont le succès en France ne tarissait pas. Il y eut aussi le transfert, côté français, de Valérie Lagrange, que Constantin avait placée chez le label britannique en 1979, et qui permit à Virgin France de fêter sa création avec le Disque d'Or (plus de 50 000 exemplaires vendus) de *Faut plus me la faire*. Grâce au nom et à la réputation de Virgin, mais aussi sous l'impulsion des directeurs artistiques français bien implantés dans le milieu, le label démarra très vite l'édition de ses propres recrues. Étienne Daho, repéré par Haupais, fut le premier artiste original signé. Son premier album, *Mythomane*, sortit dès novembre 1981, mais sans grand succès. Arriva ensuite la signature d'artistes connus, comme Téléphone, déjà très célèbre sur la scène française. Le groupe de rock quitta Pathé-Marconi pour Virgin France en décembre 1981. Branson, qui misait sur l'essor international du groupe, l'attira avec une avance de cinq millions de francs[45] fournie par Virgin Records. Cet

**43** – Patrick Zenik, entretien, *op. cit.*

**44** – Virgin France représenta aussi d'autres labels britanniques, tels que Factory.

**45** – Chiffre cité par Daniel Ichbiah, *Rock Vibrations: La saga des hits du rock*, Paris, Nicolas Philippe, 2003 ; et Hubert Allin, *Petit dico : Téléphone*, Monaco, Éditions du Rocher, 2011.

essor ne se matérialisa pas mais, en 1982, le quatrième album de Téléphone, *Dure Limite*, fut Disque de Platine en France (plus de 100 000 exemplaires vendus) en l'espace de huit mois. Puis il y eut la venue de Julien Clerc, soufflé au nez et à la barbe d'Arista, et dont l'album *Femmes, indiscrétion, blasphèmes*, sorti en 1982, fut aussi Disque de Platine, et la découverte des Rita Mitsouko, dont le succès tarda un peu mais fut fulgurant[46].

Côté distribution, Virgin France conclut un partenariat avec la société Arabella-Eurodisc, label indépendant distribuant ses productions et celles d'autres éditeurs depuis en 1979. En 1982, Arabella mit en place son propre réseau de logistique de distribution, ce qui pouvait présenter un gros avantage pour Virgin, après l'expérience de l'échoppe de Basile Kamir. Entre 1982 et 1984, Arabella distribua plus de 160 titres de Virgin France. La collaboration s'avéra bénéfique pour la clientèle, en ce qui concernait le respect de l'esthétique et de la qualité des disques et des pochètes d'origine[47]. En 1984, Arabella disparut au profit d'Ariola-France. Virgin France fit alors, semble-t-il, le choix de confier la distribution de son catalogue à Pathé-Marconi.

## LA CRÉATION DE VIRGIN STORES POUR LES VIRGIN MEGASTORES FRANÇAIS (OCTOBRE 1988)

Du côté britannique, fort des succès des artistes de son label (en particulier Human League, suivi de Boy George), le groupe Virgin avait continué sa diversification. Le lancement réussi, en 1984, de la compagnie de transport aérien Virgin Atlantic, avait coûté fort cher[48] ; la production ruineuse de film s'était révélée insoutenable. À l'intérieur du groupe, les sociétés bénéficiaires avaient continué à éponger les dettes des déficitaires, jusqu'à ce que Virgin ait été divisé en deux branches distinctes : Virgin Music, Virgin Retail et Virgin Vision d'un côté ; Virgin Atlantic, Virgin Cargo, les activités de tourisme et les boites de nuit de l'autre. L'objectif avait notamment été la cotation en Bourse de la branche musique, mais l'expérience éphémère et plutôt ratée avait encore concouru aux déboires financiers. En 1988, le groupe Virgin affichait plus de 300 millions de livres sterling de dette[49].

Les mesures de rééquilibrage budgétaire nécessaires touchèrent d'abord Virgin Retail, dont 67 des 102 magasins furent cédés au concurrent WH Smith, contre 23 millions de livres sterling. La société se dota ensuite d'une nouvelle structure : une première section s'occuperait des magasins restant – dont le

**46** – Le premier 45 tours des Rita Mitsouko, *Don't forget the nite*, dont Virgin France signa l'édition et Clouseau Musique la publication, en 1981, passa inaperçu. Mais en 1985, le 45 tours *Marcia Baïla*, extrait de l'album éponyme *Rita Mitsouko* paru l'année précédente, se vendit à un million d'exemplaires.

**47** – Voir, à ce propos les souvenirs de Pol Dodu, *Discographie personnelle New Wave*, *op. cit.*, p. 123.

**48** – Voir Nathalie Champroux, « L'envol de Virgin Atlantic dans le contexte de la libéralisation de l'industrie aérienne au Royaume-Uni », in Dominique Barjot et Marie-Claude Esposito (dir.), *Mondialisation, modèles nationaux de développement et stratégies d'entreprises, XIX$^e$-XX$^e$ siècles*, Paris, SPM, 2016, p. 264-277.

**49** – Richard Branson, *Richard Branson : L'autobiographie*, *op. cit.*, p. 302.

Virgin Megastore d'Oxford Street ; une deuxième section, dirigée par Ian Duffell, débauché de chez un concurrent, la chaîne His Master's Voice (HMV), serait chargée d'essaimer des Virgin Megastores à travers le monde ; et une troisième et dernière section superviserait le projet de Zelnik d'ouverture d'un Megastore à Paris.

Depuis 1985 au moins, Branson nourrissait le rêve d'implanter ses Virgin Megastores à l'étranger. L'année avait représenté un tournant sur le marché britannique des mégastores de produits culturels. D'abord, l'américain Tower Records avait annoncé l'ouverture d'un mégastore de plus de 7 500 m² sur Piccadilly Circus, à Londres. Ensuite, HMV avait réalisé un mégastore, ouvert en 1986, sur une surface de plus de 15 000 m² au 150 Oxford Street. Le marché britannique n'était pas saturé ; il était, au contraire, en pleine expansion et Virgin s'y défendait plutôt bien. En novembre 1985, après une rénovation complète, le Virgin Megastore d'Oxford Street avait rouvert ses portes avec deux étages supplémentaires, soit un total de plus de 9 000 m² remplis de nouveaux équipements. Emporté par son enthousiasme, Branson avait même annoncé être en cours de négociation pour l'obtention du bail de la location des 42 500 m² laissés vacants à Londres par le magasin de détail Bourne & Hollingsworth[50]. En revanche, Virgin Retail restait absent à l'international. Or, son concurrent britannique, HMV, avait déjà ouvert un magasin à Copenhague, tandis qu'un étranger, Tower Records, venait s'installer sur son territoire. Dès novembre 1985, Branson assura donc à la presse : « Nous avons dit que nous irions aux États-Unis si Tower venait à Londres. Nous avons actuellement des agents qui prospectent à New York et à Los Angeles.[51] » Toutefois, ces projets d'internationalisation défensive ne se réalisèrent pas, faute de moyens financiers. Un Virgin Megastore à l'étranger se devait d'ouvrir uniquement dans un lieu réputé, mais les baux étaient trop onéreux pour Virgin dans les métropoles états-uniennes ou européennes. C'est pourquoi, dans la stratégie d'internationalisation planifiée des Megastores que Duffell conçut, la première destination fut le sol australien moins exigeant, le Darling Harbour de Sydney encore en travaux au printemps 1988.

Pour sa part, le premier Virgin Megastore français ne fut pas inclus dans cette stratégie. Zelnik fut l'instigateur, le concepteur et le collecteur de fonds de l'ensemble du projet soutenu par Branson, contre l'avis du reste de l'équipe dirigeante de Virgin.

Dès 1986, Zelnik avait ressenti le besoin d'ouvrir son propre magasin, au lieu de laisser la FNAC, le détaillant de produits culturels, occuper le marché français. À l'époque, la vente de musique était assurée en France par toutes sortes d'établissements dont elle pouvait constituer une activité mineure (supermarchés et hypermarchés), l'activité unique (disquaires), ou une activité majeure

**50** – Annonce mentionnée dans l'article de Fred Goodman, "Retail Giants Square Off In Mega-Battle", *Billboard*, vol. 97, No.45, 9 November 1985, p. 1, 87. La négociation ne mena nulle part et le mégastore HMV resta le plus grand du marché.
**51** – *Ibid.*

parallèle à une autre, comme la vente de livres. Dans ce dernier domaine, la FNAC détenait incontestablement le monopole[52].

La Fédération Nationale d'Achat des Cadres avait été créée en 1954, afin d'offrir à ses adhérents, sur catalogue, du matériel photographique et cinématographique à bas prix. Elle avait ouvert son premier magasin à Paris en 1957 et avait progressivement diversifié son offre et augmenté sa surface d'activité. Au début des années 1980, la FNAC possédait neuf magasins répartis sur la France, enregistrait un chiffre d'affaires de 1,14 milliard de francs et comptait 2 200 employés[53]. Mais avec la loi Lang de 1981, qui limita les rabais autorisés sur le prix des livres à 5 %, et la concurrence issue des Espaces Leclerc dans le domaine de la librairie, la FNAC se retrouva en difficulté financière au milieu des années 1980. Les Coop (Coopératives de consommateurs), propriétaires de l'enseigne depuis 1977, durent céder l'entreprise au groupe GMF. Pour Virgin, c'était le moment où jamais d'en profiter pour s'imposer dans la niche des mégastores, en se différenciant par une offre massive de disques édités par les différents labels du groupe.

La réalisation du projet de Zelnik d'un Virgin Megastore français fut cependant compliquée[54]. Premièrement, trouver le lieu idéal prit du temps. Ce fut Olivier Montfort, l'un des plus proches collaborateurs de Zelnik, qui repéra une surface de 30 000 m², au 52 avenue des Champs-Élysées, dont les sols en marbre, les hauts plafonds, l'escalier monumental et le coffre-fort présentaient un luxe et une originalité hors du commun. Il fallut ensuite deux années pour que Zelnik pût réussir à négocier un prix raisonnable pour le bail avec le propriétaire des lieux, la société d'assurance française Groupama. Une fois pris en compte le financement des travaux, l'achat du matériel et du stock de disques, et le versement des salaires, le budget prévisionnel initial de 20 millions de francs passa à 100-120 millions. Or Virgin Retail n'avait pas les fonds et, à l'exception d'un Branson enthousiaste, son équipe dirigeante n'appréciait pas l'idée de ce Megastore français monumental qui pourrait, à lui seul, peser autant que tous les magasins britanniques. Finalement, Virgin Retail finança 15 % du projet. Le reste des dépenses fut principalement réglé par des emprunts contractés auprès de banques françaises par Virgin Stores SA, créée à cet effet le 24 février 1988. Branson parvint à se voir déclarer propriétaire de 51 % du Virgin Megastore des Champs-Élysées, tandis que Zelnik en obtint 7 % des parts.

Le format des Virgin Megastores existant au Royaume-Uni ne fut pas imposé dans la capitale française. Branson adopta au contraire une approche décentralisée. Il laissa carte blanche à Zelnik, à condition que ce dernier trouvât les fonds nécessaires à son projet et qu'il respectât l'esprit du groupe Virgin. L'esprit

52 – Sur l'activité de libraire de la FNAC, voir Vincent Chabault, « Ce que la FNAC a fait du livre. Innovations, controverses et rationalisation dans le commerce culturel français », *Mémoires du livre*, Sherbrooke, Groupe de recherches et d'études sur le livre au Québec, vol. 4, n° 2, printemps 2013.

53 – Chiffres donnés dans le reportage télévisé passé au Journal télévisé de TF1 le 11 mars 1980. Archive INA. <https://fresques.ina.fr/jalons/fiche-media/InaEdu01053/le-succes-de-la-fnac.html>.

54 – Patrick Zenik, entretien, *op. cit.*

d'originalité, de folie et de faste de Virgin, le petit Français n'en manquait pas. Il se lança dans toutes les innovations possibles, dotant son magasin de ce qu'il avait vu de meilleur à travers le monde, ayant pour objectif de surpasser ce que la FNAC offrait déjà. Le Virgin Megastore des Champs-Élysées fut fin prêt le 31 octobre 1988 et cette initiative purement française ouvrit ses portes sans même la présence de Branson.

Le Virgin Megastore des Champs-Élysées connut un succès immédiat. Il devint le deuxième lieu le plus visité des touristes à Paris, après le Louvre. Environ 200 000 personnes passaient sur son trottoir tous les jours. Un passant sur 10 entrait dans le magasin et achetait en moyenne pour 230 à 250 francs de produits, après une visite de 45 minutes. Ce succès fut tel qu'il incita Branson à soutenir la demande suivante de Zelnik. Plutôt que d'accorder 10 millions de livres sterling au projet de rénovation des magasins britanniques, Branson choisit d'investir la somme dans deux autres Megastores français[55] qui ouvrirent à Marseille et Bordeaux, en 1990. Même s'il serait erroné de croire qu'il n'y eut que du rose au tableau, l'ouverture dominicale du Virgin Megastore des Champs-Élysées se heurtant à la justice française au début des années 1990, Virgin Stores ouvrit de nombreux magasins en France, tout en parvenant à demeurer cavalier seul. Il y eu encore sept ouvertures de Megastores entre 1998 et 2000. En 2001, la société possédait une quinzaine de magasins répartis sur la France et enregistrait un chiffre d'affaires de 212 millions d'euros (1,39 milliard de francs). Ce fut le moment que Branson choisit pour céder sa filiale française à Lagardère Media.

## LES FACTEURS D'UNE INTERNATIONALISATION RÉUSSIE SUR LE SOL FRANÇAIS

De l'avis même de ceux qui l'ont vécu de l'intérieur, le succès de Virgin France est venu de la réputation de sa société mère britannique. Dans le monde de la musique, le nom de Virgin, synonyme de vitalité, d'originalité, de jeunesse et de liberté, attirait, tant les artistes que les recruteurs et gestionnaires qui rêvaient de travailler dans une maison à leur image. L'équipe réunie autour de Zelnik « avait réussi à mettre en place de nouvelles méthodes de travail, de marketing, de promo, plus qualitatives, plus snobs aussi vis-à-vis des médias, plus exigeantes [...] avec un discours, un truc un peu nouveau[56] ». Les méthodes n'étaient pas un copier-coller imposé par la société mère ; elles étaient le fruit de bosseurs passionnés désireux de s'affranchir du carcan mandarinal de l'entreprise française traditionnelle. Quant au succès de Virgin Stores, il a certainement résulté de la réputation des Virgin Megastores britanniques, de l'offre directe des produits Virgin déjà bien connus et du faste des Megastores

**55** – Voir Richard Branson, *Richard Branson : L'autobiographie*, *op. cit.*, p. 301.

**56** – Alain Artaud in Jean-Yves Leloup, « The Virgin (Records) suicide », *Global Techno* (blog), 18 mai 2009, <https://globaltechno.wordpress.com/2009/05/18/the-virgin-records-suicide/>.

français. Par ailleurs, trois autres traits caractéristiques apparaissent comme des facteurs spécifiques du succès de l'internationalisation de Virgin en France.

### Une équipe locale bien implantée

La maison d'édition Virgin France fut créée par un Français entouré d'une équipe française. Zelnik, Constantin, Haupais, et bien d'autres, travaillaient déjà dans l'industrie musicale française. Zelnik venait de passer sept années à la direction du marketing international chez Polygram France. Constantin avait travaillé dix ans chez Pathé-Marconi, à la fin comme directeur des éditions, où il avait brillamment géré les sorties en France des artistes anglophones Pink Floyd, Deep Purple, Paul McCartney et Leonard Cohen. Il avait fini par fonder sa propre maison d'édition musicale, Clouseau Musique, en 1978. Haupais, enfin, était chroniqueur de musique rock à *Libération*.

D'une part, cette équipe connaissait les ouvertures et les travers, les réglementations et les coutumes de l'industrie musicale française. Elle savait quelles ficelles tirer pour imposer son « indé » face aux grandes maisons en place. D'autre part, sa réputation n'était plus à construire dans le milieu. À l'inverse, le premier essai manqué de filiale à l'étranger du label Virgin Records, Virgin America, avait consisté à envoyer « *an Englishman in New York* », pour reprendre le titre d'une chanson de Sting.

L'implantation locale de l'équipe dirigeante est aussi une caractéristique à prendre en compte dans le succès de la deuxième filiale, Virgin Stores. Il fallait bien connaître le marché français de la vente des produits culturels pour pouvoir s'imposer face à la FNAC et se défendre des législateurs zélés. Il est à noter qu'après les expériences française et australienne, Branson eut recours au principe des *joint-ventures* pour l'exportation du concept des Virgin Megastores et de la marque Virgin dans d'autres pays. Certes, Duffell était bien parvenu à inscrire les Virgin Megastores dans le paysage australien du Commonweath britannique. Mais l'expérience française avait montré l'importance de pouvoir s'appuyer sur l'expertise et la réputation d'un homologue local dans un pays moins proche culturellement et politiquement, une règle d'autant plus fondamentale à suivre que la « distance psychique » était marquée, comme avec les pays de l'Asie.

### Une équipe expérimentée aux compétences transversales solides

Si Zelnik renvoyait l'image d'un personnage lunaire, distrait et parfois confus, il convient néanmoins de ne pas douter de ses compétences. Tous les témoignages convergent vers celui que Christophe Conte, journaliste aux *Inrockuptibles* donne de Zelnik : « sous ses dehors de Woody Allen mixé avec Gaston Lagaffe,

[...] Ce diplômé en sciences économiques présente l'énorme avantage d'être un gestionnaire doté d'une fibre artistique[57] ». Zelnik n'avait pas été choisi par Branson sur le seul critère de la passion musicale. Il avait une solide formation en économie et gestion acquise à l'Institut d'Études Politiques de Paris (IEP/Sciences Po Paris) et à l'université Paris-Dauphine. Il en allait de même pour Constantin, formé à HEC Jouy-en-Josas, et Artaud-Macari qui sortait lui-aussi de Sciences Po Paris. Ainsi, contrairement à celle des tout débuts de Virgin en Grande-Bretagne, l'équipe française s'avérait hautement diplômée en économie et gestion. Elle présentait une certaine polyvalence, alliant compétences en affaires comme en musique. À l'inverse, il semblerait que le gestionnaire financier Berry ait été envoyé seul pour le projet de filiale-label aux États-Unis, la fibre artistique de Virgin Records, Drapper, étant restée sur le sol britannique.

### Des moyens financiers conséquents

Si la société Virgin France démarra sans aucun moyen propre pour financer ses dépenses de fonctionnement, Virgin Records investit des sommes colossales dans les artistes. Rappelons l'avance de cinq millions de francs français accordée au groupe Téléphone en 1981. Certes, il serait inexact de dire que Virgin Records dépensait sans compter. Aux débuts de Virgin France, l'équipe dirigeante britannique reprocha plusieurs fois à sa filiale française l'enregistrement d'artistes qui ne se vendaient pas et dont la production siphonnait les entrées d'argent assurées par la vente du catalogue britannique. Zelnik se souvient avoir été convoqué à Londres par Drapper et Branson qui avaient alors décidé de désigner eux-mêmes les artistes français à éditer. Finalement, l'équipe britannique avait renoncé à cette décision devant l'éventualité d'une annulation des contrats de Daho, des Rita Mitsouko... et de Zelnik et Constantin réunis[58]. Au bout du compte, Virgin Records finança la politique de Virgin France de révélation de talents inconnus et de recrutement à prix d'or d'artistes confirmés, jusqu'à ce que la filiale française pût voler de ses propres ailes.

En ce qui concerne Virgin Stores, la maison mère britannique paraît n'avoir financé que modestement les projets d'ouverture de Megastores de Virgin Stores. Rappelons que la société britannique n'apporta que 15 % des fonds nécessaires à l'ouverture du Virgin Megastore des Champs-Élysées. Toutefois, il convient de remettre ce pourcentage en perspective de la somme totale dépensée : 15 % de près de 120 millions de francs n'est pas rien. De plus, Branson investit rapidement 10 millions de livres sterling dans les deux autres Megastores français suivants.

**57** – Christophe Conte, *Une histoire d'Etienne Daho*, Paris, Flammarion, 2008.

**58** – Patrick Zenik, entretien, *op. cit.*

Pour Branson, comme pour Zelnik, l'essentiel n'était pas d'économiser, mais d'impressionner pour occuper le marché. Cette philosophie est à mettre en regard des moyens très modestes (50 000 dollars) accordés en 1978 à Berry pour le projet raté de filiale-label aux États-Unis et également de la méthode ultérieure d'internationalisation de Virgin par la création de *joint-ventures* assurant un apport de fonds extérieurs.

## VIRGIN FRANCE ET VIRGIN STORES DANS LA STRATÉGIE DE CROISSANCE DU GROUPE

À partir du début des années 1990, Branson entama une stratégie de désinvestissement dans plusieurs activités phares du groupe, de façon à sauver sa compagnie aérienne, Virgin Atlantic, puis de se lancer dans de nouvelles activités plus rémunératrices que celles de l'industrie musicale en perte de vitesse. En 1992, il vendit la totalité de Virgin Records, avec Virgin France, à la *major* EMI, pour un milliard de dollars (745 millions d'euros environ). Berry resta à la tête de l'entité britannique tandis que la direction de Virgin France fut confiée à Emmanuel de Buretel, déjà dans le groupe depuis 1986. Avec de Buretel, toujours aidé de Zelnik jusqu'en 1997[59], Virgin France continua sur sa pente ascendante à l'intérieur d'EMI, multipliant la création de « labels laboratoires » (Labels, Source, Delabel)[60] et d'un réseau de filiales implantées à travers toute l'Europe. Mais, au début des années 2000, le vent tourna, avec la crise de l'industrie musicale concurrencée par la dématérialisation de la musique et son téléchargement en ligne, souvent gratuit. En 2001 et 2004 respectivement, Berry et de Buretel quittèrent EMI où coûts et dépenses étaient devenus la priorité. Privé de ses esprits créatifs et commerciaux, ce qui restait de Virgin Records fut dissous dans Universal Music, après le rachat d'EMI par cette dernière en 2012.

En 1992, Branson renonça aussi à la pleine propriété de Virgin Retail, dans une *joint-venture* à parts égales avec WH Smith qui lui rapporta 12 millions de livres sterling. Puis, en 2001, il céda la filiale française à Lagardère Media qui la confia à sa propre filiale Hachette distribution services (HDS). L'opération rapporta 150 millions d'euros (un peu moins d'un milliard de francs) au groupe britannique. Face à la crise de l'industrie musicale encore aggravée par l'essor de la vente en ligne, Lagardère finit par céder 80 % de ses parts au fonds d'investissement Butler Capital Partners en 2008. Mais, de 2007 à 2010, le chiffre d'affaires de Virgin Stores continua de diminuer, passant de 397 à 304 millions

**59** – Zelnik quitta Virgin France en 1997, pour lancer sa propre maison de disques, Naïve.
**60** – Voir Remi Bouton, "France: High Growth, Real Interest Are Dividends Of An Aggressive Artistic-Investment Strategy", *Billboard*, 5 Sept. 1998, p. 52.

d'euros[61]. Contrainte de déposer le bilan[62], la société française fut déclarée en liquidation judiciaire en juin 2013. Elle possédait encore 26 magasins en France.

Dans l'ensemble, Virgin Stores avait rapporté des millions au groupe, jusqu'à sa cession à Lagardère, et avait probablement influencé la stratégie offensive d'internationalisation de Virgin Retail mise en place par Duffell, sur le modèle de la création de *joint-ventures* avec des partenaires locaux implantés sur leurs marchés. En 1990, ce fut un partenariat à parts égales avec la chaîne de magasins de prêt à porter Marui, pour la création de la *joint-venture* Virgin Megastores Japan Limited, qui permit l'installation du premier Virgin Megastore japonais à Tokyo, dans l'arrondissement très commerçant de Shinjuku. En 1992, ce fut la signature d'une autre *joint-venture* à parts égales avec l'américain H. Wayne Huizenga, de la Blockbuster Video Corporation, qui déboucha sur l'ouverture du premier Virgin Megastore américain à Los Angeles, sur le Sunset Boulevard d'Hollywood. En Asie naquirent ensuite, en 1994, les *joint-ventures* Virgin Megastores Korea, avec Saehan Media, et Virgin Megastores Hong Kong, avec Wheelock Pacific, cette dernière ouvrant à Virgin les portes de la Chine. Deux ans plus tard, il y avait déjà plus de 60 Virgin Megastores dispersés dans une douzaine de pays à travers le monde. Au début des années 2000, ils étaient 150 dans une vingtaine de pays. Au cours de l'histoire internationale des Virgin Megastores, le plus grand nombre de magasins de produits culturels Virgin ouverts dans un seul pays, tous formats confondus, a été de 125 unités au Royaume-Uni ; 35 unités en France ; et plus de 20 unités en Australie, au Japon et aux États-Unis.

Il y eut aussi de nombreux désinvestissements internationaux entamés dès le milieu des années 1990. En 1994, découragés par la législation nationale, Virgin s'est retiré du marché allemand. En 1998, face à la concurrence féroce d'autres détaillants de produits culturels, c'est en Espagne que les neuf magasins Virgin ont été fermés, y compris le Megastore phare de Barcelone. Dans les années 1990, la stratégie de Virgin consista en effet à quitter les marchés où il ne semblait plus y avoir d'opportunité et à aller se développer ailleurs. Mais il est aussi arrivé un moment où, à l'échelle mondiale, l'internationalisation des Virgin Megastores a ralenti, puis a reculé. Le désinvestissement international a pris la forme d'une restructuration organisationnelle, avant la sortie totale des marchés. Les principales dates de la chronologie de la disparition totale des magasins Virgin des marchés étrangers sont 2008 pour le Japon, 2009 pour les États-Unis et 2013 pour la France, le marché britannique ayant été abandonné en 2007. Aujourd'hui, il ne reste environ que 40 enseignes Virgin Megastores dans le monde, réparties sur neuf marchés concentrés dans la région MENA (Moyen-Orient et Afrique du Nord). Les établissements appartiennent à Azadea, groupe de vente au détail, qui exploite 600 magasins de

61 – Chiffres donnés par Nina Godart, « Qui est Butler Capital Partners, le propriétaire de Virgin ? », *BFM Business*, 25 avril 2013.

62 – Sur les causes de la faillite vue de l'intérieur, voir Christine Mondollot, « Pourquoi Virgin ferme », *Les Échos*, 18 juin 2013.

53 marques différentes de produits divers (alimentation, boissons, vêtements et articles de sport).

## Remarques conclusives

L'étude de l'histoire de la création de Virgin France et de Virgin Stores illustre certaines théories relatives au processus d'internationalisation de l'entreprise, en particulier celles qui s'intéressent aux motivations du passage à l'acte d'internationalisation[63]. Dans le cas des deux filiales françaises, la motivation classique de nécessité de fuir un marché intérieur saturé ne se vérifie pas.

Les toutes premières étapes de l'internationalisation du label Virgin et des Megastores se caractérisent plutôt par un fort degré d'opportunisme et de dépendance au réseau[64]. La rencontre de deux figures, celle de Branson et celle de Zelnik, et la relation d'entente et de confiance qui s'est tissée entre elles, sont des facteurs clés à prendre en compte dans le processus d'internationalisation vers la France. Zelnik a porté les projets ; Branson lui a apporté son soutien, parfois contre l'avis de ses propres collaborateurs britanniques.

Le degré de décentralisation à l'œuvre dans ces deux expériences d'internationalisation est aussi très fort. Branson a eu pleinement confiance dans les équipes locales compétentes et expérimentées auxquelles il a laissé carte blanche au vu de leur succès. Ce succès a pu, à son tour, jouer en faveur de l'évolution vers une décentralisation encore plus marquée par le passage du lien de subsidiarité au lien de coentreprise (*joint-venture*) qui a été choisi pour l'entrée des Virgin Megastores dans de nombreux autres pays.

Virgin France et Virgin Stores ont aujourd'hui disparu, comme beaucoup d'entreprises du groupe Virgin. Néanmoins, dans la constellation en évolution permanente de Virgin, les filiales françaises ont été deux étoiles précoces majeures, sinon par leur longévité, du moins par leur éclat qui a contribué à la visibilité et au développement international du groupe.

63 – Sur ces motivations incitatives ou restrictives, voir E.M. Simpson and D.I. Thorpe, "A specialty store's perspective on retail internationalization: a case study", *Journal of Retailing and Consumer Services*, vol. 6, 1999, p. 45-53.

64 – Ces moteurs de l'internationalisation ont été particulièrement mis en évidence par J.A. Dawson, "Strategy and Opportunism in European Retail Internationalization", *British Journal of Management*, vol. 12, 2001, p. 253-266.

REVUE FRANÇAISE
D'HISTOIRE ÉCONOMIQUE

N° 15

# Table ronde

THE FRENCH ECONOMIC
HISTORY REVIEW

N° 15

# Round table

Table ronde tenue à Sorbonne Université le 1er décembre 2020
dans le cadre du séminaire de Dominique Barjot

# 1974-1984 : RÉFLEXIONS SUR LES DIX ANNÉES OÙ LA FRANCE A DÉCROCHÉ ET CE QU'ELLES TRADUISENT

**Michel Hau**
Université de Strasbourg, UR 3400-ARCHE

**Félix Torres**
Public Histoire et Sorbonne Université

La table ronde a été introduite par une intervention conjointe de Michel Hau et Félix Torres. Voici le texte de l'intervention.

*Les pays sont grands pour l'avoir voulu.*
Charles de Gaulle

Si les pays industrialisés connaissent tous en 1974 une rupture dans leur rythme de croissance, la France est, au sein de ce groupe, le pays le plus atteint par cet accès de faiblesse économique. Entre 1974 et 1984, la désindustrialisation, le déficit de la balance commerciale et le chômage de masse la font glisser en queue de peloton des pays développés. Durant les trois décennies de l'après-guerre, c'est la Grande-Bretagne et les États-Unis qui s'étaient distingués par une croissance plus lente que la moyenne des pays de l'OCDE. Le tassement de la croissance survenu au cours de l'année 1983 montre que c'est au tour de la France de montrer cette peu enviable singularité. Un fléchissement plutôt qu'une crise, rarement perçu jusqu'à nos jours à l'heure où la planète se prépare à entrer dans la 2e mondialisation de l'histoire après celle du XIXe siècle.

## QUAND LA FRANCE GLISSE EN QUEUE DE PELOTON DES PAYS DÉVELOPPÉS

### Avec la crise des années 1970, le PIB par habitant de la France passe sous la moyenne européenne

Tous les efforts qui avaient été accomplis avec succès depuis 1959 pour rejoindre le standard économique des pays les plus avancés de l'OCDE sont réduits à néant au cours des dix années suivantes : après avoir atteint son plus haut niveau en 1974-1975, le rapport entre le Produit intérieur brut (PIB) par habitant de la France et celui de l'ensemble de l'Europe occidentale chute rapidement. À partir de 1984, il repasse au-dessous de son niveau de 1959. Et ce déclin relatif va se poursuivre à un rythme inchangé jusqu'à 2008, jusqu'à devenir inférieur, après 1992, au niveau moyen de l'Europe occidentale (voir figure 1). Le salaire actuel d'un ouvrier non qualifié suisse est aujourd'hui le double de celui de son homologue français[1].

FIGURE 1 **PIB PAR HABITANT DE LA FRANCE PAR RAPPORT AU PIB PAR HABITANT DE L'EUROPE OCCIDENTALE (1950-2016)**

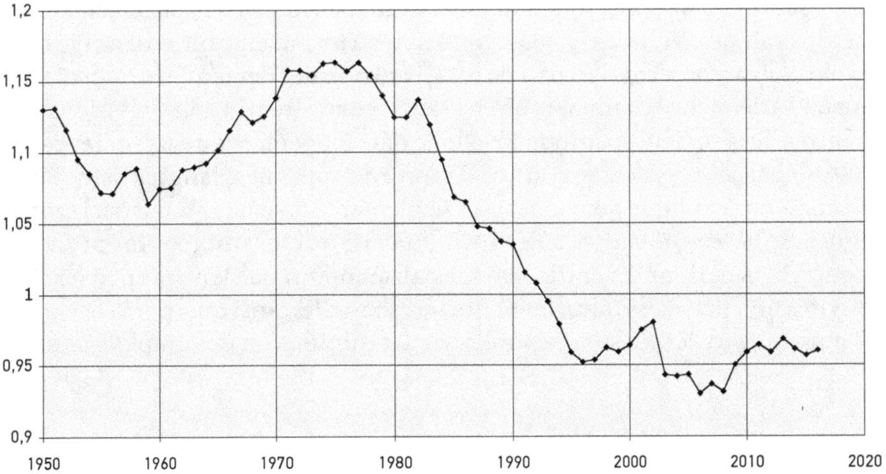


Source : Maddison Project Database, version 2018, Real GDP per capita in 2011 US dollars, multiple benchmarks (CGDPpc). Groningen Growth and Development Centre, http://www.ggdc.net/maddison/maddison-project/home.htm, Voir J. Bolt, R. Inklaar, H. de Jong and J. L. Van Zanden, "Rebasing Maddison: new income comparisons and the shape of long-run economic development", *Maddison Project Working paper*, n° 10.

1 – Le canton de Neuchâtel a institué en 2014 un salaire minimum de 3 048,95 € ( ! ) contre 1480,27 € en France.

## Le bas niveau du taux d'emploi

Dans le déclassement français en termes de PIB par habitant, ce n'est pas la productivité des actifs occupés qui est en cause, mais le taux d'emploi, c'est-à-dire la trop faible proportion de personnes en emploi rapport à la population en âge de travailler (15-64 ans). Cette proportion tend à se réduire dans les générations jeunes par suite de l'allongement de la période consacrée aux études, dans les générations âgées par suite de l'abaissement de l'âge auquel on part effectivement en retraite et, dans toutes les générations, par une progression du chômage. Après 1975, le taux d'emploi ne dépasse jamais 65 % de la population en âge de travailler alors qu'il remonte, durant les années 1980, à plus de 70 % en Allemagne et s'y maintient à un niveau élevé, à l'exception d'un creux au moment de la réunification.

## La désindustrialisation, facteur principal de chômage

La baisse du taux d'emploi va de pair avec une désindustrialisation massive, plus ample en France que partout ailleurs. L'année 1974 est historiquement celle où la part de l'industrie dans le PIB et la population active française atteint son apogée. Entre cette date et aujourd'hui, la France perd la moitié de sa population industrielle[2] alors que l'Allemagne n'en perd que le quart[3].

Tout au long des années 1970 et 1980, le phénomène de la désindustrialisation est uniquement perçu comme le déclin des industries anciennes alors que les cessations d'activités frappent tout autant des industries plus récentes et plus diversifiées. Voilà les experts confrontés à un fait durable et dérangeant : l'explosion du chômage. À partir de 1974, l'envolée des demandes d'emploi non satisfaites démontre clairement qu'en France, contrairement aux prévisions des chantres de la société post-industrielle, le développement du secteur tertiaire ne suffit pas à remplacer les postes de travail supprimés dans les usines. Ce phénomène s'explique pourtant assez facilement : le secteur industriel représente la sphère productive, autrement dit celle qui fournit tous les produits exportables et dont les actifs occupés alimentent, par leurs dépenses, les activités non délocalisables (la sphère résidentielle) ainsi que, par la fiscalité, les emplois publics (la sphère publique). La diminution des emplois dans la

2 – Entre 1975 et 2012, en France métropolitaine, la population occupée dans l'industrie (hors construction) chute de 6 175 000 personnes à 3 180 000, soit une baisse de 48,5 %. Source : INSEE Bases de données, Emploi intérieur total, Industries manufacturières, industries extractives et autres. Nombre d'actifs occupés (salariés et non-salariés) en personnes physiques, mise à jour 04/07/2013. Recensement de population de 1975.

3 – Entre 1974 et 2012, les effectifs industriels de l'Allemagne Fédérale sont passés de 10 290 000 à 7 840 000, soit une baisse de 24 %. L'adjonction de l'ancienne RDA en 1990 ne s'est traduite que très temporairement par une hausse des effectifs occupés dans l'industrie : plus de la moitié des emplois industriels de l'ancienne RDA ont été détruits dans les mois qui ont suivi.

sphère productive provoque, dans celle des activités non délocalisables, un ralentissement, en valeur absolue, de la création d'emplois[4].

## UN MODÈLE ÉCONOMIQUE INADAPTÉ À UNE ÉCONOMIE DE PLUS EN PLUS OUVERTE

La désindustrialisation de la France s'explique par le fait que la France a accepté l'ouverture de ses frontières sans modifier un modèle économique qui avait été conçu en 1945 pour une économie de reconstruction protégée et contrôlée. Il y a eu une déconnexion paradoxale entre la réalité d'un État français appliquant les mesures d'ouverture douanière des traités et des diverses négociations internationales (Rounds du GATT comme le Tokyo Round, accords de Lomé I et II avec les pays du Sud, etc.) et une opinion française, élites et hommes politiques inclus, continuant imperturbablement à raisonner comme si les producteurs nationaux étaient à l'abri de la concurrence étrangère sur le marché intérieur.

### Le commerce extérieur, préoccupation allemande dans la durée, point aveugle de la vision économique française

En France, on perçoit traditionnellement moins qu'en Allemagne le caractère vital de l'insertion dans l'échange international. La raison tient au passé historique. Celui-ci continue à vivre longtemps dans les têtes de façon plus ou moins consciente et les phénomènes culturels ont une durée beaucoup plus longue que les phénomènes économiques. La France a réussi dès le Moyen Âge à s'organiser en un puissant État centralisé. Durant toute l'ère moderne, la France, par son poids démographique et son unification précoce, a constitué un marché intérieur considérable, dont les producteurs français pouvaient facilement se contenter. Le but du système douanier était de leur réserver l'accès à ce marché.

L'industrialisation de la France a débuté sous le régime napoléonien à l'abri de prohibitions et de tarifs douaniers élevés. Il faut rappeler que, même si le traité dit « de libre-échange » signé en 1860 avec la Grande-Bretagne supprima les prohibitions sur les produits fabriqués, il ne comporta pas une stricte réciprocité : les produits britanniques restaient frappés à leur entrée en France d'une taxation modérée. La chute du Second Empire donna l'occasion aux partisans du protectionnisme de prendre leur revanche. En 1892, après un long débat à la Chambre des Députés, un nouveau tarif général plus élevé fut voté. À cette occasion, Jules Méline, qui présidait alors la Commission des Douanes, déclara : « La France a sous la main 38 millions de consommateurs,

4 – Vincent Hecquet, « Emplois et territoires de 1975 à 2009 : tertiarisation et rétrécissement de la sphère productive », *Économie et statistique*, n° 462-463, 2013, p. 25.

les premiers du monde, parce que ce sont ceux qui paient le mieux et qu'elle retrouve toujours quand elle a perdu tous les autres[5]. » Une expression aboutie du marché national perçu comme un pré carré autosuffisant dans ce qui n'est pourtant plus le pays le plus peuplé d'Europe comme à l'époque de Louis XIV et de Napoléon...

Bien que le marché intérieur français représente aujourd'hui à peine 3 % du Revenu National Brut mondial, ce genre d'idée continue à circuler en France. En témoigne le succès, dans la campagne présidentielle de 2012, du slogan « achetons français », alors que la majorité des salariés de la production manufacturière française travaillent aujourd'hui pour l'exportation.

À partir de 1948, la France s'engage sur la voie de l'ouverture douanière, un changement venu de l'extérieur. Les États-Unis mettent comme condition à l'aide Marshall la création d'une Organisation européenne de coopération économique, dont un des objectifs est de libéraliser le commerce intra-européen de marchandises. Par la suite, le traité de Rome est signé en 1957 sans que l'opinion publique, les médias, l'administration et le monde intellectuel aient pris la moindre mesure de ce qui a été vraiment décidé. Quelques années avant juillet 1968, date à laquelle les derniers droits de douane vont être supprimés, les experts préparant le 5e plan se préoccupent du problème de la compétitivité des entreprises françaises. Les troubles de mai 1968 balayent tout cela.

Le contraste est saisissant avec le grand voisin d'Outre-Rhin. En Allemagne, il n'y a pas de ministère du Commerce extérieur... tout simplement parce que tous les acteurs de la vie économique et sociale se sentent, à un degré ou un autre, concernés par la question ! Durant toute l'époque moderne, l'étroitesse du marché intérieur des petits États de la vallée du Rhin et des rives de la Mer du Nord a contraint les producteurs à vendre hors de leurs frontières. Longtemps avant sa révolution industrielle, l'Allemagne était déjà exportatrice de produits fabriqués, dans un espace ouvert à la concurrence internationale. La Prusse, seul État d'une certaine importance, fut tentée, sous Frédéric II, par un protectionnisme à la française. Mais, sous l'influence des économistes libéraux anglais, elle met en place, en 1818, un système de tarifs douaniers très modérés.

Le 1er janvier 1834, entre en vigueur le *Zollverein*, une union douanière couvrant un territoire qui correspond à peu de chose près à celui du futur Reich de 1871. En dépit de l'audience des idées de Friedrich List, qui voit dans la protection douanière un préalable à l'industrialisation, c'est le point de vue prussien, favorable à des droits très modérés[6], qui l'emporte. Les relèvements de droits de douane décidés par Bismarck en 1879 concernent surtout les produits agricoles, le textile et les produits sidérurgiques semi-finis, mais ne protègent pas les industries nouvelles (colorants, appareils électriques, machines). Celles-ci se développent sans avoir eu besoin d'un dispositif protecteur[7]. D'après une

5 – Jules Méline, Discours à la Chambre des Députés des 11 et 12 mai 1891.

6 – B. Dedinger, « Le protectionnisme est-il la clé du succès commercial allemand à la fin du XIXe siècle ? », *Revue d'Allemagne et des pays de langue allemande*, vol. 40, janv.-mars 2008, p. 89.

7 – B. Dedinger, *op. cit.*, p. 84-86.

enquête effectuée par la Société des Nations, l'Allemagne dispose, à la veille de la Première Guerre mondiale, d'une législation douanière moins protectionniste pour les produits manufacturés que la France (le tarif douanier moyen sur les produits manufacturés y était de 13 % *ad valorem* contre 20 % pour la France)[8].

À la veille de la Première Guerre mondiale, la présence allemande dans le monde est beaucoup plus liée à son influence économique que celle des autres grandes puissances européennes. Il existe des territoires coloniaux allemands, y compris en Chine, mais l'essor des exportations allemandes ne s'appuie pas sur une expansion coloniale ou très peu. Avant tout soucieux d'éviter un conflit destructeur avec une Grande-Bretagne reine des mers, Bismarck estime que les territoires d'outre-mer sont de médiocre valeur économique. Il est content de voir l'énergie française se dissiper vers un second empire colonial plutôt que dans une confrontation économique ! C'est avec les pays les plus développés que l'Allemagne entretient les relations commerciales les plus intenses. L'Angleterre est alors le premier client de l'Allemagne et, hors d'Europe, ce sont les États-Unis qui constituent son principal débouché. Les industriels germaniques sont également très présents dans l'immense et prometteur marché chinois. En 1913, la Chine réalise 9 % de ses échanges totaux avec l'Allemagne, 25 % des biens qu'elle exporte dans le monde et 19 % des biens importés transitant par les maisons de commerce allemandes, principalement celles de Hambourg. Rien de comparable du côté français au rayonnement et à la place de Siemens (*Xi Men Zi* en chinois, c'est-à-dire *« Le maître entré par la porte de l'occident »*...) dans le pays du Milieu. Les Allemands considèrent, il est vrai, celui-ci comme un important débouché de produits manufacturés, contrairement à l'approche de diplomates, financiers et missionnaires - auxquels une présence néocoloniale a été déléguée - français. En 1880, un auteur anonyme se prétendant mandarin mais sans nul doute français déplore le déséquilibre de son pays à l'égard des marchands et industriels anglais et allemands :

> Nous prêchions ; eux vendaient, achetaient, faisaient du commerce. Nous fondions notre influence ; eux, établissaient leurs marques de fabrique... [...] *La Chine ignore actuellement encore si la France est une nation commerçante et industrielle, si elle fabrique, si elle produit.* L'article français n'a pas cours en Chine ; la marque de fabrique française, si estimée en Amérique et sur le continent européen, n'est pas connue en Chine. C'est un fait facile à constater, quelqu'étonnant puisse-t-il paraître[9]. (Passage en italiques souligné par nous).

La période 1914-1948 est une période de réduction du commerce international, tant en raison des hausses de droits de douane que des modifications des parités monétaires. Dès que l'Allemagne recouvre sa souveraineté économique en 1949, elle établit un régime douanier faiblement protectionniste, proche de

8 – P. Bairoch, *Commerce extérieur et développement économique de l'Europe*, Paris, Mouton, 1976, p. 53.
9 – *Journal d'un mandarin*, cité par Bernard Brizay, *La France en Chine, Du XVII^e siècle à nos jours*, Paris, Perrin, 2013, p. 435-436, mais qui ne donne pas la source ni la date de ce texte.

celui du Benelux. Qu'ils soient démocrates-chrétiens ou sociaux-démocrates, les gouvernements allemands successifs mettent constamment l'accent sur l'exportation comme moteur de croissance à la différence de leurs homologues français qui, de droite comme de gauche, préfèrent, exception faite de la période gaullo-pompidolienne 1958-1974, la consommation intérieure dans l'optique néo-keynésienne adoptée à partir de 1945.

## La planification française conçue dans un cadre national

Les postulats anticapitalistes du parti communiste et de la gauche rejoignent les aspirations de jeunes hauts fonctionnaires rêvant, dans le sillage de « l'esprit des années 1930[10] » de prendre en main la modernisation du pays. L'expression de Pierre Massé, commissaire au Plan de 1959 à 1966, « le Plan ou l'anti-hasard[11] », s'oppose à la (supposée) vision darwinienne du marché qui fait de la combinaison entre hasard et sélection naturelle l'instrument du progrès évolutif. Le modèle français est ainsi, à l'origine, aux antipodes du modèle libéral[12]. L'économiste Jacques Lesourne pourra écrire en 1998 que « pendant trente ans, la France a été sur le plan économique une Union Soviétique qui a réussi » en expliquant sa contre-performance ultérieure par l'inadaptation de ce modèle à la mondialisation[13].

La politique économique du pays est censée s'inscrire dans « l'ardente obligation » du Plan selon l'expression significative du général de Gaulle en mai 1961. Les objectifs de production des diverses branches d'activité nationales des Plans français d'après-guerre sont calculés en fonction d'une matrice de coefficients techniques interbranche et d'un taux de croissance global de la demande finale, le poste des échanges extérieurs n'intervenant qu'en tant que variable d'ajustement.

## L'État Providence mis à la charge de la production

Dans son programme du 15 mars 1944, le Conseil National de la Résistance a promis la réalisation d'un système de sécurité sociale généralisée, comportant une nette extension de la couverture des risques sociaux par rapport à l'ancien système d'assurances sociales. Il faut pour cela un doublement des financements. Pour Pierre Laroque, directeur général des Assurances sociales, et Alexandre

10 – Expression de l'historien Jean Touchard pour désigner les mouvements comme X-Crise préconisant l'abandon du libéralisme économique et le développement de modèles macroéconomiques et de l'économétrie en lieu et place des impasses du marché. Voir par exemple Olivier Dard, « L'État et l'économie en France au XX$^{e}$ siècle », Ceras - revue *Projet*, n° 266, juin 2001, en ligne.

11 – Pierre Massé, *Le Plan ou l'anti-hasard*, Paris, Gallimard, 1965.

12 – Jean-François Eck, *Histoire de l'économie française. De la crise de 1929 à l'euro*, Paris, Armand Colin, 2009, p. 224.

13 – Jacques Lesourne, *Le modèle français. Grandeur et décadence*, Paris, Odile Jacob, 1998, p. 17.

Parodi, ministre du Travail, les nouvelles ressources ne peuvent provenir ni du budget de l'État, affecté déjà d'un déficit considérable, ni des salariés, qui ont déjà souffert de quatre années de privations[14]. De toutes façons, ces considérations techniques comptent en réalité assez peu par rapport au compromis politique conclu entre de Gaulle et le parti communiste au moment de la Libération. Lors des débats d'avant-guerre sur les assurances sociales, le parti communiste et la CGTU s'étaient fortement opposés au principe d'une cotisation ouvrière. Ils soutenaient qu'il revenait au patronat de financer l'entretien de la force de travail. Cette conviction reste fortement ancrée chez les communistes, même s'ils ont fini par admettre une participation des salariés au financement des assurances sociales. Les circonstances historiques de 1944-1945 leur permettent de faire prévaloir leurs vues. Dans le nouveau ministère formé en novembre 1945, les communistes obtiennent tous les ministères économiques et c'est Ambroise Croizat qui succède à Alexandre Parodi au ministère du Travail.

Encore aujourd'hui, dans l'imaginaire de la gauche, la Sécurité sociale apparaît comme une conquête ouvrière réalisée aux dépens du patronat au terme d'une insurrection victorieuse[15]. Le terme de « cotisation patronale » va masquer le fait que le poids des cotisations sociales repose en réalité sur l'entreprise elle-même[16]. Mais, à la différence du mouvement ouvrier allemand qui, depuis 1918, après la signature des accords Legien-Stinnes, a reconnu l'entreprise comme une « communauté de travail » réunissant actionnaires et salariés[17], le mouvement ouvrier français s'en tient à la conception marxiste la plus radicale, celle où la valeur est créée exclusivement par le prolétariat et où l'entreprise en tant que telle n'est qu'une unité comptable. Aux cotisations patronales s'ajoutent des prélèvements nouveaux pour le financement des comités d'hygiène et sécurité, de la médecine du travail et des comités d'entreprise. Le modèle social français sera d'autant plus généreux qu'il ne pèse pas principalement sur la masse des assurés, ni sur celle des contribuables, avec des conseils d'administration des Caisses composés majoritairement de représentants des syndicats.

Les systèmes de sécurité sociale développés en Europe occidentale optent pour un mode de financement fondamentalement différent. Ils évitent de faire peser trop exclusivement sur l'entreprise le financement des prestations sociales. Au Royaume-Uni, le Welfare State est mis en place grâce à une augmentation des

14 – Eric Jabbari, *Pierre Laroque and the Welfare State in Postwar France*, Oxford, Oxford University Press, 2012, p. 113 ; Pierre Laroque, « Le plan français de sécurité sociale », *Revue française du travail*, 1946, p. 19.

15 – Michel Dreyfus, Michèle Ruffat, Vincent Viet et Bruno Vallat, *Se protéger, être protégé : une histoire des assurances sociales en France*, Rennes, Presses universitaires de Rennes, 2006, p. 264.

16 – Les ordonnances d'octobre 1945 financent l'accroissement des prestations sociales en portant le prélèvement sur la masse salariale des entreprises à 16 %. Ce prélèvement est réparti en taxant plus lourdement les employeurs (à raison de 10 % de la masse salariale) que les salariés (6 %). Déjà entièrement à la charge des employeurs depuis les années 1930, les allocations familiales sont fortement relevées.

17 – Le 15 novembre 1918, Carl Legien, président de la commission générale des syndicats allemands, conclut un accord avec Hugo Stinnes, représentant les organisations patronales. Les syndicats furent reconnus comme représentants officiels des travailleurs, les comités d'ouvriers reçurent pour mission de surveiller l'application des conventions collectives et des instances paritaires d'arbitrage furent constituées. L'accord Legien-Stinnes entre syndicats et patronat fit de l'entreprise une communauté de travail (*Arbeitsgemeinschaft* ), où la répartition de la valeur ajoutée devait faire l'objet d'un débat entre les parties prenantes.

impôts. La forte participation de l'État est l'une des caractéristiques du modèle britannique[18]. Il en ira de même dans les pays scandinaves, où le financement de la sécurité sociale repose en partie sur un lourd impôt sur le revenu et, plus tard, également sur la consommation. En Allemagne, les régimes d'assurance obligatoire hérités de la législation de Bismarck continueront à peser autant sur les salariés que sur les employeurs. Quant aux allocations familiales, qui sont rétablies en 1954, elles seront intégralement financées par l'État fédéral.

Le système de financement des prestations sociales par une ponction élevée sur les ressources des entreprises va continuer à se développer en France. Le budget de la Sécurité sociale représentait moins de 1 % de la Production Intérieure Brute dans les années 1930, il atteindra 7 % de celle-ci vers 1950, 14 % vers 1970. Cet effort financier considérable continuera à reposer principalement sur les entreprises[19].

## La faiblesse financière récurrente des entreprises françaises

Qu'elles soient politiques, administratives ou syndicales, les élites hexagonales ont le plus grand mal à concevoir une économie décentralisée dans laquelle la performance économique dépend essentiellement de la capacité concurrentielle d'entreprises autonomes. Les experts répugnent à concevoir un monde dans lequel la performance économique ne dépend pas seulement de leurs conseils éclairés, mais aussi de millions de petites décisions prises par des dizaines de milliers de chefs d'entreprises sur le terrain.

Les gouvernements français ne font donc rien en faveur de l'autofinancement des entreprises privées. L'impôt sur les sociétés est porté de 24 % des bénéfices en 1948 à 50 % en 1958[20]. Il faut attendre 1959 pour que l'amortissement dégressif sur les investissements des entreprises réduise un peu cette ponction. À partir de 1948, l'impôt cédulaire versé jusque-là par les salariés est aussi mis à la charge des entreprises, soit une nouvelle taxe de 5 % à verser sur les salaires. À partir de 1953, les entreprises devront acquitter un prélèvement de 1 % sur leur masse salariale pour financer l'effort de construction de logements. En 1959 et durant les années suivantes, les entreprises sont largement mises à contribution pour la mise en place d'un système d'assurance-chômage, la cotisation des employeurs étant supérieure de moitié à celle des assurés. Après 1968, le 1 % formation, le versement transport, la hausse des cotisations aux caisses de

**18** – Nicole Kerschen, « L'influence du rapport Beveridge sur le plan français de sécurité sociale de 1945 », *Revue française de science politique*, 1995, vol. 45, n° 4, p. 579.

**19** – De 0,6 % de la Production Intérieure Brute en 1930-1938, le budget de la Sécurité sociale passe à 7,3 % en 1947-1954 et à 14,5 % en 1964-1974. Voir Jean-François Eck, *Histoire de l'économie française de la crise de 1929 à l'euro*, *op. cit.*, p. 159.

**20** – Frédéric Tristram, *Une fiscalité pour la croissance : la Direction générale des impôts et la politique fiscale de la France de 1948 à la fin des années 1960*, Paris, Comité pour l'histoire économique et financière de la France, 2005, p. 141.

retraite[21] et la taxe professionnelle alourdiront encore les prélèvements sur les ressources dont peuvent disposer les entreprises pour investir.

De l'immédiat après-guerre à nos jours, l'excédent brut d'exploitation des entreprises françaises sera constamment inférieur à la moyenne européenne. Leur taux de marge dépassera rarement les 30 % pendant toutes ces décennies, alors qu'il oscille autour de 40 % en Allemagne et aux Pays-Bas, entre 30 et 40 % dans l'ensemble de l'Europe occidentale

Quand les pouvoirs publics prennent conscience du manque de ressources des entreprises françaises, ils préfèrent multiplier les dispositifs d'aides plutôt que d'alléger la fiscalité[22]. Ce passage obligé par les services de l'État est aussi pour les hauts fonctionnaires une manière de continuer à contrôler la gestion du secteur privé. Beaucoup de responsables d'entreprise doivent ainsi constituer des dossiers pour persuader de multiples organismes publics de leur distribuer des aides pour leurs projets - avec un rendement médiocre : les frais administratifs pèsent sur le montant des aides octroyées. La complexité de ce système favorisera les grandes entreprises et toutes celles qui prennent l'habitude de recourir aux fonds publics pour suppléer une rentabilité défaillante. Elle désavantagera les PME, aux ressources trop limitées pour faire appel à des juristes capables d'explorer le maquis administratif et y consacrer le temps nécessaire.

Si les branches bénéficiant des commandes et des aides de l'État peuvent rester à la pointe du progrès technique, les autres industries sont *de facto* empêchées de monter en gamme, contraintes de se cantonner dans des productions taylorisées utilisant une main-d'œuvre peu qualifiée. En dehors des porte-parole du patronat, personne n'ose alors dire que plutôt que de verser des aides aux industries, il vaudrait mieux cesser de les ponctionner à tout-va.

Initiée en 1945, la divergence entre la France et ses voisins européens persiste durant les décennies suivantes. Chez les cinq autres pays fondateurs de la Communauté économique européenne, l'après-guerre voit l'accession au pouvoir de gouvernements fermement partisans de l'économie de marché. En réaction contre les expériences fasciste et nazie, ils font de l'entreprise privée le pivot de leur système économique. En Allemagne, l'impôt sur les sociétés est allégé par un régime d'amortissement accéléré et par des déductions sur les bénéfices non distribués, libérant une capacité d'investissement permettant d'autofinancer d'ambitieux projets de développement. C'est également le cas pour le reste de l'Europe occidentale, où le retour à l'économie de marché est mis en œuvre par les partis démocrates-chrétiens qui forment l'axe des majorités gouvernementales d'après-guerre.

21 – La loi française sur les retraites du 31 décembre 1971 prévoit un financement fondé sur une hausse de la cotisation « employeurs ». Votée 9 mois et demi plus tard, la loi allemande du 16 octobre 1972, prévoit un financement pris en charge par l'État fédéral. Voir Volker Hentschel, *Geschichte der deutschen Sozialpolitik, 1880-1980*, Stuttgart, Deutsche Verlags-Anstalt, 1982, p. 182.

22 – En 2013, le rapport Queyranne mentionnait 660 dispositifs d'aides émanant de l'État auxquels s'ajoutaient ceux mis en place par 25 agences régionales, 53 agences départementales et 32 agences intercommunales. Jean-Jack Queyranne, *Pour des aides simples et efficaces au service de la compétitivité*, La Documentation française, juin 2013.

## LES IMPASSES INTELLECTUELLES DES ÉLITES FRANÇAISES

Dans leur très grande majorité, responsables politiques, haute administration et experts n'ont pas mieux perçu que l'opinion publique, de droite comme de gauche, la nécessité de s'adapter à l'économie ouverte de concurrence et de libre-échange en train de s'imposer. Les hommes politiques et leurs conseillers ont au contraire minimisé les nouvelles tendances en train d'apparaître.

### Les folles prévisions du Hudson Institute

Haute administration et experts sont persuadés que l'économie française possède un dynamisme particulier, une vertu quasi congénitale en quelque sorte. Ils sont confortés dans leurs illusions par une étude de prospective commandée par le gouvernement français à Edmund Stillman, directeur de la division européenne du Hudson Institute et publiée en 1973 sous le titre *L'envol de la France dans les années 80*. En effectuant une simple projection à partir des taux de croissance enregistrés durant la décennie 1960-1969, l'étude prévoit que la France peut « espérer être, d'ici dix ans, l'économie européenne la plus puissante en termes de production totale » et jouir en 1990 du « niveau de vie le plus élevé d'Europe » [23] !

En réalité, ce sont des transferts massifs de main-d'œuvre en provenance de l'agriculture et une adoption rapide des méthodes américaines dans les diverses branches d'activité qui expliquent en grande partie le dynamisme français des années 1960. Une fois ce rattrapage effectué, il n'y aura aucune raison pour que la croissance du produit par habitant continue au même rythme.

### L'impératif de compétitivité négligé après 1968

Année du mouvement de Mai, 1968 marque aussi une date charnière et oubliée, celle du 1er juillet, à partir de laquelle les droits de douane sont totalement supprimés entre les six partenaires du Marché commun. Cette année 1968 est aussi celle où le pourcentage des importations par rapport au PIB commence sa longue ascension, signe d'une dégradation particulièrement inquiétante de notre commerce extérieur. Mais le romantisme utopiste de Mai 68 met fin aux débats qui s'esquissaient lors de la préparation du V$^e$ Plan sur la « compétitivité ». Le mot disparaît des tribunes de presse et des discours électoraux aussi vite qu'il était apparu.

Quelques voix isolées continuent néanmoins à s'inquiéter de l'adaptation de l'appareil économique français à la concurrence étrangère. Le Commissaire

23 – Edmund Stillman, James Bellini, William Pfaff, Laurence Schloesing et Jonathan Story, *L'envol de la France dans les années 1980*, Paris, Hachette, 1973, p. 27.

au Plan René Montjoie, qui prépare le VIe Plan, et son collaborateur Lionel Stoléru, prônent en vain la poursuite d'une politique de compétitivité industrielle. Dans un ouvrage paru en 1969, ce dernier s'inquiète : « Tôt ou tard, il deviendra évident que sans la compétitivité industrielle, les plus légitimes aspirations des travailleurs, plein emploi et niveau de vie, ne peuvent être satisfaites. Puisse cette prise de conscience se faire avant que les travailleurs ne se trouvent face à une industrie exsangue et des usines fermées ![24] » Un message hélas prophétique...

Un économiste, Raymond Courbis, va donner dès 1971 un caractère théorique aux inquiétudes de René Montjoie et de Lionel Stoléru. Dans son ouvrage *La détermination de l'équilibre général en économie concurrencée* paru en 1971, Raymond Courbis montre que lorsque la protection douanière disparaît, ce sont les importations, et non les prix, qui ajustent l'offre à la demande[25].

Au lieu d'assainir l'économie nationale et de développer la capacité des producteurs français à s'ouvrir aux marchés internationaux, le gouvernement de Jacques Chirac, aux affaires de mai 1974 à août 1976, choisit de distribuer davantage de pouvoir d'achat aux ménages par de nouveaux prélèvements pesant sur les entreprises. Sans considérer les conséquences pour l'avenir, les pouvoirs publics cherchent à acheter la paix sociale en donnant la priorité à la consommation sur l'investissement et en tentant de préserver des secteurs dépassés, au détriment du tissu des PME et des activités de pointe. L'État plutôt que le marché. Partagée par la droite et la gauche, cette conviction va amorcer l'explosion des dépenses publiques et sociales au détriment de la compétitivité économique du pays et de son industrie.

## La concurrence industrielle sous-estimée des pays du « Tiers-Monde », toujours plus « émergents »

Certains préjugés coloniaux ou néocoloniaux chassés de l'ethnologie et des sciences de l'homme par des figures comme Claude Lévi-Strauss après 1945 ont-ils trouvé refuge chez les économistes ? Bien peu d'experts prévoient en effet que les pays d'Asie et d'Amérique latine allaient prendre pied aussi vite dans des domaines que l'on croyait être l'apanage des pays industrialisés. Au début des années 1970, la vision qui prédomine chez beaucoup d'intellectuels occidentaux est celle d'un Tiers-Monde voué au sous-développement et à la dépendance.

**24** – Lionel Stoléru, *L'impératif industriel*, Paris, Seuil, 1969, p. 37. Lionel Stoléru entre au cabinet de Valéry Giscard d'Estaing, ministre de l'Économie et des Finances, en 1969. Mais, lorsqu'il sera devenu président de la République, Valéry Giscard d'Estaing ne fera pas de lui son successeur. Il laissera son premier ministre Jacques Chirac le reléguer dans un éphémère secrétariat d'État à la Condition des Travailleurs manuels.

**25** – Raymond Courbis, *La détermination de l'équilibre général en économie concurrencée*, Paris, Éditions du CNRS, 1971. Voir également *Compétitivité et croissance en économie concurrencée*, 2 tomes, Paris, Dunod, 1975.

Jouissant d'une très grande notoriété, l'historien économiste belgo-suisse Paul Bairoch (1930-1999) répand en 1971 des thèses particulièrement pessimistes pour les pays pauvres dans son livre au titre significatif *Le Tiers-Monde dans l'impasse*[26]. Édité par la suite en livre de poche, son ouvrage connaîtra un large retentissement. Son auteur a pour intention d'alerter l'opinion des pays riches sur la montée de la misère dans les pays sous-développés. Mais, si le livre provoque un peu partout le mouvement de compassion recherché, il va aussi répandre une vision exagérément pessimiste de l'avenir économique du Tiers-Monde. Pour Paul Bairoch, ces pays sont voués à rester enfermés dans le « cercle vicieux de la pauvreté ». Le pouvoir d'achat de la masse de leurs habitants est trop bas pour absorber une production industrielle locale. Les pays du Tiers-Monde ont à la fois un taux d'épargne trop faible et une croissance démographique trop forte pour parvenir à atteindre le taux d'investissement permettant le décollage. C'est la thèse classique du décalage entre la croissance démographique et le rythme des investissements nécessaires qui sera développée par beaucoup, notamment par le géographe Yves Lacoste[27].

Pourtant, dès les années 1960, les premières baisses de l'indice synthétique de fécondité apparaissent dans les Caraïbes, au Mexique et au Brésil, sans parler du sud du continent avec l'Argentine et l'Uruguay, où ce phénomène était déjà amorcé depuis le début du XX^e^ siècle. Une douzaine d'années plus tard, en 1987, Jean-Claude Chesnais notera dans *La revanche du Tiers-Monde* que la transition démographique s'amorce nettement en Amérique du Sud et en Asie[28]. Si cette tendance avait été décelée plus tôt, elle aurait permis aux experts d'anticiper un nouveau phénomène : la transformation du handicap démographique en avantage démographique. Lorsque le taux de croissance démographique commence à diminuer, le handicap se transforme en avantage significatif, quoique temporaire, avec un gonflement de la part de la population en âge de travailler : les générations d'enfants sont proportionnellement moins importantes et celles de personnes âgées n'ont pas encore augmenté.

Paul Bairoch voit un autre obstacle au développement dans la complexité croissante des techniques. Le faible décalage entre le savoir-faire traditionnel et les techniques nouvelles avait, au XIX^e^ siècle, rendu possible la diffusion de l'industrie. Paul Bairoch et ses émules n'évoquent pas l'effet de rattrapage signalé pourtant par Alexandre Gerschenkron dès 1962[29]. Comparant l'industrialisation de la Grande-Bretagne avec celle de l'Allemagne, celui-ci avait constaté que la seconde avait connu un décollage plus tardif mais plus

26 – Paul Bairoch, *Le Tiers-Monde dans l'impasse. Le démarrage économique du XVIII^e^ au XX^e^ siècle*, Paris, Gallimard, 1971, p. 265-271.

27 – Voir les premiers ouvrages d'Yves Lacoste, *Les Pays sous-développés* (1959) et *Géographie du sous-développement* (1965). Félix Torres se rappelle avoir assisté lorsqu'il était en classe préparatoire à HEC au début des années 1970 à une impressionnante conférence d'Yves Lacoste au cours de laquelle ce dernier avait expliqué le décalage impossible à combler entre démographie et économie auquel était confronté le Tiers-Monde.

28 – Jean-Claude Chesnais, *La revanche du Tiers-Monde*, Paris, Robert Laffont, 1987.

29 – Alexander Gerschenkron, *Backwardness in Historical Perspective*, Boston, Belknap Press of Harvard University Press, 1962.

rapide avec, à sa suite, tous les autres pays suiveurs ou « en retard » (*latecomers*). Ils n'avaient pas besoin en effet de reproduire le processus d'essais et d'erreurs parcouru par les pays pionniers (*leaders*). Le dernier quart du XXe siècle va confirmer de façon éclatante la justesse de la thèse de Gerschenkron : le passage rapide des techniques traditionnelles aux techniques sophistiquées accélérera les progrès de la productivité des pays en retard à des rythmes que l'Occident n'avait jamais atteints, permettant même de sauter par-dessus des technologies intermédiaires (les économistes baptiseront ce phénomène « le saut de grenouille »).

Les vues de ceux qui perçoivent le Tiers-Monde comme voué au sous-développement sont renforcées par le phénomène de la détérioration des termes de l'échange qui affecte les pays producteurs de matières premières dans les années 1960. Les travaux des économistes mettent alors l'accent sur l'aspect déstructurant de l'effet de domination, jusqu'à en faire l'explication principale du sous-développement. Dans cette vision des choses, le sous-développement est causé par le système capitaliste, dans lequel le « centre » maintient la dépendance des « pays de la périphérie », moins bien armés pour défendre les prix de leurs produits agricoles ou miniers[30].

Cette approche est rassurante pour les syndicats des pays occidentaux et elle ne va guère préparer les esprits à envisager une concurrence industrielle venant de pays du Tiers-Monde. Puisque la relation de dépendance entretenue par le « néocolonialisme économique » bloque l'industrialisation de celui-ci, ce dernier ne pourra échapper au sous-développement que par une guerre généralisée de longue durée entre « l'impérialisme » et « le camp progressiste », une perspective enthousiasmante pour beaucoup d'intellectuels français, encouragés par les succès des maquisards cubains et vietnamiens.

Mais les populations des pays pauvres ne joueront pas le rôle que les maoïstes, les castristes et leurs émules français leur ont assigné. La guerre attendue entre les populations du Tiers-Monde et l'Occident aura bien lieu, mais sur un tout autre champ de bataille. Chantre de la « révolution permanente », Che Guevara est capturé et abattu le 9 octobre 1967 en Bolivie, pays dans lequel la population paysanne, qui avait bénéficié quinze ans plus tôt d'une large réforme agraire[31], se sera détournée de son combat. Quinze jours après la mort du « Che », soixante-dix-sept pays en voie de développement, réunis à Alger, choisissent une autre stratégie plus subtile pour ébranler l'hégémonie des pays riches. Ils prennent l'Occident à son propre jeu en réclamant un régime préférentiel généralisé pour leurs exportations industrielles. Au lieu de combattre l'impérialisme par les armes, les prolétaires ruraux du Tiers-Monde

**30** – André Gunder Frank, *Capitalisme et sous-développement en Amérique latine*, Paris, Maspero, 1968 ; Samir Amin, *Le développement inégal*, Paris, Éditions de Minuit, 1973 ; et Paul Alexander Baran, *Longer view, essays toward a critique of political economy*, New York, Monthly Review Press, 1970.

**31** – Jehan-Albert Vellard, « L'expérience agraire en Bolivie », *Cahiers d'outre-mer*, n° 62, 16e année, avril-juin 1963, p. 201-213, en ligne.

vont bientôt se presser aux portes des manufactures pour y livrer une guerre économique victorieuse aux salariés des pays riches...

Moins pessimistes que les théoriciens de la dépendance sur les chances d'un décollage prochain du Tiers-Monde, d'autres experts admettent tout de même l'hypothèse d'une industrialisation des pays du Sud, tout en la concevant comme s'accompagnant d'un maintien sans changement de la hiérarchie entre les pays anciennement industrialisés et les nouveaux pays industriels. Les premiers se réorienteraient vers les activités de haute valeur ajoutée, abandonnant aux seconds les activités banales et moins rémunérées[32]. En 1979 encore, Ezra Vogel, éminent spécialiste de l'Asie enseignant la langue et la civilisation chinoises à l'université Harvard, voit dans le Japon le futur « Number One », mais sans envisager l'entrée de la Chine dans le cercle des grands pays industrialisés[33]. Nul n'imagine à quel point la théorie du « vol des oies sauvages » élaborée par l'économiste japonais Kaname Akamatsu en 1937 et popularisée dans les années 1960 va s'avérer exacte, avec l'industrialisation, par cercles concentriques, de l'ensemble de l'Extrême-Orient[34].

Influencés par les conceptions marxistes de l'économie, les experts des organes publics d'études français ignorent tant les fondements démographiques de l'économie que la théorie ricardienne des avantages comparatifs pour tout faire reposer sur le mode de production. L'influence de l'accroissement d'une population sur l'incitation au travail, sur le niveau des salaires et sur les prix des produits fabriqués n'est pas prise en compte ou n'est perçue qu'avec retard. Tous les experts sont convaincus que les valeurs conservatrices encore très prégnantes dans le Tiers-Monde (famille, religion) sont un facteur de moindre dynamisme. Il faudra attendre la parution du grand livre de Léon Vandermeersch, *Le nouveau monde sinisé*, puis, dans son sillage, des travaux de Rang Ri Barjot pour démontrer que le confucianisme est au contraire un facteur de performance et de modernité économique[35].

Maurice Allais, prix Nobel d'Économie en 1988, dénoncera à la fin des années 1990 les effets pervers du démantèlement trop rapide du tarif extérieur commun de la Communauté européenne. Décrivant les échanges commerciaux entre pays de niveaux de vie différents, il démontrera que, si la balance commerciale

32 – Gerhard Fels, "The Choice of Industry Mix in the Division of Labour between Developed and Developing Countries", 1971, *Weltwirtschaftliches Archiv*, 1972, vol. 108, p. 71-121.

33 – Ezra Vogel, *Japan as Number One: Lessons for America*, Cambridge (Mass.), Harvard University Press, 1979. De larges extraits de l'ouvrage ont paru dans *le Débat*, n° 11, 1981/4, sous le titre « Champion, le Japon ! », présenté par Christian Sautter. Sur l'influence du modèle japonais en France, voir Michel Drancourt, *La France du grand large*, *op. cit.*, p. 227-248 ; *L'Économie volontaire. L'exemple du Japon*, Paris, Odile Jacob, 1989, et Félix Torres, *L'intelligence de l'entreprise*, *op. cit.*, « La France... comme le Japon ! », p. 181-186.

34 – La théorie du « vol des oies sauvages », son importance et ses conséquences a-t-elle été comprise en France ? Cela ne semble pas être le cas si l'on compare la pauvreté des références hexagonales (voir le site Wikipédia en français) aux références concernant le « *flying geese paradigm* » (FGP) dans le monde anglo-saxon (voir le site Wikipedia en anglais).

35 – Pour le premier, Léon Vandermeersch, *Le nouveau monde sinisé*, Paris, Paris, PUF, 1986 (1ère édition) ; pour la seconde, Rang-Ri Barjot et Flora Blanchon (dir.) *Le nouvel âge de Confucius*, Paris, Presses Universitaires de Paris-Sorbonne, 2007, et Rang-Ri Barjot, *Samsung, L'œuvre d'un entrepreneur hors pair, Byung Chull Lee*, Paris, Economica, 2008.

est équilibrée, celle des emplois est largement déficitaire aux dépens des pays développés[36]. Ce que le consommateur européen gagne par la baisse des prix des produits fabriqués importés, il le perd en tant que producteur en devenant chômeur. Maurice Allais prédira pour l'Europe une augmentation considérable des inégalités salariales aux dépens des travailleurs moins qualifiés ou, en raison de l'existence d'un salaire minimum, un chômage massif. Vingt ans après cette prédiction, il s'avère qu'elle pêchait par un excès de pessimisme pour des pays comme la Suisse, l'Allemagne ou l'Autriche, dont les industries ont réussi à monter suffisamment en gamme… mais malheureusement pas en ce qui concerne la France, dont beaucoup d'entreprises n'ont pas disposé des moyens nécessaires pour se hisser plus haut dans les chaînes de valeur.

## PENSER LE NOUVEAU PARADIGME ÉCONOMIQUE DES ANNÉES 1970 DANS LE CONTEXTE GLOBAL DE L'ÉMERGENCE DE LA MONDIALISATION

Les deux auteurs de l'ouvrage *Le Virage manqué. 1974-1984 : ces dix années où la France a décroché* poursuivent actuellement la réflexion initiée[37] en direction des trois décennies suivantes, celles de la seconde mondialisation dans sa 1ère période, de 1985 à la crise de 2008. L'articulation des deux séquences renvoie à la prise en compte des nouveaux paradigmes qu'ils font apparaître comme à leur prise en compte, par les élites et l'opinion française en particulier.

### 1974 : un changement radical de paradigme plutôt qu'une simple crise économique

Un premier phénomène frappe concernant la période 1974-1984, à savoir le décalage entre la réalité des phénomènes économiques qui surviennent à partir des années 1970 et la perception française de ceux-ci. Face au monde issu de l'après-guerre qui commence à se transformer, on assiste à une très longue cécité française quant à la prise en compte de ce basculement. Le changement de paradigme initié par le ralentissement économique des pays développés et l'accélération de ceux que l'on qualifiait alors de sous-développés n'est pas perçu comme tel au profit de la prégnance de la notion traditionnelle de « crise » basée sur les cycles économiques.

De la crise de 1929 à la haute croissance des années post-1945, ces cycles économiques sont omniprésents dans leurs séquences courte, moyenne, longue et dans le sentiment de leur inéluctabilité. C'est aussi l'inéluctabilité des « lois

36 – Maurice Allais, « La libération des échanges et l'expérience de la Communauté européenne », *Revue des deux mondes*, septembre 1997, p. 19.

37 – Michel Hau et Félix Torres, *Le Virage manqué. 1974-1984 : ces dix années où la France a décroché*, Paris, Les Belles Lettres/Manitoba Editions, 2020.

de l'histoire » mises en avant par un marxisme alors omniprésent. Le caractère contingent et historique des choix et facteurs qui ont façonné le monde occidental après la Seconde Guerre mondiale – État-Providence, keynésianisme, désarmement douanier et montée progressive du libre-échange… – est oublié pour que ces choix et facteurs deviennent des tables de la loi intangibles. Le mode de financement et de fonctionnement du Welfare State est érigé en France comme un postulat, d'autant moins susceptible d'être remis en question que l'on considère qu'il s'agit d'une invention française (et non anglo-saxonne) forgée par le Conseil national de la Résistance, en oubliant ses prolégomènes et sa mise en place progressive.

D'où la difficulté à percevoir le changement structurel qui s'opère à partir en 1974. Puisque crise il y a, provoquée notamment par un facteur conjoncturel, la double hausse des prix du pétrole, la machine économique repartira tôt ou tard sur la lancée de ce que Jean Fourastié va bientôt appeler les « 30 Glorieuses » (terme significatif par son côté purement descriptif). Après l'orage, le beau temps ! Il suffit, en 1974-1975 et 1981-1982 de prendre les mesures de relance nécessaires dans une optique d'abord keynésienne : stimuler la demande et faire jouer les mécanismes de l'État-providence pour panser les plaies sociales de la montée d'un chômage que l'on imagine provisoire.

Dans le « Programme commun de la gauche », sans parler des versions gauchistes, la crise est celle d'un « capitalisme monopolistique d'État » (CME) arrivé à son acmé et ouvrant inévitablement la porte à un socialisme prêt à advenir… Après celles des années 1945-1946, la vague de nationalisations à venir représentera un pas décisif dans une dynamique de « rupture avec le capitalisme » comme l'écrit par exemple le groupe d'économistes de l'université de Paris VIII-Vincennes dans le *Dictionnaire des groupes industriels et financiers en France* :

> Le Programme commun prévoit un ensemble de mesures qui ont pour but d'améliorer immédiatement le sort des travailleurs et d'atténuer les effets de la crise économique : relèvement des salaires, lutte contre le chômage… D'autres s'inscrivent plus profondément dans une perspective de rupture avec le capitalisme. […]. Les entreprises nationalisées [sont des] lieux à la fois stratégiques et symboliques dans le processus de rupture avec le capitalisme[38].

Le changement de paradigme à l'œuvre, celui d'une mondialisation qui va rebattre les cartes de la production industrielle, commerciale et financière sur l'ensemble de la planète est ignoré, exception faite du cercle patronal constitué autour de l'Institut de l'Entreprise et de ministres de Raymond Barre comme

38 – P. Allard, M. Beaud, B. Bellon et S. Liénart, *Dictionnaire des groupes industriels et financiers en France*, Paris, Seuil, 1978, Introduction, p. 5-27. Dans cette perspective, le *Dictionnaire* apparait comme un guide destiné aux protagonistes des nationalisations à opérer…

René Monory disant en 1979 « LE MONDE EST UN : *nous sommes passés de l'ère des "économies-nations" industrielles à l'ère de l'économie mondiale* [sic !] »[39].

## Une dynamique négligée, celle des pays émergents fraîchement industrialisés

Ceux que l'on va appeler les pays émergents et qu'il faudrait plutôt qualifier de Nouveaux pays Industrialisés (NPI) commencent à prendre leur essor à cette époque, notamment en Asie, dans le sillage du Japon de l'ère Meiji puis des années 1950-1960, le premier pays non-occidental à avoir rejoint le club des puissances occidentales. C'est, comme nous l'avons évoqué *supra*, la théorie du « vol des oies sauvages », celle de la déclinaison extrême-asiatique d'un rattrapage industriel antérieur, celui de l'Allemagne wilhelminienne du XIXe siècle pris comme modèle, de Frédéric List à l'école économique historique allemande (Roscher, Hildenbrand, Knies)... même si l'Allemagne d'alors, la Prusse au premier chef, est bien moins protectionniste qu'on ne l'a cru dans le sillage de Frédéric List[40] !

On connait les grandes caractéristiques d'un rattrapage asiatique devenu une évidence économique et géopolitique à part entière : un État fort et développeur ciblant des objectifs de développement grâce à des agences ou institutions centrales ; un contrôle étroit du système financier et de l'allocation des investissements, une incitation active à l'exportation, une protection commerciale et un appui au développement technique, sans oublier une panoplie de mesures favorisant la naissance, puis l'essor fulgurant d'un capitalisme local. L'opinion occidentale découvre bientôt avec surprise que l'Asie, elle aussi, a ses Krupp, Renault et autres Rockefeller. La Chine a notamment ajouté à ce modèle éprouvé la présence du parti communiste chinois (PCC) à la tête d'une « économie socialiste de marché », sa taille de pays continent et l'appel massif à l'investissement étranger qui en a fait durablement l'« atelier du monde ». Les élites des pays protagonistes du « vol des oies sauvages » partagent une conscience et une lignée historique très fortes, celle de l'« *infant industry* » initiée par l'école économique historique allemande[41]. Ni colbertiste, ni mélinienne, elle vise dans un premier temps à protéger la nouvelle industrie locale, non pour la faire vivre sous cloche, mais... pour la lancer par la suite résolument à l'exportation vers les marchés mondiaux, toujours à l'allemande !

Des années 1970 à aujourd'hui, on assiste ainsi à une quadruple et bientôt quintuple montée en puissance :

- Le Japon, à partir de l'ère Meiji et des années 1950-1960 ;

39 – Cité par Félix Torres, *L'intelligence de l'entreprise. 40 ans de réflexion patronale en France*, *op. cit.*

40 – Michel Hau, *Histoire économique de l'Allemagne. XIXe - XXe siècles*, Paris, Economica, 1994.

41 – Voir le livre éclairant de Joe Studwell, *How Asia Works. Success and Failure in the World's Most Dynamic Region*, Londres, Profile Books, 2013, notamment la partie 2, "Manufacturing: the Victory of the Historians".

– Les « 4 Dragons », Corée du Sud, Hong Kong, Singapour, Taiwan ; avec le contre-exemple de la Thaïlande, un 5e Dragon ayant trébuché pour des raisons politico-économiques (système monarchique, faiblesse urbaine face à un monde paysan sans exode rural, etc.) ;
– La Chine continentale, dont la taille, la place dans les chaines de valeurs et le régime politique vont modifier l'équilibre mondial ;
– Les autres pays d'Asie : Vietnam, Indonésie…
– L'Afrique avec déjà l'Ethiopie…

L'imbrication de l'économie asiatique dans le cadre d'une répartition optimale des rôles, et le transfert régulier des productions à haute part de main-d'œuvre et à faible valeur ajoutée vers des provinces ou des pays périphériques (inclus ainsi dans le cercle de l'industrialisation), au profit de productions plus haut de gamme, fait la force du continent Asiatique et Pacifique, à la différence de l'économie sud-américaine, sans doute moins intégrée et plus fragmentée.

Deuxième ou troisième puissance à se lancer dans la révolution industrielle après la Grande-Bretagne et les Pays-Bas, la France se pose à intervalles réguliers la question de son « retard économique » : sous le Second Empire, les débuts de la IIIe République, les années 1950-1960, aujourd'hui… Elle le fait plus rarement à l'égard des temps nouveaux que son économie affronte (sauf sous le mode du choc des révolutions industrielles successives), ni des autres économies qui entrent en compétition avec elle, exception faite de son traditionnel mano a la mano avec l'Allemagne…

L'émergence des NPI à partir des années 1970 n'a rien d'automatique et ne relève pas seulement du commode triptyque dumping économique et social/concurrence déloyale/contrefaçon et copie sans vergogne auquel on aimerait la réduire ici. Elle s'inscrit plutôt de façon volontariste et délibérée dans la division internationale du travail et des avantages comparatifs chers à Adam Smith, Torrens, Ricardo et au modèle canonique dit Heckscher-Ohlin-Samuelson (HOS). Au sein de la seconde mondialisation qui prend son envol à partir des années 1980, elle a infligé un cinglant démenti à la théorie de la dépendance chère à beaucoup d'économistes disant en résumé : « Les pays sous-développés n'y arriveront jamais », sous-entendu « Parce que nous avons atteint un niveau supérieur de développement qui procède en grande partie de leur dépendance », à savoir dans le langage économique les « conditions inégales de l'échange » les concernant.

Si la montée en puissance du Sud n'est pas comprise et analysée pour ce qu'elle est chez nous, c'est en partie aussi pour des raisons géographico-historiques. On compte peu de travaux français sur les NPI (terme guère prisé) et leur portée, en grande partie parce que l'Hexagone, qui a précocement (et douloureusement) perdu la colonie indochinoise n'est pas très familier avec, ni tourné vers la lointaine Asie extrême-orientale, à la différence du monde britannique, présent dans le Pacifique ainsi qu'à Hong Kong jusqu'en 1997, et des États-Unis, soucieux de ce qui se passe de l'autre côté du Grand océan depuis qu'ils sont devenus eux-mêmes une puissance Pacifique. Héritage du 2e Empire colonial et péripéties de la Françafrique obligent, le Tiers-Monde dépendant est perçu de manière privilégiée comme africain... Une Afrique « mal partie » selon la formule du livre célèbre de René Dumont paru dès 1962 ( ! )[42]. Des pays et un continent que l'on assiste et que l'on « aide », de façon intéressée ou non, mais qui ne saurait devenir un rival et un concurrent, ne serait-ce que pour l'écoulement de ses productions agricoles face aux nôtres.

Certes, une réflexion sur la mondialisation et le terme lui-même apparaît précocement dans notre pays avec des noms comme Charles-Albert Michalet ou François Fourquet[43]. Mais elle reste très théorique, sans jamais être reliée aux défis spécifiques rencontrés par l'économie française réelle dans la globalisation en cours. L'entrée en économie ouverte est assez peu pensée dans notre pays, notamment à propos de la question de la compétitivité à l'exportation, du mode de globalisation des entreprises françaises et de leurs conséquences sur la désindustrialisation et sur l'emploi.

Le lien est rarement établi entre le degré élevé de dépenses sociales en France, qui pèse majoritairement sur les entreprises et l'élévation conséquente du niveau de qualité des produits industriels hexagonaux nécessaire au financement de ces dépenses. Dans un pays où les coûts salariaux et sociaux sont élevés, il faut à la fois cantonner les différents constituants du coût d'exploitation et monter en gamme pour vendre à des prix élevés, comme le fait l'industrie française du luxe. Dans un pays à *high cost* comme le nôtre, il faut fabriquer des produits à *high price* !

Une politique industrielle interventionniste apparaît obsolète à partir du milieu des années 1980 et du calamiteux dépôt de bilan de Creusot-Loire – « Nous ne vivons plus dans une économie administrée », « Il ne faut pas attendre tout de l'État ou du gouvernement » dira significativement en 1997 et 1999 le Premier ministre Lionel Jospin à propos d'« une question industrielle », la fermeture du site de Renault Vilvorde. On ne démarre alors pas de réflexion stratégique sur la place de la France et de l'industrie française dans la globalisation, sur la manière française d'accommoder ou non la mondialisation, à la fois distincte de la manière allemande et anglo-saxonne[44]. On préfère incriminer *L'horreur économique*, titre du best-seller de Viviane Forester, prix Médicis Essais en 1996, la construction européenne, son Grand marché (nécessaire aux entreprises françaises confrontées à un marché domestique désormais mature), et bientôt

**42** – En schématisant, il est frappant de comparer le traitement de l'Afrique sur les chaines télévisées anglo-saxonnes et françaises. Les premières la présentent comme un espace d'entrepreneurs dynamiques et d'opportunités économiques, dans les métropoles urbaines en particulier ; les secondes privilégient les réserves naturelles d'animaux et la vision sahélienne d'un continent rural plongé dans la pauvreté et le dénuement.

**43** – Charles-Albert Michalet, *Le capitalisme mondial*, Paris, Presses Universitaires de France, 1976, livre réédité à plusieurs reprises par la suite ; François Fourquet, dans ses écrits et son livre posthume *Penser la longue durée. Contribution à une théorie de la mondialisation*, Paris, La Découverte, 2018, a essayé de prolonger la démarche de Braudel autour de la notion d'« écomonde ».

**44** – Voir dans ce numéro le texte de Félix Torres, « La mondialisation des entreprises françaises à partir des années 1980, un changement global d'échelle et de logique ».

l'euro, en voyant dans des délocalisations « Made in China » la cause de nos déboires industriels, alors que ces délocalisations ne décollent véritablement qu'à partir de l'entrée de la Chine dans l'OMC en 2001. Si elles ont un certain impact, celui-ci reste limité.

La notion de « patriotisme économique », forgée en juillet 2005 par le Premier Ministre de Jacques Chirac, Dominique de Villepin, devenue courante aujourd'hui avec le slogan « Produisons français » a pour défaut de faire l'impasse sur les mécanismes réels de la globalisation des entreprises et leur insertion réussie dans l'économie globale, à l'instar des entreprises de l'Allemagne et des pays alpino-nordiques.

Le « virage manqué » des années 1974-1984, puis la désindustrialisation française des décennies qui vont suivre ne procèdent pas d'un quelconque « mal français » ou d'une identité de type culturaliste, mais d'un entrelacement de facteurs à la fois historiques, politiques, économiques et sociaux. Faute de penser l'économie réelle et ses défis - surmontables à la condition de les comprendre et de le vouloir –, la perte du sens politique de l'Histoire-progrès cher à la conscience française laisse celle-ci, qu'elle soit de droite ou de gauche, orpheline et désemparée.

## QUESTIONS POSÉES À MICHEL HAU ET FÉLIX TORRES

Voici les questions posées à l'issue de l'intervention introductive et les réponses données par les différents participants.

**Dominique Barjot** (Professeur émérite à Sorbonne Université) - **Les années 1974 à 1984 ont été marquées par un net décrochage de l'économie française par rapport à ses grands concurrents tels que l'Allemagne, le Japon, voire le Royaume-Uni ou les États-Unis. Cette perte de compétitivité s'explique par une convergence de facteurs. Mais quels sont-ils ?**
**1/ L'évolution du facteur travail. Selon Carré, Dubois et Malinvaud,[45] la croissance record des années 1960 s'explique en France par une durée moyenne effective supérieure à la moyenne de l'OCDE et à celle de l'Allemagne, tandis que le nombre total de la population active demeurait stable durant les années 1950 et 1960. En revanche, à partir de la fin de cette décennie, sont arrivées sur le marché du travail les classes nombreuses nées dans l'immédiat après-guerre. Si ce facteur constitue l'une des explications majeures de la montée du chômage, peu de choses ont été dites sur la montée du chômage partiel, sur l'impact des retraites anticipées et, à partir de 1981-1982, sur une politique de réduction du temps de travail prônée notamment par les socialistes (les 39 heures, annonciatrices des 35 heures). Qu'en pensez-vous ?**

**Michel Hau et Félix Torres** - L'idée qu'un retraité de plus = un chômeur de moins est une idée séduisante et simpliste, hélas largement erronée. Elle repose sur une série de postulats d'esprit malthusien, très courus en France selon lesquels l'économie serait un système quasi immobile à somme nulle (1 = 1) et dans lequel les travailleurs seraient facilement interchangeables. Edmond Malinvaud, dans son ouvrage *Essais sur la théorie du chômage* paru en 1983, a démontré que ce n'était pas le cas. La réduction du temps de travail crée artificiellement des difficultés de recrutement, voire de véritables trous de compétence, tout en accroissant les charges supportées par les entreprises. Par les affaiblissements de compétitivité qu'elle provoque, elle fait perdre dans le secteur concurrencé un nombre d'emplois considérable que nul n'arrive à chiffrer avec exactitude, mais qui surpasse largement ceux que l'on a pu créer dans les secteurs protégés. Il suffit, pour s'en donner une idée, de mesurer l'ampleur de l'accroissement du déficit du commerce extérieur qui a succédé à chacune des mesures inspirées par cette politique.

**2/ Les années 1960 ont été marquées par une élévation volontariste de l'effort de recherche-développement, d'ailleurs corrélatif d'un important effort éducatif. Il semble que cet effort ait fléchi de manière sensible dans les années**

45 – Jean-Jacques Carré, Paul Dubois et Edmond Malinvaud, *La croissance française. Un essai d'analyse économique causale de l'après-guerre*, Paris, Seuil, 1972.

**1970 et 1980 : un bon exemple est le choix fait, au début des années 1980, de fonctionnariser massivement les personnels contractuels, avec pour conséquence un sacrifice grandissant de la part des recherches opérationnelles. Le phénomène a eu d'autant plus de conséquences qu'à la différence des États-Unis, de l'Allemagne et du Japon, la plus grande partie de la recherche relevait -et relève encore- du secteur public. La baisse relative du taux de R&D a-t-elle joué un rôle dans le décrochage économique de la France ?**

**Michel Hau et Félix Torres** – L'effort de recherche-développement entre en concurrence avec deux ensembles de dépenses publiques en forte croissance, les intérêts à verser sur la dette et les retraites. Par ailleurs, la fonctionnarisation des personnels des organismes de recherche publique, voulue par les syndicats, mériterait d'être rediscutée à la lumière de comparaisons avec les autres pays. En outre, il apparaît que la recherche-développement qui aboutit le plus vite à des succès économiques est celle qui est menée par les entreprises elles-mêmes. Une comparaison avec la R&D américaine, japonaise ou allemande est éclairante à ce sujet. La France a tardé à mettre en œuvre le phénomène des clusters université/recherche/entreprises apparu aux États-Unis sur la Côte Ouest (agglomération Boston-Cambridge autour du MIT et de la Route 128) puis Ouest (Silicon Valley) et les méthodes innovantes de financement qui les accompagnent, le capital-développement ou private équity… mis notamment au point à Harvard par un Français d'origine, le « général » Georges F. Doriot[46]. Le financement des start-ups innovantes dites licornes ne débutera vraiment en France qu'au tournant des années 2000.

**3/ Le rôle des politiques économiques mérite d'être revisité. Il s'agit d'abord de l'effet des politiques conjoncturelles : en quoi peut-on considérer que les relances keynésiennes de 1974-1976 et de 1981-1983 peuvent être responsables du décrochage économique de la France entre 1974 et 1984 ? N'aurait-il pas été préférable d'encourager, dès 1974, la reprise de l'investissement privé par l'abandon du contrôle des prix et la relance de la Bourse (comme après les élections législatives de 1978) plutôt que de privilégier la relance par l'investissement public et la consommation ? La priorité n'aurait-elle pas dû être donnée à la politique monétaire sur le modèle allemand, sous l'impulsion d'Helmut Schmidt, puis, de façon plus systématique, par Margaret Thatcher au Royaume-Uni à partir de 1979 ?**

**Michel Hau et Félix Torres** – La France et notamment la gauche s'est convertie au keynésianisme dans sa version hexagonale au lendemain de la Seconde Guerre mondiale. Adossée à l'action d'un État modernisateur et à l'idée d'une population appauvrie et en situation de sous-consommation, la politique keynésienne choisie de façon récurrente avait trois avantages, en 1945 comme en

46 – Voir *Antoine Labbé, Le Private Equity au service de l'entreprise*, Paris, Félix Torres Éditeur, 2021.

1974 et 1981-1982 : elle permettait d'aboutir rapidement à une reprise de l'expansion, elle correspondait aux habitudes de pensée d'une fonction publique peu consciente de l'ouverture des frontières et surtout, elle était électoralement très rentable (c'est cette raison qui l'a emporté). Raymond Barre a tenté, lui, de mener l'autre politique, celle d'une adaptation de l'économie française à la mondialisation. Il a échoué non loin du but à cause de la séduction exercée sur l'électorat français par le programme de la gauche combinant un retour aux recettes keynésiennes et une foi quasi religieuse dans les vertus du socialisme.

La mise en œuvre de cette politique a constitué une preuve par l'absurde de la justesse des idées de Raymond Barre, mais sans provoquer jusqu'à aujourd'hui dans l'électorat français une adhésion à une politique rigoureuse de l'offre et de la performance économique. Peut-être faut-il y voir aussi la faiblesse relative du courant libéral en France au regard de la droite de type bonapartiste ou (néo) gaulliste comme le montrent les échecs de Valéry Giscard d'Estaing (VGE) et de Raymond Barre, puis d'Édouard Balladur. L'échec principal de VGE réside dans le fait de ne pas avoir assuré la primauté dans son camp face au renouveau de la droite néo-gaulliste orchestré par Jacques Chirac, qui contribuera à la défaite du président sortant en 1981. Construire et faire réussir politiquement un programme libéral, même modéré comme celui d'Emmanuel Macron aujourd'hui est tout sauf évident dans notre pays ! Peut-être parce que le pragmatisme et le libéralisme économique ne relèvent pas des idéologies politiques qu'affectionne notre pays, de gauche comme de droite.

**4/ Il a souvent été dit que la France souffrait d'une spécialisation insuffisante dans le grand jeu du commerce international, parce que présente dans un trop grand nombre de secteurs à compétitivité faibles (ainsi le textile, la chimie, la sidérurgie, les constructions navales ou l'électronique grand public). Ou bien était-elle d'abord victime d'une insuffisante compétitivité de ses prix en raison d'un différentiel d'inflation supérieur à celui de ses grands concurrents, mis à part l'Italie et, jusqu'à Margaret Thatcher, le Royaume-Uni ? Le déficit commercial grandissant n'a-t-il pas été masqué par l'excédent de la balance des invisibles (notamment par la forte croissance des exportations de grands travaux sous l'effet des deux chocs pétroliers et par le développement du tourisme) ?**

**Michel Hau et Félix Torres** – La France dispose en effet d'un spectre élargi de secteurs économiques, ce qui est à la fois une force et une faiblesse. Sous-capitalisée et en manque de ressources d'autofinancement (voir *infra* notre réponse à Benoit Casaert), ayant tardé à se restructurer et à se concentrer au cours de la décennie 1970 (voir l'exemple éclairant du conglomérat Creusot-Loire), l'industrie française n'est pas montée assez vite en gamme, sauf dans quelques secteurs comme celui de l'aéronautique, stimulé par les commandes publiques et une ouverture internationale précoce (Dassault, Snecma). L'excédent de la balance des invisibles ne suffit plus à compenser le déficit commercial. Le développement du tourisme s'accompagne de la croissance d'emplois précaires et mal payés qui ne donnent pas autant de pouvoir d'achat aux salariés de ce secteur qu'une industrie bien positionnée dans des fabrications de haute valeur ajoutée écoulées sur les marchés des pays à haut revenu, comme le sont les industries suisse, autrichienne ou allemande.

**Hervé Beaudin** (Conseiller à la Cour des Comptes régionale d'Ile-de-France) – **La divergence croissante entre les économies française et allemande intervenue dans la décennie qui suivit la mort, en 1974, de Georges Pompidou, a perduré, et s'est même approfondie, après l'adoption, le 25 mars 1983, par la Gauche au pouvoir, du plan de redressement élaboré par Jacques Delors. N'y a-t-il pas, dès lors, d'autres raisons que l'absence de rigueur qui régna au cours de la décennie 1974-1984, notamment pendant les périodes 1974-1976 et 1981-1983 ?**

**En particulier, la construction européenne n'a-t-elle pas joué un rôle néfaste ? D'une part, les institutions européennes ont mis en avant des personnalités hostiles à l'interventionnisme des pouvoirs publics en matière industrielle, notamment pendant la période (1985-1992) au cours de laquelle Peter Sutherland, puis Sir Leon Brittan exercèrent leurs fonctions de commissaires européens à la Concurrence. D'autre part, et compte tenu de notre culture nationale, attachée à la terre et rétive au risque, les politiques européennes n'ont-elles pas, à compter de l'Acte Unique de 1986, qui prépare et annonce les traités de Maastricht, constitutionnel et de Lisbonne, contribué au déclin irréversible de l'industrie française et, par conséquent, de notre capacité à atteindre les équilibres des comptes publics, du marché du travail et de la balance commerciale en prohibant les aides publiques et la politique industrielle d'un État interventionniste de type colbertiste ?**

**Michel Hau et Félix Torres** – La croissance des années 1974-1976 et, plus encore, celle de 1981-1983, n'étaient que des croissances à crédit. Elles reposaient sur la dépense publique, elle-même financée par l'endettement. Le plan de redressement de 1983 élaboré par Jacques Delors sous la pression de l'Allemagne a mis fin à cet artifice sans résoudre le problème de fond, qui était, et qui est toujours, celui de la compétitivité des grands secteurs de l'économie française dans un contexte de plus en plus global. On peut partager votre constatation que nos partenaires européens sont réticents à s'inspirer du colbertisme à la française. Mais pourquoi le feraient-ils au vu des piètres performances économiques et sociales françaises à partir des années 1970 ? L'exemple français sert d'ailleurs de repoussoir politique dans certains pays ! Ils estiment que le dirigisme « à la française » conduit à des décisions peu rationnelles sur le plan économique en raison de la pression exercée sur les gouvernements par les élus locaux et les syndicats. Nous partageons au fond cet avis en constatant que le recentrage de l'économie sur les entreprises permet de meilleures performances.

La remarque d'une « culture nationale, attachée à la terre et rétive au risque » relève d'une causalité de type culturaliste exprimée notamment par Alain Peyrefitte dans *Le mal français* en 1976. Pour nous, les blocages français sont ailleurs et procèdent de rapports de force et de choix socio-politico-intellectuels. Loin de tout conservatisme, le monde paysan français a fait avec succès sa « révolution verte » au cours des années 1960, développant des industries agro-alimentaires en flèche jusqu'au tournant de l'an 2000. Les patrons français frileux ? C'est une vieille antienne ! Ils ne nous paraissent pas, aujourd'hui comme au XIX^e^ siècle, particulièrement attachés à la terre et encore moins rétifs au risque. C'est oublier la part française dans la 1^ère^ mondialisation à l'image de celle de figures comme Ferdinand de Lesseps, Gustave Eiffel ou un Georges Méliès dans le cinéma, l'invention française de la Belle Époque tout comme (en partie) l'aviation avec une pléiade d'aviateurs-constructeurs très entreprenants ! Si on laissait les entrepreneurs français, autant que leurs homologues européens, disposer des ressources financières que rapporte l'activité de leurs entreprises, ils sauraient développer innovation, recherche-développement, présence sur les marchés mondiaux aussi bien que les autres. En tout cas, cela vaudrait au moins la peine d'essayer...

Nous ne sommes plus au XVII^e^ siècle et au temps du *Bourgeois gentilhomme*... ni à celui de Colbert. Attribuer à l'Europe la désindustrialisation de la France bien plus forte qu'ailleurs sur le continent, c'est faire de la première un bouc émissaire commode au détriment de causes réelles très nationales. « La politique industrielle, la politique industrielle », comme aurait pu le dire de Gaulle ?... Si le soutien de l'État pour initier des secteurs dans l'« enfance » est justifié, il ne remplace pas l'incontournable orientation à l'exportation qu'ont pratiquée avec succès les économies des pays alpino-nordiques, des Dragons asiatiques et de la Chine continentale. Le marché national étant devenu trop étroit, la question pour la France des années 1970 et ultérieures réside plutôt dans l'adaptation compétitive et innovatrice de son industrie à un environnement européen et mondial qui change radicalement par rapport au rattrapage d'après-guerre qui avait eu lieu au sein d'une économie attardée et semi-fermée.

Faire de l'industrie sans prendre en compte le monde extérieur ?... C'est l'industrialisation de substitution aux importations, un modèle dont le Mexique des années 1960 jusqu'au milieu des années 1970 a offert l'exemple le plus abouti, avant qu'il ne se dérègle sous l'effet de la crise de 1974 jusqu'au défaut de paiement du pays en 1982, défaut de paiement qui guettait également à la même époque la France... sauvée en mars 1983 par le choix de la rigueur et l'adossement au Système monétaire européen avec le soutien de l'Allemagne. C'est l'un des derniers avatars de la politique industrielle à la française, celui de Topco/Areva au début des années 2000, une création publique dans le nucléaire civil conçue sur le papier autour de la notion de filière, de la mine d'uranium à la production d'électricité finale, sans considération des besoins réels du marché international, avec à la clé une faillite retentissante de près de 20 milliards d'euros et le démantèlement du groupe public.

**Benoît Casaert** (post-doctorant à l'UMR 8596 Centre Roland Mousnier) - **Comment la France a-t-elle pris le virage de la financiarisation entre 1974 et 1984. N'a-t-elle pas souffert de la faiblesse de la Bourse française ? L'évolution a-t-elle été imposée de l'extérieur ou est-elle, au moins en partie, le produit d'une évolution de la vision des milieux bancaires ou financiers français ou, tout au moins, de celle de l'Inspection des Finances ?**

**Michel Hau et Félix Torres** - Cette question est importante, même s'il faudrait plutôt qualifier le « virage de la financiarisation » selon vos termes comme un mouvement général de dérégulation de la sphère bancaire et financière, dit des « 3 D » : désintermédiation, décloisonnement, déréglementation. En outre, celui-ci intervient au milieu de la décennie suivante et non de 1974 à 1984, même si la question de la modernisation du marché financier français est posée à partir de la seconde moitié des années 1960. Etriqué, le marché boursier et financier français subit alors une phase de baisse depuis le début des années 1960 (générale dans le monde occidental) qui favorise le recours aux obligations d'État et à l'or, au détriment des actions. Quelques frémissements ont lieu à partir de 1978, la création des SICAV Monory et des Fonds Communs de Placement (FCP), une série de rapports de grands commis (notamment celui de Pérouse en 1980) qui vont préparer la déréglementation de la décennie 1980. Ceci expliquant en partie cela, de façon générale, les entreprises françaises, qui pratiquent l'enchevêtrement des sociétés d'auto-contrôle en cascade sont alors largement sous-capitalisées, certains chefs d'entreprise comme Didier Pineau-Valencienne évoquant un « capitalisme sans capital ».

Paradoxalement, c'est après l'arrivée au pouvoir de la gauche que la dérégulation a lieu : les besoins d'emprunt de l'État étaient devenus si considérables que les fonctionnaires du Trésor n'ont eu d'autre solution que de libéraliser le marché des capitaux (avec par exemple la création des obligations assimilables du Trésor, dites OAT, en 1985) et d'aller négocier en termes favorables sur les marchés extérieurs les volumes d'emprunts et de refinancement de la dette nécessaires. S'y ajoutait la crainte que, avec les « Big Bangs » annoncés des Stock Exchange de New York et de Londres, la Place de Paris ne soit marginalisée. Les interactions d'idées et de personnes entre hauts fonctionnaires du Trésor et responsables financiers français au cours des années 1980 mériteraient une étude particulière d'autant qu'il s'agit d'une réforme couronnée de succès, ce qui est rare à l'époque !

Les entreprises françaises ont profité de cette libéralisation pour se capitaliser, c'est-à-dire accroître emprunts, émissions d'actions et de nouveaux véhicules financiers (OBSA, etc.) en France et à l'étranger, ce qui a favorisé - sinon permis - leur mondialisation qui débute à cette époque. La cotation sur des marchés financiers plus globaux et plus exigeants avec leurs exigences de performance et de reporting ont contribué à cette réussite au grand large, dessinant le visage du capitalisme français mondialisé, distinct de celui de l'Allemagne notamment. Les entreprises du CAC 40 créées à cette époque sont aujourd'hui largement internationalisées, dans leurs activités comme dans leur capitalisation.

**Olga Melnichenko** (doctorante à l'UMR 8596 Centre Roland Mousnier, intervenant depuis Moscou) – **Après la Seconde Guerre mondiale, l'URSS a beaucoup bénéficié du démontage des usines allemandes pour moderniser son industrie. Cela s'était passé aussi pour la France après la Première Guerre mondiale (sidérurgie lorraine, brevets chimiques allemands cédés dans le cadre du Traité de Versailles). Mais qu'en a-t-il été pour la France après la Seconde Guerre mondiale ? D'une manière générale, quelle a été l'influence du modèle allemand sur l'économie française après la Seconde Guerre mondiale (on évoque notamment la loi de 1966 sur les SA à directoire et conseil de surveillance) et, notamment entre 1974 et 1984 (modèle de la cogestion) ?**

**Michel Hau et Félix Torres** – La zone d'occupation accordée à la France en 1945 était l'une des parties les moins industrialisées de l'Allemagne. Il y avait peu d'usines à démonter. Le plus gros gain obtenu par la France, ce fut de pouvoir recruter des ingénieurs allemands qui avaient travaillé sur les fusées et sur la propulsion à réaction : la fusée Véronique et les réacteurs ATAR qui ont propulsé les avions Mystère et Mirage furent conçus par des équipes dirigées par des ingénieurs allemands. En ce qui concerne le droit commercial, la construction européenne pousse à un rapprochement progressif. Et la loi de 1966 va dans ce sens. Quant à instaurer en France une cogestion à l'allemande, c'est pour le moment peu envisageable, car les relations entre les syndicats et le patronat y sont beaucoup plus conflictuelles qu'Outre-Rhin.

Si ce que vous dites sur les gains français après la Première Guerre mondiale (auxquels on pourrait rajouter la reprise du gisement de potasse alsacien découvert à l'époque du Reichsland d'Alsace-Lorraine) est vrai, le modèle entrepreneurial principal de modernisation de l'industrie française d'après-1945 sera le modèle américain, illustré par les missions de productivité, marqué par l'importation du management et du modèle des *business schools*, renforcé par l'implantation de sociétés américaines en France dirigées par des cadres français. Cette influence a été largement étudiée par de nombreux travaux historiques comme ceux dirigés par Dominique Barjot. Perçu comme un rival dangereux, le modèle américain pâlit pourtant dans les années 1970, remplacé en partie par le modèle japonais. Même s'il est largement célébré en France depuis les années 1970, il ne semble pas que le modèle allemand ait été vraiment repris en France, sauf peut-être quant à la nécessité d'avoir un tissu de moyennes entreprises (dites aujourd'hui ETI – Entreprises de taille intermédiaires), à l'image du Mittelstand allemand.

**Raphaël Orange-Leroy** (doctorant contractuel à l'Université de Cergy-Pontoise) – **Les industries du luxe et le tourisme sont souvent mis en avant comme constituant des secteurs dans lesquels la France a été et demeure très compétitive. Qu'en a-t-il été au cours des années 1974 à 1984 ? Par ailleurs, les années 1974 à 1984 n'ont-elles pas été caractérisées par un reflux de l'américanisation, notamment par comparaison aux décennies 1950 et 1960, marquées par le succès notamment des missions de productivité ?**

**Michel Hau et Félix Torres** – L'industrie du luxe et le tourisme bénéficient en France d'un avantage comparatif tellement important qu'il s'apparente parfois à une véritable rente de situation. S'y ajoutent les talents et les savoir-faire des actifs de ces secteurs construits dans la durée, mais longtemps traditionnels sinon somnolents, jusqu'à la vogue de la notion moderne de patrimoine et l'avènement des industries culturelles au tournant des années 1970-1980. Ces secteurs échappent ainsi au déclin relatif ou absolu qui affecte beaucoup d'autres activités après 1974, tout en se métamorphosant. Car le vrai décollage mondial du luxe à la française (mais aussi du secteur en général, qu'il soit italien, britannique ou américain) date du milieu de la décennie 1980 avec la création de LVMH, le groupe multimarques (françaises et internationales) de Bernard Arnault, puis de son alter ego et rival Kering, le groupe de la famille Pinault (lui aussi multimarques, françaises et italiennes notamment). Mais cette nouvelle industrie du luxe a peu à voir avec les maisons traditionnelles façon Christian Dior de l'empire déchu Boussac. Le luxe devient une industrie d'offre multiple (parfums, prêt-à-porter, accessoires...), déclinée systématiquement et globalement vers les nouvelles classes moyennes et supérieures liées à la mondialisation dans de nouveaux espaces de consommation dédiés (boutiques, malls commerciaux, aéroports, etc.)

En ce qui concerne le reflux de l'américanisation, on peut le comprendre comme l'achèvement du processus de rattrapage amorcé en 1945. Publié en 1968, l'ouvrage de Jean-Jacques Servan-Schreiber *Le défi américain* marque le moment où l'Amérique, hier le modèle « à imiter servilement » (phrase des ingénieurs d'EDF à l'égard des PWR, les réacteurs à eau pressurisée sous licence Westinghouse qui vont équiper le grand programme nucléaire français) devient un rival à l'égard duquel on peut justement rivaliser et s'émanciper. Comme il a été dit plus haut à propos de la question d'Olga Melnichenko, le modèle américain apparaît fané, parce qu'il a été assimilé, voire dépassé. Il ne faut cependant pas sous-estimer son influence ultérieure, au sein des écoles françaises de management qui font très bonne figure dans les classements internationaux et ailleurs, en matière de techniques financières, de modèles de management (*réingenering, externalisation, core business...*), de nouveau outils techniques (Internet, smartphone...) et de style entrepreneurial façon start-ups nées dans un garage grâce au pré-financement du capital-développement (*private equity*)...

L'Amérique n'est jamais morte, comme le montre le modèle actuel des plates-formes commerciales et d'échange animées notamment par les GAFA, même si pointe peut-être aujourd'hui un modèle chinois en matière d'e-commerce notamment. La question peut d'ailleurs être posée : la France a-t-elle créé et exporté dans la deuxième moitié du XX^e^ siècle-début du XXI^e^, des modèles d'industrialisation et de management... Il semble que non !

**Samir Saul** (Professeur d'histoire économique et des relations internationales à l'Université de Montréal) - **1 / À propos du bannissement du mot « compétitivité » après mai 1968, je crois me rappeler qu'il était un leitmotiv de la présidence de Pompidou et répandu à l'époque pompidolienne, tout comme la notion de « champions nationaux ».**

**Michel Hau et Félix Torres** - Le mot « compétitivité » apparaît encore en 1971 dans l'introduction du VI^e^ Plan rédigée par René Montjoie, mais il est absent du reste du texte, qui, élaboré de façon consensuelle avec les syndicats, se borne à exhorter les entreprises à « comprimer leurs coûts et assurer la meilleure commercialisation de leurs produits ». Il est banni des discours officiels. Et pour cause : le Premier ministre de Georges Pompidou est Jacques Chaban-Delmas, dont le programme de « nouvelle société » consiste à accroître les prestations sociales et son ministre des Finances est Valéry Giscard d'Estaing, dont la préoccupation principale est de faire oublier son plan de stabilisation de 1963. Les deux hommes ont d'abord pour objectif de se faire élire président de la République.

La politique des champions nationaux mériterait une investigation historique d'ensemble qui n'existe pas à notre connaissance. Elle prend le plus souvent la forme de fusions sur papier, de simples rapprochements qui se cantonnent à la juxtaposition des actifs existants, sans rationalisations, ni restructurations douloureuses (ne froisser personne au sommet, ne pas remettre en cause les domaines d'activité en place et leurs cadres, ne pas fermer de sites, ni licencier...). Ces fusions ne réalisent que de modestes économies d'échelle sans injection de capital, c'est-à-dire de fonds propres... et ce faute de réels actionnaires privés, l'État n'étant guère capable et désireux de mettre la main à la poche...

**2 / 2^e^ question sur la mondialisation - Il est vrai que l'industrialisation des pays du Sud (« émergents » ou Nouveaux Pays Industrialisés - NPI) n'était pas prévue durant les années 1960-1970. Elle semble bien être un résultat de la mondialisation qui prend son élan durant les années 1980. En ce sens, il y a une corrélation entre l'industrialisation du Sud et la désindustrialisation du Nord. En ce qui concerne la France, elle a peut-être été rétive à la notion d'une « économie ouverte » mais, que l'économie soit « ouverte » ou « fermée », les entreprises françaises n'ont pas été gênées par la doctrine. Nombre d'entre elles ont délocalisé leurs unités de production et, de toute**

**évidence, réussi leur mondialisation, même si la France en a pâti sur le plan économique, et d'autres plans aussi.**

**Michel Hau et Félix Torres** – Initiée par les États-Unis autour de l'« équation inébranlable » de Cordell Hull, le secrétaire d'État de Roosevelt qui disait notamment : « La paix économique est garantie par l'ouverture des marchés en vue de favoriser l'extension du commerce international, qui est lui-même garanti par la puissance économique », la 2e mondialisation (la 1ère étant celle du XIXe siècle) débute au lendemain de la Seconde Guerre mondiale avec l'instauration des GATT dont les Rounds successifs vont sans cesse élargir l'étendue jusqu'à la création de l'OMC en 1994. Les économies domestiques, généralement semi-fermées (contrôle des changes et des prix, marchés nationaux autonomes de rattrapage) s'ouvrent de façon croissante au fil de leur prospérité qui fait éclater le cercle vertueux mais fonctionnant en vase semi-clos du fordisme (mieux payés dans une industrie plus productive, les ouvriers de l'industrie automobile achètent toujours plus de voitures nationales… jusqu'au moment où ils peuvent et veulent acheter étranger !)

La mondialisation n'est pas un mouvement de vases communicants, industrialisation ici, désindustrialisation là, mais une redistribution dynamique et globale des termes de l'échange selon le paradigme formulé par Ricardo et théorisé par le modèle Heckscher-Ohlin-Samuelson (HOS). En ce sens, la globalisation économique (terme préférable à celui trop étroitement géographique de mondialisation) ne se résume nullement à la délocalisation, c'est-à-dire à la mise en place de chaines de valeur mondiales. Elle combine selon des degrés variables des stratégies d'exportation ; de transferts internationaux de technologies et de licences (franchises comprises) ; d'implantations « horizontales » et « verticales » à l'étranger via des acquisitions ou des créations ex-nihilo, à des fins commerciales, industrielles, logistiques ; des partenariats ou des alliances stratégiques, etc.

C'est le virage du « grand large » qu'ont su prendre au cours des années 1980 (avec quelques pionniers dans la décennie précédente) les grandes entreprises françaises, anciennes ou nouvelles réunies dans le CAC 40 à partir de décembre 1987, en trouvant un relais global hors de l'espace national via la constitution de nouveaux pôles de valeur et de profit. L'écrasante majorité des entreprises petites et moyennes est pour sa part restée prisonnière, dans les frontières de l'Hexagone, d'un système fiscal et réglementaire les tuant à petit feu. La lourdeur des prélèvements et les contraintes administratives de toutes sortes les ont empêchées d'investir pour abaisser leurs coûts de production, de faire monter en gamme leurs fabrications et de développer leur présence à l'étranger, ce qu'ont mieux réussi à faire les entreprises des pays voisins. L'Allemagne compte à présent une proportion double de celle de la France pour la population occupée dans l'industrie, la France n'étant plus que la quatrième puissance industrielle d'Europe, derrière l'Allemagne, le Royaume-Uni et l'Italie.

Il est trop facile d'attribuer le déclin industriel hexagonal à la mondialisation et à la concurrence des NPI. Pourquoi celles-ci affectent-elles beaucoup moins les autres pays de l'Europe alpino-nordique ? La cause réside dans l'adaptation déficiente de la France post-1970 à celles-ci, tout comme à l'impact technique et organisationnel de la 3e ou 4e révolution industrielle que la France affronte particulièrement mal, par la faute de son système d'éducation et d'apprentissage défaillant. Pour être compétitives, nos entreprises, notre économie ont besoin de jeunes et d'adultes formés et qualifiés. Le manque de compétences et de qualifications affecte aujourd'hui de très nombreux secteurs, en fait presque tous. Les entreprises peinent à recruter, car elles affrontent actuellement une pénurie de qualifications. De nombreuses études internationales l'ont montré, le taux d'emploi est lié au niveau de compétences et de qualifications. Plus ce niveau est élevé, plus les compétences sont élevées avec, en tête des pays développés, le Japon, les Pays-Bas, la Suède, le Danemark, l'Allemagne, la Suisse ; en queue l'Italie, l'Espagne, la Grèce, la France... L'échec français en matière de formation et d'apprentissage a de lourdes conséquences sur l'état général de la France et de son industrie.

REVUE FRANÇAISE
D'HISTOIRE ÉCONOMIQUE

N° 15

# Document

THE FRENCH ECONOMIC
HISTORY REVIEW

N° 15

# Document

# OPA SUR LA GÉNÉRALE DE BELGIQUE (1988)

« Il arrive que des événements que l'on ne prévoyait pas font peu à peu leur entrée dans la vie de l'entreprise et l'obligent à réagir.

Ce fut le cas lorsque la Générale de Belgique, le plus grand groupe belge très diversifié, présidée par le gouverneur Lamy, fut l'objet des convoitises de Carlo De Benedetti. La Lyonnaise des eaux était très liée avec la Compagnie financière de Suez, qui l'avait protégée des visées de l'Alspi[1] en 1969. « Le Suez », comme on disait, détenait entre 10 % et 18 % du capital de la Lyonnaise selon les circonstances, mais restait le premier actionnaire, les autres ayant des participations de moindre importance. Le flottant[2] était de l'ordre de 60 à 70 %.

Ce qui pouvait affecter de quelque manière le Suez n'était donc pas sans conséquence pour la Lyonnaise des eaux. Le nouveau président de Suez, ancien gouverneur de la Banque de France, Renaud de La Genière, était peu habitué à des « coups financiers » importants et brutaux. Lorsque Carlo De Benedetti vint, pendant l'été 1987, avec une boîte de chocolat, lui annoncer sa décision d'attaquer la Générale, R. de La Genière n'apprécia pas cette démarche cavalière et réunit ses collaborateurs et alliés, au nombre duquel nous étions. Il déclencha une contre-OPA.

Au bout de quelque jours, la vigueur de la compétition fit monter très haut le cours de la Générale. Je décidai alors de joindre les efforts de la Lyonnaise des eaux à ceux de Suez, et nous achetâmes des actions jusqu'à ce que la majorité de Suez soit assurée. La contre-OPA dura quatre longs mois, de janvier à avril

1 – Fondée en 1923 comme Société française Hispano-Suiza, en 1966 à la suite de l'absorption de la Société de constructions mécaniques, elle devient Société hispano-Alsacienne. En 1968, elle absorbe la Société alsacienne de mécanique et de câblerie et prend comme raison sociale « Société alsacienne de participations industrielle ».

2 – On appelle flottant la part des actions d'une société cotée en Bourse détenue par les petits actionnaires.

1988. Elle reçut un accueil favorable du gouverneur Lamy, Suez étant un groupe de même espèce que le sien (traditions, position dans la société, assise, métiers financiers et de concessions). Mais Carlo De Benedetti s'était démené avec ses alliés, trouvant en France ce qu'il fallait pour agréger autour de lui quelques banques et des conseilleurs ou intermédiaires toujours au courant de tout parce que travaillant pour tout le monde, rémunérés en conséquence, dont l'un n'hésita pas à me recommander de trahir mon accord avec Suez - ce que pour ma part je refusai. Au bout de six mois, l'offre réussie, nous cédâmes à Suez les titres de la Générale que nous avions acquis.

Depuis plus d'un siècle, la Générale avait été dominante dans ses métiers en Belgique et au Congo belge. Elle était bien implantée en Chine et en Amérique latine. Elle était au fil des temps devenue très riche. Mais elle payait sa dispersion dans de multiples filiales, et une position trop bien installée depuis longtemps. L'état de son portefeuille, à la fin de 1939, était constitué par d'importantes participations dans des banques et des compagnies d'assurances, des chemins de fer, des charbonnages, la métallurgie, les métaux non ferreux, l'électricité, la navigation, des compagnies coloniales, diverses holdings, des verreries, de l'industrie chimique, des groupes de textiles.

La Générale avait subi un choc psychologique, politique et culturel qui s'apaisa peu à peu pour trois raisons : la ténacité et la très bonne connaissance de la Belgique de Gérard Mestrallet, qui fut son premier président après l'OPA ; la création d'un acteur majeur de dimension mondiale dans le secteur de l'énergie au moment où la pénurie fit grimper les prix et pour longtemps ; les progrès de l'idée européenne, qui donnaient un sens à cette entreprise binationale. Ce fut une opération difficile, comme toute OPA suivie d'une contre-OPA, avec ses coups bas et ses embuscades, en particulier dans la grande presse. Un parcours du combattant. La prise de contrôle eut lieu en 1988.

Le vicomte Étienne Davignon, né en 1932, avait été l'un des grands témoins de l'après-guerre du royaume de Belgique. Il fut un allié précieux pour Gérard Mestrallet. Chef de cabinet de Paul-Henri Spaak, vice-président de la Commission des communautés européennes de 1981 à 1985, [président, puis ][3] vice-président de la Société générale de Belgique et de Tractebel de 1988 à 2001, administrateur de Suez depuis 1989 au lendemain de la prise de contrôle de la Générale par Suez, membre de plusieurs dizaines de conseils d'administration, et président de nombreuses filiales de la Générale, il est le représentant archétypique des milieux d'affaires belges. Je l'ai connu à la table ronde des industriels européens et au conseil d'administration de Suez. C'est un homme doté de beaucoup de bon sens, si talentueux que, même s'il n'obtient pas toujours par un compromis le résultat escompté, il fait en sorte que l'on ne s'en rende pas compte. Les hommes d'affaires apprécient ses grandes qualités de diplomate ; les diplomates le considèrent comme un chef d'entreprises tant il participe, par ses fonctions d'administrateur, à la vie sociale de son pays et de

3 – C'est nous qui ajoutons (*vide infra*).

la France. Tirant sur sa pipe pour gagner du temps, il possède un art consommé de ne jamais créer d'antagonismes. »

Texte extrait de Jérôme Monod, *Les vagues du temps. Mémoires*, Paris, Fayard, 2009, 432 p., cité p. 187-189.

### L'auteur : Jérôme Monod (1930-2016)[4]

Né le 7 septembre 1930 à Paris, il est le fils d'Olivier Monod, chirurgien. Marié en décembre 1963 à Françoise Gallot, père de trois enfants, il a fait ses études à l'École alsacienne, aux lycées Buffon et Henri IV et aux Facultés de droit et des Lettres de Paris. Il est licencié en droit et ès lettres, diplômé de l'Institut d'études politiques de Paris. Élève à l'École nationale d'administration (1955-57), il devient à sa sortie auditeur de 2e classe à la Cour des comptes (1957), rapporteur près la mission d'études du secrétariat général pour les Affaires algériennes (1958), chargé de mission au cabinet de Michel Debré (Premier ministre 1959-1962), conseiller technique, adjoint au directeur du cabinet de M. Schumann (ministre chargé de l'aménagement du territoire, 1962), conseiller référendaire à la Cour des comptes (1963), chargé de mission (1963), délégué adjoint (1966) puis délégué (1968) à l'Aménagement du territoire et à l'Action régionale. À la tête de la Délégation à l'aménagement du territoire (DATAR), il remodèle la France. « Il était plus puissant qu'un ministre, réglait en un tour de main les affaires les plus délicates en fil direct avec Matignon, et les préfets le redoutaient », se souvient un de ses anciens collaborateurs.

Cette efficacité lui vaut de devenir directeur (septembre 1975-août 1976) du cabinet de Jacques Chirac (Premier ministre), puis Secrétaire général du RPR. Son itinéraire brillant destinait en effet ce protestant, marié à la petite-fille de l'ancien président du conseil Henri Queuille, à une carrière administrative et politique prestigieuse. Mais si les affaires et le sens de l'État dont il a appris auprès de Michel Debré tout le poids le passionnent, « la politique politicienne et calculatrice », comme il le dit, lui fait horreur. Son indéfectible amitié pour J. Chirac n'y fait rien : exaspéré par les manigances ou les doubles jeux des « cabinets noirs », il ne reste qu'un peu plus d'un an au secrétariat général du mouvement gaulliste, de fin 1976 à mars 1978.

À l'été 1979, il entre à la Lyonnaise des eaux comme chargé de mission auprès du président, l'ancien préfet Chaussade, qu'il a connu vingt ans auparavant lors d'un stage à Châlons-sur-Marne. Depuis, il ne cesse de gravir les échelons et d'affirmer son autorité. Devenu PDG de la Lyonnaise en 1980, il s'y entoure d'un

4 – Dominique Barjot, « Jérôme Monod (1930-) », dans Jean-Claude Daumas *et alii* (dir.), *Dictionnaire Historique des patrons français*, Paris, Flammarion, 2010, p. 490-492.

noyau de fidèles dont plusieurs ont grandi dans son ombre et sous sa férule à la DATAR. Pour relancer le groupe, il le fusionne avec Dumez, dont il connaît le PDG, Jean-Paul Parayre, depuis plus de vingt ans. Quand le premier était à la DATAR, le second, ancien de Polytechnique et de sept ans son cadet, était directeur au ministère de l'Industrie. L'un et l'autre par la suite, plus par dépit que par avidité pécuniaire, ont lâché l'État pour les affaires.

Le rapprochement n'a pas l'effet escompté. Dumez s'avère un colosse aux pieds d'argile, dont une diversification débridée et le non renouvellement de toute une génération d'ingénieurs et de conducteurs de travaux a ruiné la compétitivité. En revanche, le pôle BTP de la Lyonnaise (GTM Entrepose) prend le dessus. Tant dans le domaine de l'eau que du BTP, la lutte s'intensifie avec la Générale des eaux (qui contrôle SGE), et Bouygues (notamment par sa filiale, la SAUR , Société d'aménagement urbain), mais aussi dans l'audiovisuel : face à TF1, repris par Bouygues en 1986, et à la création, dès 1984, de Canal + (où la Générale des eaux détient une participation significative), il prend part à la constitution de M6. Le jugeant trop dépendant du BTP, il accentue l'orientation de son groupe vers les services à l'environnement : déjà majoritaire depuis 1972 dans Degrémont et SITA, la Lyonnaise prend le contrôle d'Elyo en 1994. En 2000, J. Monod décide un rapprochement avec la SGE, tout juste devenue indépendante de Vivendi (ex-Générale des eaux) sous le nom de Vinci, et lui cède l'essentiel de GTM, à l'exception de l'installation électrique (GTME, Entreprise Industrielle), qui, regroupée, prend le nom d' Ineo. À la différence de Vivendi, Suez conserve un temps une participation substantielle dans Vinci, à qui elle donnera plus tard un président, Yves-Thibault de Silguy[5]. En 2000, cette importante opération réalisée, Jérôme Monod cède la présidence du nouveau groupe Suez-Lyonnaise des eaux à Gérard Mestrallet, protestant comme lui et fidèle à la même rigueur.

Il redevient un des plus proches conseillers politiques de Jacques Chirac en 2000, pour préparer à la fois l'élection présidentielle de 2002 et la création de l'Union pour un mouvement populaire (UMP). J. Chirac élu président de la République, J. Monod, conseiller du Président, dispose d'un bureau à l'Élysée, dans le salon d'Argent. Véritable « éminence grise » du Président, avec Alain Juppé (qui devient président de l'UMP), il participe de près aux tractations internes à cette formation, y compris dans la préparation des élections régionales de 2004. Proche de J. Chirac, ses relations avec Nicolas Sarkozy ne sont notoirement pas des meilleures, mais en janvier 2007, il annonce son soutien au candidat de l'UMP à la présidentielle. En 2001, il est candidat à l'élection municipale de Lourmarin, où il possède le domaine viticole du Château Fontvert. Public Member du Hudson Institute (1972), Jérôme Monod est l'auteur

**5** – Dominique Barjot, *La trace des bâtisseurs : histoire du Groupe Vinci*, Vinci, 2003, p. 493.

de trois ouvrages importants : *L'Aménagement du territoire* (co-auteur, 1971), *Transformation d'un pays* (1974) et, bien sûr, ses mémoires, parues en 2009.

## L'OPA de Carlo De Benedetti

La Société générale de Belgique (en néerlandais *Generale Maatschappij van België*) a été sans doute la plus importante société qui ait jamais existé en Belgique[6]. Fondée en 1822 par le roi Guillaume 1er des Pays-Bas, devenue belge en 1830, elle a poursuivi son existence jusqu'en 2003, quand son actionnaire unique d'alors, Suez-Lyonnaise des eaux, la fusionne avec Tractebel pour former Suez-Tractebel. D'abord axé sur l'industrie, notamment la métallurgie et l'armement, ainsi que les transports (ligne Bruxelles-Malines, 1835 ; Compagnie mutuelle des tramways, 1895 ; chemin de fer Pékin-Hankow, 1902, Compagnie maritime belge, 1930), le groupe s'est ensuite développé dans le secteur de la finance et de l'énergie (création de la Société du « Gaz belge » dès 1862, Gazélec en 1930, centrales nucléaires de Tihange et Doel, 1975), avec notamment Tractebel (1929), Electrobel (1929) et Distrigaz (1929).

1988 constitue un tournant dans son histoire[7]. À cette époque, la Générale de Belgique présente un certain nombre de fragilités : des participations souvent minoritaires, une dispersion excessive entre de multiples secteurs d'activité, une fonction de holding financier et un actionnariat très dispersé. C'est l'occasion que saisit un outsider ambitieux, Carlo De Benedetti pour lancer une OPA hostile[8]. Outre la dispersion de son actionnariat, la Générale souffre d'actions sous-cotées et du fait que la législation sur les OPA n'a pas encore été votée. Le raid boursier s'accompagne en outre d'une bonne préparation médiatique autour de thèmes tels que l'intérêt supérieur de la Belgique et la modernisation nécessaire de ses institutions financières. Sans doute Benedetti convoite-t-il les actifs énergétiques que la SGB contrôle à travers Electrabel et Tractebel[9].

Carlo De Benedetti, né le 14 novembre 1934 à Turin, est alors un important homme d'affaires italien[10]. Ayant repris une affaire familiale, il est devenu le plus important producteur indépendant de pièces automobiles en Italie. En 1978, il a pris, grâce à la holding Cerus (Compagnies européennes réunies) le

**6** – René Brion, Jean-Louis Moreau, *La Société générale de Belgique, 1822-1997*, Fonds Mercator, 1998 ; G. Kurgan-van Hentenryk, *Gouverner la Générale de Belgique. Essai de biographie collective*, De Boeck Université, 1996 ; Xavier Maville, Chales X. Tulkens, Anne Vincent, *La Société générale de Belgique 1822-1997. Le pouvoir d'un groupe à travers l'histoire*, Bruxelles, Éditions Crisp, 1997.

**7** – Alain Beltran et Jean-Pierre Williot, avec la collaboration de Jean-Louis Moreau, René Brion et Hubert Bonin, *Suez. L'Histoire*, Paris, Éditions PC, 2008, p. 212-213.

**8** – René Lamy, *Narration authentique d'une OPA Bataille pour la Société générale de Belgique*, Paris - Louvain-la-Neuve, Duculot, 1990.

**9** – Béatrice Delvaux et Stefaan Michielsen, *Le Bal des empires. Les dessous du capitalisme belge*, Bruxelles, Racine, 1999.

**10** – Jules Fabre, *Qui est Carlo De Benedetti? Le combat pour la Générale*, Bruxelles, Éditions Roularta, 1988.

contrôle d'Olivetti, puis, en 1986, de Valéo[11]. Sa stratégie est celle de l'actionnaire de référence : « donner en tant qu'actionnaire principal, mais minoritaire, la possibilité de définir des choix stratégiques essentiels, d'assurer l'impulsion managériale et le contrôle des résultats ». Il est cependant entouré d'une réputation sulfureuse. En effet, il a été condamné à six ans et quatre mois d'emprisonnement pour banqueroute frauduleuse, condamnation confirmée en appel, ayant gagné 40 milliards de lires de plus-value avant la faillite de la banque, le Banco Ambrosiano, dont il était vice-président. Le président en était Roberto Calvi, retrouvé pendu, après ces vicissitudes, à Londres, sous le Blackfriars Bridge[12]. C. De Benedetti a été relaxé peu après en Cassation. La faillite de cette banque, en 1982, a constitué cependant l'un des plus grands scandales financiers internationaux.

Ayant perdu le contrôle d'Olivetti, cédé à Mannesmann en 1995[13], Carlo De Benedetti est alors président de la holding Cerus et de la *Compagnie Industriali Riunite* (CIR)[14]. Il a été surnommé *condottiere* à l'occasion de l'affaire de la Société générale de Belgique. Benedetti est depuis toujours lié au centre gauche. Adversaire historique de Silvio Berlusconi, il lui a été notamment opposé dans l'affaire judiciaire SME, groupe italien agroalimentaire semi-public racheté par lui à un prix avantageux. Silvio Berlusconi a été accusé ainsi d'avoir soudoyé des juges pour bloquer la vente de SME à un prix très bas à la société italienne Buitoni appartenant à C. De Benedetti. Cerus s'est fait connaître par la prise de contrôle de Valeo et des Presses de la Cité, mais subit un grave revers en 1988 dans sa tentative d'OPA sur la Société générale de Belgique. Cerus a vendu en 1996 sa participation dans Valeo à la CGIP, holding financière de la famille Wendel, dirigée par Ernest-Antoine Seillière. À partir de 1990, la société a commencé à susciter la suspicion de la place financière parisienne. La première guerre du Golfe lui a été fatale. Après le 2 août 1990, la valeur de l'action, suivant celle de ses actifs a décliné sérieusement, provoquant, quelques années plus tard, un coup d'accordéon sur le capital. La CIR a décidé, à la fin des années 1990, son retrait de la France par le biais d'une OPA sur le titre Cerus, radié du registre du commerce et des sociétés le 10 juillet 2000.

11 – « Valéo : Carlo de Benedetti, Suez et autres », *Le Monde*, 22 février 1986, https://www.lemonde.fr/archives/article/1986/02/22/valeo-de-benedetti-suez-et-d-autres_2924619_1819218.html, consulté le 13 février 2021.

12 – Rupert Cornwell, *Le banquier du Vatican, celui par qui le scandale arriva*, Plon, 1983.

13 – Roland Rossier, « De la Loge P2 à la perte de contrôle d'Olivetti, Carlo De Benedetti livre son testament économique », *Le Temps*, 27 décembre 2000, https://www.letemps.ch/economie/loge-p2-perte-controle-dolivetti-carlo-benedetti-livre-testament-economique, consulté le 13 février 2021.

14 – Alain Minc, *La Grande Illusion*, Paris, Grasset, 1989 et Livre de Poche, 1889, en particulier p. 186-190.

## Les acteurs de la contre-OPA

En janvier 1988, l'offensive de Carlo De Benedetti atteint son maximum d'intensité[15]. Président de la SGB de 1988 à 2001, Étienne Davignon organise la résistance[16]. Deux semaines après le déclenchement de l'OPA et conseillé par la banque Lazard, Suez passe à la contre-offensive, jouant le rôle du « chevalier blanc » : c'est un remake de l'OPA de BSN contre Saint-Gobain, Suez ayant été alors le principal soutien de la Compagnie verrière[17]. Suez et la SGB rachètent un maximum d'actions de la Générale, avec l'appui, en sous-main, de la Lyonnaise des eaux. Lorsque Benedetti passe à l'action, SGB et Suez détiennent déjà 52 % des titres de la première. L'homme d'affaires italien ne pouvant obtenir une voix prépondérante dans la gestion de la Générale de Belgique, la bataille prend fin après avoir tenu en haleine le monde financier et industriel de janvier à avril 1988.

La Compagnie financière de Suez, comme la Société générale de Belgique, hérite d'une longue et prestigieuse histoire[18]. Sa création remonte à 1858, lorsque Ferdinand de Lesseps s'engage dans le percement et l'exploitation du canal de Suez[19]. Elle prend alors le nom de Compagnie universelle du canal maritime de Suez[20]. Long de 160 kilomètres, le canal est inauguré en 1869[21]. Suite à la nationalisation du canal par Nasser en 1958[22], le patrimoine égyptien de la Compagnie est transféré à la Suez Canal Authority. Parce que concessionnaire jusqu'en 1968, la société obtient d'importantes indemnités[23]. En 1958, elle adopte la dénomination de Compagnie financière de Suez et engage sa reconversion dans le monde la finance. Elle multiplie les prises de participation et les investissements dans différents secteurs de l'économie[24]. En 1959, elle donne naissance à la Banque de la compagnie financière de Suez. Celle-ci se transforme en Banque de Suez et de l'Union des Mines en 1966.

15 – Bruno Dethomas et José-Alain Fralon, *Les Milliards de l'orgueil. L'affaire de la Société Générale de Belgique*, Paris, Gallimard, 1989.

16 – Alain Beltran et Jean-Pierre Williot, avec la collaboration de Jean-Louis Moreau, René Brion et Hubert Bonin, *Suez. L'Histoire*, *op. cit.*, p. 224-225.

17 – Florence Gomez, « Saint-Gobain réfracté dans les Trente Glorieuses. Images d'une société prise entre identité et modernisation », *Revue française d'histoire économique*, vol. 6, n° 2, 2016, p. 56-70 ; Wei Wang, « Saint-Gobain, Pont-à-Mousson et leur stratégie européenne (1946-1970) », *Ibidem*, p. 72-89.

18 – Bonin Hubert, *Suez, du canal à la finance (1858-1986)*, Paris, Economica, 1987.

19 – Caroline Piquet, *Histoire du canal de Suez des origines à nos jours*, Paris, Perrin, 2009.

20 – Caroline Piquet, *La Compagnie du canal de Suez. Une concession française en Égypte (1888-1956)*, Paris, Presses de l'université Paris-Sorbonne, 2008.

21 – Nathalie Montel, *Le chantier du canal de Suez (1859-1869). Une histoire des pratiques techniques*, Paris, Presses de l'Ecole nationale des ponts et chaussées, 1998.

22 – Caroline Piquet, « La nationalisation de la Compagnie du canal de Suez et l'agression tripartite de 1956 », dans *L'épopée du canal de Suez, catalogue de l'exposition de l'Institut du monde arabe*, 28 mars-5 août 2018, Paris, Gallimard, 2018, p. 128-131

23 – Caroline Piquet, *Le Canal de Suez, une voie maritime pour l'Égypte et le monde*, Paris, Éditions Erick Bonnier, 2018.

24 – Bonin Hubert, *Suez, du canal à la finance (1858-1986)*, *op. cit.*

En 1974, la Banque de Suez fusionne avec la Banque d'Indochine au sein de Banque Indosuez[25].

Nationalisée en 1982, elle est privatisée dès 1987 sous la direction de Renaud de La Genière. En 1990, après la prise de contrôle de la Société générale de Belgique, elle devient Compagnie de Suez. Le contexte est difficile en raison de la crise immobilière. En 1995, deux de ses principaux actionnaires, l'UAP, présidée par Jacques Friedmann, et la BNP, présidée par Michel Pébereau, tentent de mettre à profit l'affaiblissement de Suez pour réaliser une fusion entre les trois entités et constituer ainsi une « Très grande financière ». Mais Gérard Worms (1936-2020), président de Suez de 1990 à 1995, s'y oppose car partisan d'un rapprochement avec le groupe Pinault-Printemps-Redoute. Aucun des deux projets n'aboutit. Gérard Worms cède donc la place à Gérard Mestrallet (né en 1949), directeur général adjoint de la Compagnie et administrateur délégué de la SGB. A partir de 1993, G. Mestrallet milite en faveur d'une fusion entre la Compagnie de Suez et de la Lyonnaise des eaux. Ce faisant, il s'oppose à la vision d'Étienne Davignon, garant des intérêts belges au sein de la Générale. Cette fusion se réalise en 1997.

Renaud de la Genière (1925-1990) préside la Compagnie financière de Suez au moment de l'OPA[26]. De son vrai nom Renaud Devereux Jude de La Genière de la Ramée de Sèpres, il est né le 9 février 1925 au Mans et décède le 16 octobre 1990. Petit-fils d'Henry de La Genière et l'arrière-petit-fils du préfet Pabot du Chatelard, fils d'Yves de La Genière et de Marcelle Montigny, il est licencié en droit, diplômé de Sciences-Po Paris et ancien élève de l'ENA (1948-1949). Sorti dans l'inspection des Finances, il est nommé conseiller technique au cabinet d'Antoine Pinay de 1958 à 1959, puis directeur du Budget de 1967 à 1974. De 1978 à 1985, il préside l'Institut des hautes études scientifiques (IHES). En 1974, il est nommé deuxième sous-gouverneur de la Banque de France, puis premier sous-gouverneur la même année, poste qu'il occupe jusqu'en 1979 avant de devenir gouverneur jusqu'en 1984. De 1986 à 1990, il préside la Compagnie fiancière de Suez, dont il réussit la privatisation. Sous sa présidence, le groupe Suez s'assure le contrôle de la Société générale de Belgique et lance, avec succès, une OPA contre l'assureur Victoire.

Homme d'État et d'affaires belge, le vicomte, puis comte Étienne Davignon est né le 4 octobre 1932 à Budapest[27]. Fils de diplomate, il a été notamment chef de cabinet de Paul-Henri Spaak et de Pierre Harmel, de 1964 à 1969, président de l'Agence internationale de l'Énergie de 1974 à 1977, vice-pré-

**25** – Hubert Bonin, *Indosuez : l'autre grande banque d'affaires*, Paris, Economica, Paris, 1987.
**26** – Hubert Bonin, "Suez toward a European enterprise, 1982-2000", in Harm Schröter (ed.), *The European Enterprise. Historical Investigation into a Future Species*, Berlin, Springer, 2008, p. 169-182.
**27** – « Comte Étienne Davignon », dans Ginette Kurgan et Erik Buyst, *100 grands patrons du XX^e^ siècle en Belgique*, Alain Renier éditeur, Bruxelles, 1999, p. 56-59.

sident de la Commission européenne de 1981 à 1985. Cette même année 1985, il entre à la Société générale de Belgique, qu'il préside, on l'a vu, de 1988 à 2002, et en demeure le vice-président jusqu'à la fusion, en 2003, de la SGB et de Tractebel[28]. En 2001, il a contribué de façon décisive à la fondation de la compagnie aérienne Brussels Airlines, qui succède à la Sabena et absorbe la compagnie Virgin Express, tout en desservant 70 destinations. En 2004, le roi Albert II lui confère le titre de ministre d'État.

Quant à la Lyonnaise des eaux, elle s'est imposée comme un groupe mondial de services d'énergie et de développement durable[29]. Fondée à l'initiative du Crédit Lyonnais, en février 1880, la Société lyonnaise des eaux et de l'éclairage (SLEE) devient rapidement le premier rival de la Générale des eaux. La SLEE obtient bon nombre de concessions importantes en France, dont celles de Toulon (1884), Dunkerque (1892) et Bordeaux (1906), mais aussi à l'étranger, notamment en Espagne (Société des eaux de Barcelone, 1892) et au Maroc (Société marocaine de gaz et d'électricité, 1914). Dans le même temps, la Lyonnaise des eaux joue un rôle majeur dans le développement de l'industrie gazière et dans le processus d'électrification du territoire français. Sous la direction d'Albert Petsche (1860-1933), puis d'Ernest Mercier (1878-1955), la SLEE alterne croissance interne et externe : dans le secteur du gaz, fusions avec la Compagnie Française du centre et du midi (1914), l'Union des gaz (1929) et la Compagnie gazière européenne (1935) ; et, dans le secteur de l'électricité, constitution de l'Union d'électricité (1919), de l'Union financière pour l'industrie et l'électricité (UNIE, 1930) et de l'Union électrique de l'outre-mer (UNELCO, 1935).

La nationalisation des industries du gaz et de l'électricité en France oblige l'entreprise à réviser sa stratégie. Devenue Société Lyonnaise des eaux, elle se diversifie dans d'autres secteurs, tels que les travaux électriques (Forclum 1947, Trindel 1972), l'équipement des pipelines (Cofor, 1957), les travaux routiers (Cochery, 1947) et la construction (Maisons Phénix, 1961). Toujours bien implantée sur le marché de la distribution d'eau, grâce au laboratoire central du Pecq (1933), en Ile-de-France, la Lyonnaise des Eaux prend le contrôle, en 1972, de Degrémont, leader mondial de l'ingénierie du traitement de l'eau, et participe à la Société industrielle des transports automobiles (SITA), société en charge du traitement des déchets urbains. Entre 1967 et 1974, le Crédit lyonnais cède le contrôle de la Lyonnaise des eaux à la Compagnie de Suez, dont il devient le principal actionnaire. En 1980, Jérôme Monod (1930-2016) accède aux fonctions de président-directeur général de la Lyonnaise des eaux.

**28** – Alain Beltran et Jean-Pierre Williot, avec la collaboration de Jean-Louis Moreau, René Brion et Hubert Bonin, *Suez. L'Histoire*, *op. cit.*, p. 224-225.

**29** – Dominique Barjot, *La trace des bâtisseurs : histoire du Groupe Vinci*, Vinci, 2003, p. 491 ; "Public utilities and private initiative: The French concession model in historical perspective", *Business History History Society*, vol. 53, n°5, August 2011, p. 782-800 ; « Services publics et initiatives privées : le modèle français de concession en perspective historique(XIX$^{e}$-XXI$^{e}$ siècles) », dans « La concession : un outil pour la relance ? », *Revue politique et parlementaire*, 122$^{e}$ année, n° 1097, octobre-décembre 2020, p. 3-22.

Monod adopte une stratégie efficace qui consiste à réduire les participations dans les activités cycliques (construction et immobilier avec GTM et Dumez) et à développer les activités de services : communication (création de M6, chaîne de télévision) et environnement (rachat d'Elyo, 1994).
En 1997, Monod convainc Gérard Mestrallet, PDG de la Compagnie financière de Suez, de fusionner leurs deux groupes. Se constitue ainsi le deuxième groupe français le plus important de l'époque. En conséquence, Suez réalise d'importantes cessions dans la construction (Vinci), la télévision (TPS 2002, Paris Première 2003, M6 2004) et les télécommunications (Noos). Le groupe renforce ses positions stratégiques dans le secteur de l'environnement, notamment par le rachat de la SITA (1998), l'acquisition de United Water (États-Unis, 1999), la création de Suez environnement après une fusion entre Degrémont, Ondéo et la SITA, et une offre publique d'achat d'Agbar (Espagne, 2008). Les plus grands succès sont obtenus dans le secteur de l'énergie avec le rachat d'Electrabel (Suez-Tractebel 2003) et, surtout, la fusion de Suez-GDF, principal concurrent d'EDF dans le secteur énergétique européen.

**Dominique Barjot**

REVUE FRANÇAISE
D'HISTOIRE ÉCONOMIQUE

N° 15

# Archives

THE FRENCH ECONOMIC HISTORY REVIEW

N° 15

# Archives

# UN FONDS ÉCONOMIQUE À LA BIBLIOTHÈQUE FÉLIX HOUPHOUËT-BOIGNY DE L'ACADÉMIE DES SCIENCES D'OUTRE-MER ?

**Marie-Laure Bretin**
Responsable de la Bibliothèque Félix Houphouët-Boigny de l'Académie des sciences d'outre-mer

La Bibliothèque Félix Houphouët-Boigny de l'Académie des sciences d'outre-mer possède un important fonds d'histoire coloniale qui peut aussi intéresser les historiens de l'économie et les économistes. L'Académie des sciences coloniales a été créée en 1923 à l'initiative du journaliste Paul Bourdarie qui souhaitait qu'une société savante existe sur les questions de l'outre-mer. Elle deviendra en 1957 l'Académie des sciences d'outre-mer. Impossible de citer tous ses illustres membres – 275 aujourd'hui, d'Henri Lyautey à Yves Coppens, des rois Albert Ier et Léopold III de Belgique à Léopold Sedar Senghor. L'Académie occupe un bel hôtel particulier près de la place de l'Étoile, à Paris, où une dizaine de personnes la font fonctionner au quotidien sous l'autorité du secrétaire perpétuel. Deux fois par mois se tiennent des séances au cours desquelles sont présentées des communications sur des sujets de sa compétence - qui touche tous les domaines scientifiques – et qui sont publiées dans la revue de l'Académie *Mondes et Cultures*.

## La bibliothèque au cœur de l'activité de l'Académie

Les collections de la bibliothèque sont très importantes au regard de la taille de l'institution. Le fonds concerne l'Afrique sub-saharienne, le pourtour méditerranéen, le Maghreb-Machrek, le Sud-Asie, la péninsule indochinoise et l'Inde du point de vue historique ainsi que de l'évolution de ces pays depuis leur indépendance. Il s'enrichit notamment par des dons, legs et services de presse. Le fonds compte près de 130 000 documents : 115 000 monographies, 4 600 périodiques dont 100 vivants, plus de 600 cartes historiques, un millier de manuscrits, environ 10 000 brochures et tirés-à-part, et plus de 40 fonds d'archives d'académiciens. Les académiciens sont sollicités pour les recensions des services de presse. Au moins dix sont publiées chaque mois et disponibles dans la base Carasom. L'Académie décerne également chaque année depuis 1934 des Prix récompensant des ouvrages de ses domaines d'intérêt.

Une partie du fonds concerne des documents rares à très rares, parmi lesquels on peut citer *La Cochinchine : album général illustré de 456 gravures sur cuivre*, des manuscrits arabico-malgaches... L'Académie a à cœur d'enrichir ce fonds par l'acquisition de pièces authentiques témoignant de différents aspects de l'histoire scientifique des outre-mers : récits, textes réglementaires, correspondances, affiches, photos, albums. Les collections sont réparties sur tous les étages de locaux qui ont l'avantage d'offrir une jolie salle de lecture. La qualité du service rendu – l'accueil de tout public sans restrictions, le calme, l'écoute et l'attention portée au lecteur, la rapidité de communication des documents –, est appréciée des utilisateurs, selon l'enquête menée en 2020.

## Un fonds unique en région parisienne et méconnu

En 2014, la DILA (Direction de l'Information du Premier Ministre) a cédé les 45 000 titres de son fonds «Afrique, outre-mer et colonies» à l'Académie, avec pour ambition commune de développer un pôle de ressources unique, pertinent et solide en région parisienne. Le fonds DILA, en cours d'intégration au catalogue, permet d'enrichir la bibliothèque de documents concernant les empires britanniques, allemands ou portugais, originellement moins bien couverts dans le fonds de l'Académie que l'empire français.

Une politique de valorisation en ligne a été mise en œuvre récemment. La nécessité d'une présence sur les réseaux sociaux s'est fait sentir et le choix s'est

Maraichers - Souce : Bibliothèque de l'ASOM.

porté sur l'ouverture d'une page LinkedIn propre à la bibliothèque. Différentes catégories de publications alimentent ce compte LinkedIn : informations pratiques, événements, actions de valorisation. Ces dernières peuvent être récurrentes comme l'information mensuelle sur les dernières acquisitions et recensions, ou ponctuelles comme des bibliographies ou la mise en avant d'un document. Les images étant particulièrement attractives pour les visiteurs des réseaux sociaux, les documents iconographiques de la bibliothèque une fois numérisés constitueront des atouts précieux.

En complément est lancée la bibliothèque numérique Numoutremer. Elle a pour vocation de constituer une vitrine des documents rares et précieux de la bibliothèque et d'offrir à ses lecteurs un accès à distance à ces ressources. Côté contenus, il a fallu identifier les ressources de la bibliothèque à valoriser en priorité, en évaluant leur rareté. Le choix s'est arrêté sur les livres anciens, des cartes géographiques, des manuscrits et des albums photographiques. À ce jour, Numoutremer propose des photographies numérisées par la bibliothèque, ainsi que des livres anciens et des cartes dont les versions numériques ont été, tous crédits donnés, empruntés à Gallica. On y trouve également des bibliographies thématiques donnant à voir la richesse et la diversité des fonds de la bibliothèque. À plus long terme, l'ambition de la bibliothèque est de pouvoir faire numériser ses documents les plus rares voire uniques, dans un but de conservation, mais aussi de diffusion. Avec l'appui des réseaux sociaux pour être plus visible, Numoutremer sera alors un atout pour la bibliothèque mais avant tout, un service offert à ses lecteurs. Et tout récemment, la bibliothèque s'est vue reconnaitre fonds d'excellence par l'attribution du label CollEx-Persée. Une reconnaissance qui engage et renforce la nécessité de valoriser le fonds (et de développer des partenariats).

## Quid du fonds économique ?

Un grand nombre de rapports, officiels ou non, édités en France ou dans des pays issus des anciens empires coloniaux français, belge, allemand ou britannique, de la littérature grise provenant des dons d'Académiciens jusqu'à des ouvrages d'historiens de 2020 : l'antériorité du fonds, démarré, pour l'essentiel, fin XIX$^{ème}$, permet d'étudier les évolutions, notamment économiques et épistémologiques, des relations internationales à l'époque moderne. Les documents d'administrateurs font état du fonctionnement de l'économie locale ainsi que des potentialités d'exploitation des ressources : pétrole, pêche, ports, mines - de phosphates par exemple -, agriculture (riz, café, cacao, viande...) etc. L'Afrique du Nord, principalement le Maroc et l'Algérie, l'Afrique noire, avec le Congo, le Sénégal, le Niger, la Côte-d'Ivoire, le Cameroun, le Tchad ou Madagascar ainsi

Menuisiers - Source : ASOM.

que la Thaïlande, la Malaisie, le Cambodge, le Vietnam et même le Mexique sont quelques-uns des pays concernés.

Les questions de monnaie, de zone franc, de franc CFA, de fonds d'investissement, de construction d'infrastructures comme les questions sociales de consommation des ménages sont aussi bien représentées dans le fonds. Les différents modèles d'aides au développement et de coopération mis en œuvre après indépendance sont également traités. Divers rapports statistiques sont aussi disponibles. Quelques exemples de documents anciens :
- De l'argent pour la Martinique en 1731 / Maurepas.
- *Rapport fait à l'Assemblée nationale au nom du comité d'agriculture et de commerce*, par M. Hernoux, Député de Dijon, sur le privilège de la Compagnie des Indes. Le 18 mars 1790. Imprimé par ordre de l'Assemblée.
- *Loi relative au commerce du Sénégal, donnée à Paris le 23 janvier 1791* / Louis XVI (1754-1793 ; roi de France). Belle, Coste (17..-1794 ; imprimeur-libraire). Imprimeur.
- *Les archives du Consulat général de France à Alger : recueil de documents inédits concernant soit les relations politiques de la France soit les rapports commerciaux de Marseille avec l'ancienne régence d'Alger* / par Albert Devoulx, 1865.

Le fonds de la bibliothèque s'enrichit toujours aujourd'hui sur les question économiques, comme en témoignent quelques recensions récentes :

*Les diasporas africaines : accélératrices des économies du continent* / Bénédicte Châtel et Anne Guillaume-Gentil, éd. Eyrolles, 2019 par Hubert Loiseleur des Longchamps.

*Fortunes de mer, sirènes coloniales. Économie maritime, colonies et développement...* / Olivier Grenouilleau, éd. CNRS , 2019, par Jacques Frémeaux.

*Aide publique au développement (L') : visées et nouvelles stratégies en Afrique* / Zakaria, Houssen, éd. l'Harmattan, 2018 , par Pierre Jacquemot.

*Dans les laboratoires du développement : Proparco et le secteur privé, 40 ans d'histoire* / Pacquement, François, éd. Karthala, 2017, par Jean Nemo.

*Offrande de la mort (L') : une rumeur au Sénégal* / Bonhomme, Julien-Bondaz, Julien, éd. CNRS, 2017, par Jean Nemo.

*Digital en Afrique (Le) : les cinq sauts numériques* / Huet, Jean-Michel éd. Michel Lafon, 2017, par Pierre Jacquemot.

*Afrique face aux pays émergents (L') : vers des relations renouvelées ?* Actes du colloque international organisé par l'ESCA, École de management de Casablanca le 1er décembre 2016 / Ferréol, Gilles, éd. EME, 2017 par Annie Krieger-Krynicki.

*Face cachée de l'islamisation : la banque islamique* / Essid, Mohammed Yassine éd. l'Aube, 2016, par Michel David.

*Afrique des possibles (L') : les défis de l'*émergence / Jacquemot, Pierre éd. Karthala, 2016, par Louis Dominici.

*Sécurisation foncière en Afrique (La) : pour une gestion viable des ressources renouvelables* / Le Roy, Étienne- Karsenty, Alain- Bertrand, Alain, éd. Karthala, 2016 , par Roland Pourtier.

*Encounters on the opposite coast : the Dutch East India Company and the Nayaka State of Madurai in the seventeenth century* / Vink, Marcus Paulus Maria, éd. Brill, 2016 par Josette Rivallain.

*Entrepreneurs africains et chinois : les impacts sociaux d'une rencontre particulière* / Giese, Karsten- Marfaing, Laurence, éd. Karthala, 2016 , par Jean-Loup Vivier.

*Économie et développement durable : héritages historiques et défis actuels au sein du monde francophone* / Barjot, Dominique- Phan, Thi Hoai Trang, éd. Publications de la Société française d'histoire d'outre-mer, 2016, par Jean-Loup Vivier.

Pour une consultation plus approfondie du fonds, suivre le lien :
https://www.academieoutremer.fr/presentation-bibliotheque-2/
Pour s'y rendre :
**Bibliothèque de l'Académie des sciences d'outre-mer**
15, rue La Pérouse 75116 Paris
Tél. : 01 47 20 87 77

REVUE FRANÇAISE
D'HISTOIRE ÉCONOMIQUE

N° 15

# Comptes rendus de lecture

THE FRENCH ECONOMIC
HISTORY REVIEW

N° 15

# Book Reviews

Michel Hau & Félix Torres
*Le virage manqué. 1974-1984 : ces dix années où la France a décroché*
Paris, Les Belles Lettres/Manitoba, 2020, 384 p.

Avec une contraction de 9,8% de son PIB en 2020, la France a fait moins bien que la plupart des pays membres de l'Union Européenne (Allemagne : - 6 %, Belgique : - 8,3 %, Pays-Bas : -5,4 %, Pologne : - 3,6 % ou Suède : - 4,7 % par exemple), à l'exception des pays latins (Portugal : - 10 %, Italie : - 10,6 %, Espagne : - 9,8 %). Son économie est donc fragile, mais cette fragilité puise ses racines dans un passé profond. C'est ce que montrent bien Michel Hau et Félix Torres, dans un livre stimulant, *Le virage manqué 1974-1984*, paru en 2020. De fait un tournant majeur s'est produit en 1974 (introduction, p. 9-12) : marquée par le quadruplement du prix du pétrole, l'année 1974 a partout été un virage fondamental : essoufflement de la croissance occidentale, soudain endettement du monde soviétique, retour de Deng Xiaoping au pouvoir, ouverture du Tokyo Round. La France est alors l'un des pays le plus durablement frappée par le ralentissement économique. Non seulement elle s'adapte moins bien que l'Allemagne, l'Autriche, les Pays-Bas ou la Suisse, mais encore par deux fois, en 1975 et 1981, elle aggrave ses handicaps avant d'opérer, à partir de 1983, un véritable décrochage.

« 1974, une crise sans reprise » titre le chapitre 1 (p. 15-32), si 1974 ouvre la voie à une forte baisse de la production industrielle, les contemporains croient d'abord à une récession profonde, d'où le choix, en France, d'une politique de relance. Mais le fléchissement de la croissance apparaît durable : le PIB français a augmenté de + 5,2 % en moyenne de 1960 à 1974, mais de + 2,3 % de 1974 à 1982 et de + 2,2 % de 1982 à 1992. La décélération économique atteint tous les pays de la Triade (Amérique du Nord, Japon et Europe occidentale)[1], tandis que montent en puissance les pays émergents : en premier lieu les Quatre Dragons puis les Tigres asiatiques (d'abord la Chine, mais aussi les pays d'Asie du Sud-Est), l'Inde ou le Brésil). Plus grave, la France glisse en queue de peloton des pays développés : entre 1974 et 2010, le PIB par tête d'habitant est multiplié par 2,8 en Espagne, 2,5 en Allemagne, 2,4 au Japon, 2,3 au Royaume-Uni, plus de 2 aux États-Unis, mais par moins de 2 en France. C'est le produit d'une désindustrialisation massive, qui ne touche pas que les industries anciennes et conduit à une explosion du chômage, au sous-emploi endémique et à l'exclusion sociale.

Le chapitre 2 (« Des "Trente Glorieuses" hexagonales à reconsidérer », p. 33-68) revient sur le mythe national des « Trente Glorieuses » en rappelant qu'elles s'alimentent d'abord d'un effet de rattrapage alimenté par l'adoption des techniques et des méthodes fordistes américaines (Plan Marshall, missions de productivité, *staff and line*) et un gigantesque transfert de population active vers le BTP et l'industrie. Elles ont vu aussi l'apparition d'un déficit structurel du commerce extérieur : ce dernier n'est excédentaire que douze fois entre 1945 et 1974, pour l'essentiel après les dévaluations (notamment celles d'août 1957 et de décembre 1958, plus efficace que celle d'août 1969). En effet, les remaniements monétaires ne suffisent pas à compenser le manque de compétitivité de l'industrie française : à partir de 1968, la France doit s'endetter de plus en plus. À la Libération, dans un contexte où les communistes jouissent d'un poids politique considérable, le Conseil National de la Résistance jette les bases d'un système où, à travers la Sécurité sociale, les entreprises financeront l'État-providence. La situation perdure car, jusqu'en 1996, la hausse des cotisations salariales dépend d'un simple décret du gouvernement : le budget de la sécurité sociale passe ainsi de 1 % du PIB dans les années 1930 à 7 % dans les années 1950 et à 14 % dans la décennie 1970. C'est alors la haute fonction publique qui est aux commandes de l'économie, notamment à travers la planification et les nationalisations : ainsi des personnalités telles que Pierre Lefaucheux ou Pierre Dreyfus (Régie Renault), Roger Gaspard et Pierre Massé (EDF), Louis Armand (SNCF) ou François Bloch-Lainé (Trésor, Caisse des dépôts et consignations ou CDC, Crédit lyonnais). En revanche, faute de fonds propres, les entreprises privées n'ont guère d'autonomie financière, du fait de la faiblesse de la Bourse de Paris, mais aussi du contrôle des prix. Parce qu'il existe un manque de confiance de la classe politico-administrative française dans les capacités de décision des entrepreneurs, la question de la compétitivité demeure largement escamotée, y compris après 1968. Même sous Pompidou, Jacques Chaban-Delmas et sa « Nouvelle société » imposent des sacrifices pour l'essentiel demandés aux entreprises : la priorité à l'industrialisation voulue par le premier ne conduit pas à renforcer la compétitivité.

1 – Keinichi Ohmae, *La Triade : émergence d'une stratégie mondiale de l'entreprise*, Paris, Flammarion, 1985.

L'idéologie dominante y est pour beaucoup (chapitre 3, « Qu'elle sera belle notre révolution ! », p. 69-100). Mai 1968 est largement le produit de l'âge d'or de l'extrême gauche. Elle puise sa force dans l'étonnant paradoxe d'Easterlin : entre 1945 et 1973, malgré un triplement du revenu réel par habitant en France, le niveau de satisfaction de l'opinion publique demeure au mieux stable. De plus, cette évolution entretient l'idée que revendiquer et faire grève aboutit à créer plus de richesse. Ainsi s'explique la montée presqu'inexorable (sauf en 1968 et 1969), des partis de gauche aux élections législatives (1962 : 36,8 %, 1967 : 46,4 %, 1978 : 49,2 %, 1981 : 56,8 %). La France est en effet le pays d'Europe occidentale où l'influence des idéaux révolutionnaires est la plus prégnante (prépondérance de la CGT, dogmatisme de FO, évolution de la CFDT vers le marxisme). Le gouvernement trouve en outre ses principaux adversaires dans les universités et chez les étudiants (Jeunesses communistes de France, Action catholique ouvrière ou ACO et Jeunesse ouvrière catholique ou JOC, mais aussi maoïstes et trotskystes), tandis que la haute fonction publique afflue au Parti socialiste, sinon se rallie au marxisme, à travers le CERES.

Nombre de hauts fonctionnaires adhèrent aux thèses de l'école de la régulation (Robert Boyer, Michel Aglietta), celle-ci obnubilée par la crise du fordisme, et aux analyses des économistes marxistes (Paul Boccara, Philippe Herzog) qui ne voient de solution à la crise du capitalisme monopoliste d'État que dans les nationalisations du Programme commun adopté par le PS et le PCF en juin 1972. Il est vrai que l'opinion publique est désensibilisée à l'égard de l'économie de marché : le gonflement considérable des secteurs non exposés à la concurrence s'accompagne d'une hausse des prélèvements obligatoires (38,5 % du PIB en 1973, 46,2 % en 1980). En effet, la désindustrialisation qui s'amorce renforce l'aveuglement d'une grande partie de la société française quant à la compétitivité de l'économie nationale. L'idée persiste que le marché national constitue le débouché principal. Ni les analyses critiques d'Alfred Sauvy et d'Alain Peyrefitte (*Le mal français*, 1976), ni les événements extérieurs (*L'Archipel du Goulag de Soljenitsyne*, 1974, grèves de Solidarnosc en Pologne en 1980), ni la création de l'Institut de l'Entreprise en 1975, ni l'apparition d'une nouvelle génération d'économistes néo-libéraux (Florin Aftalion, Pascal Salin, Christian Stoffaës) ne peuvent inverser le courant dominant.

« Les impasses intellectuelles des élites françaises » (chapitre 4, p. 101-141) comptent pour beaucoup dans la conviction dominante que l'action volontariste de l'État peut contenir et organiser les évolutions du marché. En effet, la politique du franc faible dissimule la faiblesse du redéploiement vers les industries à haute valeur ajoutée et entretient une trop grande dépendance par rapport aux prix. Au premier juillet 1968, l'abolition des droits de douane dans le cadre du marché commun aurait dû provoquer un choc : malgré les prises de position de Valéry Giscard d'Estaing (accroître la compétitivité comme impératif absolu) et de René Montjoie, Commissaire général du Plan, les économistes les plus lucides comme Lionel Stoleru (*L'impératif industriel*, 1969) et Raymond Courbis (*La détermination de l'équilibre général en économie concurrencée*, 1971) ne sont pas entendus. L'aveuglement concerne aussi le Tiers-Monde, sous l'emprise dominante de Paul Bairoch (*Le Tiers-Monde dans l'impasse*) et de la théorie de la dépendance (Raoul Prebisch, Samir Amin), laquelle ne voit de salut que dans la substitution aux importations, et d'une interprétation trop restrictive faite, en France, de Walt W. Rostow (*Les étapes de la croissance*, 1960) et d'Alexander Gerschenkron (*Economic Backwardness in Historical Perspective*, 1962). Par conséquent, il n'est pas entrevu, à la différence de l'Allemagne que la solution réside dans la montée en gamme des productions. En effet, les activités les plus intensives en main-d'œuvre non qualifiée tendent à migrer vers les pays à bas salaires. En profitent notamment l'Asie orientale, où se vérifie le modèle, initié par le Japon, dit « en vol d'oie sauvage » : dès 1970, la part des nouveaux pays industrialisés asiatiques augmente en % des exportations de produits manufacturés (Quatre Dragons, Inde).

Il est vrai que le commerce extérieur constitue un point aveugle de la vision française sur l'emploi : la majorité des responsables politiques et des économistes demeurent persuadés que l'effet multiplicateur de la dépense publique doit réduire le chômage sans stimuler les importations, d'où le mythe de la croissance tirée par la consommation. Face à la montée de la concurrence des pays du Tiers-Monde, l'industrie française doit pourtant monter en gamme suffisamment vite (Michel Albert, *Le Pari Français*, 1982) et se garder des effets pervers du démantèlement du tarif extérieur commun : risque d'une hausse considérable des inégalités salariales aux dépens des travailleurs qualifiés ou, en cas de maintien d'un salaire minimum, d'un chômage massif (Maurice Allais, 1997). À la différence de l'Allemagne et de l'Italie, où de puissants *lobbies* patronaux défendent le libre-échange, le commerce extérieur est largement dépendant d'une administration spécifique, mais rarement organisée en entité autonome, à travers un secrétariat d'État (Norbert Segard, de 1974 à 1976). Conçu comme un secteur d'activité parmi d'autres, le commerce extérieur ne parvient pas à exploiter les percées diplomatiques ainsi en Chine populaire (1964) et en Iran, à partir de 1973), face à l'Allemagne. Il est vrai que le modèle social français demeure sur la défensive : afin de préserver les acquis sociaux, la priorité est donnée à la consommation intérieure en tant que moteur de la croissance.

Le chapitre 5 revient sur « Deux funestes années, 1974-1975 » (p. 145-182). Elles voient des décisions aux conséquences encore visibles aujourd'hui : le gouvernement Chirac (mai 1974-août 1976) fait le choix de distribuer davantage de pouvoir d'achat aux ménages au moyen de nouveaux prélèvements pesant sur les entreprises : il s'agit d'acheter la paix sociale en cédant aux partenaires sociaux et aux-élus, avec pour conséquence de préserver les secteurs dépassés plutôt que de soutenir les PME et les secteurs de pointe. Certes le déclenchement de la crise économique coïncide avec l'arrivée au pouvoir de V. Giscard d'Estaing et de J. Chirac. Une victoire obtenue de justesse les pousse dans la voie d'une politique de relance telle que recommandée alors par l'OCDE : entre les deux voies possibles, redresser la balance commerciale ou relancer la demande intérieure par le déficit public et l'expansion monétaire, c'est la seconde voie qui est choisie. Il s'agit d'une rupture avec G. Pompidou, qui, passé par la banque et conseillé par Bernard Esambert, privilégie la compétitivité industrielle et les champions nationaux. Éloignés de cette vision, V. Giscard d'Estaing et J. Chirac abandonnent la priorité aux investissements productifs et ne reprennent comme conseillers ni B. Esambert, ni L. Stoleru. Ils préfèrent multiplier les dépenses sociales, d'où la popularité de J. Chirac : allocation de rentrée scolaire, indemnisation à 90 % des licenciements économiques, aide aux handicapés et à leur famille. À partir de 1974, la croissance des prestations sociales est deux fois plus rapide que celle du PIB.

Cette politique s'effectue au détriment de la capacité d'investissement des entreprises, pénalisé par le coût employeur de la main-d'œuvre le plus élevé d'Europe. L'alourdissement de la fiscalité pesant sur les entreprises (passage de la patente à la taxe professionnelle) confirme l'instauration d'un rapport de force très favorable aux salariés, en raison du rétablissement, depuis 1968, des effets pervers d'une indexation des salaires sur les prix. S'ensuivent des conséquences très graves pour les entreprises : hausse des prix à l'exportation, baisse des marges de l'autofinancement et de l'épargne brute des sociétés industrielles et commerciales, augmentation des emprunts et des frais financiers. Certes les investissements publics augmentent (centrales nucléaires, TGV, téléphone), mais la croissance de l'investissement productif se ralentit de façon brutale. C'est un échec industriel : naufrages spectaculaires (Titan Coder, Lip), explosion du taux de faillite (deux fois plus qu'en Allemagne), effets pervers de l'autorisation administrative de licenciement (lois de mars 1973 et janvier 1975).

D'autres facteurs jouent dans le même sens : ainsi le vote, en juillet 1975, de la loi Haby. Traduisant un ralliement aux thèses syndicales du Syndicat national des instituteurs (SNI) sur l'école fondamentale, elle instaure un tronc commun pour tous les élèves, mais sacrifie la formation professionnelle, objectif auquel s'attelle sans succès Christian Beullac, face au front commun syndical. Résultat : l'école jette sur le marché des diplômés non qualifiés et des intellectuels précaires inadaptés aux besoins de l'économie. Dans sa volonté de décrispation, V. Giscard d'Estaing multiplie, en 1975, les réformes sociétales : suppression de la censure cinématographique, vote de la loi sur l'Interruption volontaire de grossesse, adoption de la majorité à dix-huit ans, dépénalisation de l'adultère et divorce par consentement mutuel. À partir du plan de soutien à l'économie de J. Chirac, en septembre 1975 (2,3 % du PIB), le déficit budgétaire (2,4 % en 1975) devient pratique courante, conduisant à l'endettement. Orientée notamment autour d'un ambitieux programme nucléaire, la France connaît une croissance un peu plus rapide que la moyenne de l'OCDE, de 1974 à 1980, mais au prix d'un double déséquilibre budgétaire et extérieur. Pauvre en emploi, parce que surtout fondée sur des gains de productivité, elle conduit à l'endettement extérieur et à la crise du franc. Accentuée par des mesures d'assouplissement monétaire, elle résulte d'une inflation plus rapide que celle des autres pays de la CEE, hormis le Royaume-Uni et l'Italie. Les tensions sur le franc conduisent à sortir du Serpent monétaire une première fois en janvier 1974, puis de façon définitive, en mars 1976. Elles traduisent une crise plus générale, que souligne l'augmentation du nombre de chômeurs : 900 000 en juillet 1976 contre moins de 400 000 en décembre 1973.

Dans ce contexte, le volontarisme industriel paraît à contre-courant. La crise touche des régions entières (Nord-Pas-de-Calais, Lorraine), fait s'effondrer des groupes familiaux de première importance (Herlicq, Boussac, Agache, Willot, Darblay). Les pouvoirs publics prennent conscience du fléchissement de la rentabilité du capital fixe productif, en particulier dans les industries de biens d'équipement, d'où l'idée du redéploiement industriel, la rationalisation à travers la constitution de puissants groupes (PSA, Elf Aquitaine, entrée du CEA dans Framatome), et la montée d'un interventionnisme technocratique (Comité interministériel des structures industrielles ou CIASI, créé en novembre 1975). Le bilan en est maigre : la défense de l'existant conduit à des gouffres financiers (usine géante de Fos-sur-Mer, modernisation de la sidérurgie Lorraine) et à limiter la croissance de la population active (arrêt de l'immigration du travail, financement aux frais de l'État des préretraites pour plus de soixante ans), mais avec des résultats modestes (24,8 millions d'actif en 1990 contre 20 en 1962).

« Ailleurs, le choix de l'adaptation à la mondialisation » a souvent été fait (chapitre 6, p. 183-225). Incarné dans deux figures de référence, Margaret Thatcher et Ronald Reagan, un virage « néo-libéral » (ou révolution « néo-conservatrice ») se produit au tournant des années 1980. L'Allemagne fait le choix d'une montée en gamme. Adepte du libre-échange dès son unification en 1871, l'Allemagne y est revenue à partir de 1949, dégageant un excédent commercial constant. À partir de 1969, arrive au pouvoir une majorité SPD dirigée par Willy Brandt. Néanmoins, en RFA, la Bundesbank dispose d'une indépendance totale : elle donne la priorité à la lutte contre l'inflation et la monnaie, tandis que le gouvernement s'engage dans une grande réforme des retraites. Une crise politique éclate, marquée, dès juillet 1972, par la démission de Karl Schiller, ministre des Finances puis du chancelier lui-même, en mai 1974, suite à l'affaire Günter Guillaume, enfin l'accession d'Helmut Schmidt à la tête du gouvernement allemand.

Schmidt est convaincu de l'inutilité des politiques de relance : il faut d'abord restaurer les profits des entreprises et relancer les exportations. Il réduit les dépenses publiques et le déficit budgétaire ainsi que la pression fiscale sur les entreprises. Mais il entre en conflit avec la Bundesbank à propos de la régulation des taux d'intérêt. Cependant l'objectif est atteint : recherche de la compétitivité hors prix (des produits moins chers, mais de meilleure qualité) et redéploiement constant vers des secteurs peu concurrencés. En octobre 1982, suite au départ des libéraux, H. Schmidt démissionne. À l'issue de nouvelles élections, l'alliance CDU-FDP instaure une rigueur budgétaire accrue : réduction des prestations sociales, relèvement de l'âge légal de la retraite, diminution des dépenses des administrations publiques. Cette politique entraîne une baisse du taux de chômage et une augmentation de la part de l'Allemagne dans les exportations mondiales (8,9 % en 1981, plus de 11 % en 1986 comme en 1971-1973). L'Europe alpine et nordique s'inspire du modèle allemand : tel est le cas de la Suisse, du Luxembourg et de l'Autriche, mais aussi des Pays-Bas et de la Belgique. Si la Norvège bénéficie de son pétrole et de son gaz, c'est le Danemark qui, dès 1987, s'engage le premier dans la voie d'un compromis entre modèle social et compétitivité, puis, au milieu des années 1990, la Suède et la Finlande.

Dans les années 1970, de nouveaux concepts remettent en cause l'État providence. En 1956, W. Phillips montre que le chômage est une fonction inverse de l'inflation. Mais, à partir de 1967, cette analyse est remise en cause par Milton Friedman. Constatant la montée parallèle du chômage et de l'inflation, il dégage le concept de chômage structurel ou naturel, c'est-à-dire le taux de chômage minimum au-dessous duquel toute politique d'expansion monétaire se traduit par une inflation sans effet sur l'emploi. La vision de Friedman ouvre la voie à une opposition grandissante au *Welfare State*. Elle prend notamment la forme de la courbe de Laffer, selon laquelle la relation positive entre la croissance du taux d'imposition et celle des administrations publique s'inverse lorsque le taux d'imposition devient trop élevé. Formulée en 1974, elle ressort d'une logique d'économie de l'offre, mise en œuvre par Paul W. Mc Cracken, le conseiller de Reagan. Cette analyse est reprise par Margaret Thatcher, victorieuse aux élections de mai 1979. Grâce à de larges privatisations, à la déréglementation financière et à un encadrement plus stricte du syndicalisme, elle réduit le déficit public, le taux d'inflation et les aides aux branches en difficultés. À nouveau victorieuse en 1983, elle ferme de nombreux puits de mines déficitaires et fait voter, en mars 1985, le Trade Union Act réglementant le droit de grève. Si un troisième succès électoral, en 1987, débouche sur des divisions au sein du camp conservateur et la démission de M. Thatcher, le chômage baisse à partir de 1986, grâce à la reprise de la croissance britannique et à une compétitivité restaurée, même si un monétarisme trop rigide conduit à l'explosion de la précarité.

Les États-Unis connaissent un redressement similaire. En novembre 1976, l'élection de Jimmy Carter ouvre la voie à une période d'inflation accélérée (+12,8 % en 1977-78), d'où la nomination, en juillet 1978, de Paul Volcker à la tête du Federal Reserve Board et l'adoption d'une stratégie monétaire plus restrictive.

Le passage d'une politique de demande à une autre, de l'offre s'accompagne d'une priorité donnée à l'équilibre budgétaire et des premières mesures de dérégulation. La prise d'otage du personnel de l'ambassade américaine de Téhéran, en novembre 1979, assure l'élection à la présidence du républicain Ronald Reagan. Leader de la *New Right*, il milite pour une réduction des dépenses de l'État providence et une augmentation de celles d'armement. À travers le vote de la loi ERTA (*Economic Recovery Tax Cut*), il introduit une baisse de 30% des impôts fédéraux pendant trois ans et l'emporte dans son bras de fer avec les syndicats en procédant au licenciement collectif de contrôleurs aériens. Pour faire face à la politique monétaire très restrictive du FRB et à l'augmentation du budget militaire, il émet des bons d'État qui trouvent facilement des souscripteurs. Surtout il relance la machine américaine (+70 % d'emplois aux États-Unis de 1970 à 2000, contre seulement +15 % en Europe) et enclenche un processus spectaculaire de hausse du dollar.

En Asie, le Japon est devenu le numéro 2 mondial, grâce à ses exportations massives de motos, d'appareils photo et de matériels audiovisuels. L'économie se réoriente des constructions navales et de la sidérurgie, tout en demeurant l'un des leaders mondiaux de ces secteurs, apporte son soutien aux entreprises d'électronique (NEC, Fujitsu, Hitachi) dans le domaine des circuits intégrés et des semi-conducteurs. Bénéficiant des découvertes de sa Silicon Valley (Technopole d'Oita, Kyushu), le Japon devient le numéro 1 mondial des biotechnologies et le numéro 2 des ordinateurs. Il prône de nouveaux outils entrepreneuriaux (Toyotisme, *just in time*, *kanban* ou méthode de gestion des connaissances relatives au travail, qualité totale). Les Quatre Dragons (Corée du Sud, Hong Kong, Singapour et Taïwan) lui emboîtent le pas. Ils créent des industries exportatrices grâce au coût très bas de leur main-d'œuvre et à leur haut niveau de scolarisation. Ils adoptent avec succès le modèle *market oriented* du Japon, tournant le dos à la politique de substitution aux importations qui conduit, au même moment, le Mexique à la banqueroute. Ils tirent leur force d'un capitalisme autonome émergent (les *chaebols* Samsung, Hyundai et LG en Corée du Sud; fondation par Terry Kuo, à Taïwan, de Foxconn, devenu ensuite le plus grand fabricant mondial de composants électroniques pour le compte des États-Unis et du Japon). Ils s'imposent comme de grands exportateurs, mais engendrent aussi un marché intérieur dynamique.

Ils ouvrent la voie au « bébés Tigres », parmi lesquels la Chine de Deng Xiaoping, qui, de retour par deux fois en 1973 et 1977, adopte le programme des Quatre modernisations de Zhou En Lai, puis engage la Chine dans la voie d'un développement rapide, à partir de 1979 : décollectivisation des activités agricoles, artisanales et commerciales ; nouveau code des investissements étrangers au profit de zones franches du Guangdong (Shenzhen notamment) et du Fujian ; multiplication des *joint-ventures*. Associant exode rural d'une main-d'œuvre abondante, industrialisation diversifiée et exportations massives, le pays relance son commerce extérieur (de 5 % du PIB en 1970-71 à 65 % en 2005) et, sans renoncer à la prééminence du PCC, adopte « l'économie socialiste de marché », dès 1992, avant de surmonter la crise asiatique de 1997-98. Ces nouveaux exportateurs asiatiques poussent à l'adaptation les grands pays de l'OCDE. Ces derniers sont confrontés à deux stratégies : maintenir l'emploi par la baisse du salaire horaire du travailleurs non qualifié, de leur monnaie et des prestations sociales ; accroître de façon régulière la R&D afin de se reconvertir vers les productions à haute valeur ajoutée pour préserver l'emploi sans dégrader les conditions de rémunération des salariés. Si l'on observe un glissement général vers les politiques de l'offre, à travers l'adaptation néo-libérale des Anglo-saxons ou, plus pragmatique du modèle rhénan et alpin, la France n'y arrive pas, s'enfermant dans une politique anticyclique héritée du passé.

Le chapitre 7 s'intéresse à « Raymond Barre, le redressement interrompu » (p. 227-252). Homme atypique et sans concession, préférant être « impopulaire plutôt qu'irresponsable », il associe culture théorique et expérience pratique : professeur d'économie politique, auteur d'un célèbre manuel, il devient, en 1959, directeur de cabinet de Jean-Marcel Jeanneney, exerce, de 1967 à 1973, les fonctions de vice-président de la Commission de la CEE, prépare le premier sommet du G6 à Rambouillet, devient ministre du Commerce extérieur en janvier 1976, avant de succéder, en août, à Jacques Chirac comme Premier Ministre. Refusant toute politique de relance, il donne, à partir de septembre 1976, dans le premier plan Barre, la priorité à la lutte contre l'inflation et au redressement du commerce extérieur, avec un relatif succès (10,5 % des exportations de marchandises de l'OCDE en 1973, 10,4 % en 1980). Lancé devant le parlement le 5 octobre, ce plan associe des mesures conjoncturelles (retour à l'équilibre budgétaire, modération, redressement du rapport profits/salaires à l'avantage des premiers), le retour à l'équilibre des comptes publics, l'augmentation des cotisations sociales et la rationalisation de l'aide au logement.

Le succès de la majorité aux législatives de mars 1978 résulte de la rupture du programme commun de gouvernement et de mauvais reports PS-PC au second tour. Ayant désormais les mains libres, R. Barre relève le plafond de l'assurance maladie, réduit le besoin de financement des administrations publiques, sans pouvoir enrayer la hausse tendancielle des prélèvements obligatoires : en 1980, ceux pesant sur les entreprises publiques demeurent les plus élevés du monde. R. Barre mise aussi sur l'intensification de la concurrence, d'où la création d'une commission *ad hoc*, renforce l'encadrement du crédit, tente de créer un actionnariat populaire (SICAV Monory en juillet 1978), essaie de modérer les hausses nominales de salaires, sans pour autant abandonner les préoccupations sociales. À partir de 1977, la productivité du travail augmente plus vite que les salaires. Il s'ensuit une reprise de la confiance dans le franc, dont, depuis 1978, le cours est stable par rapport au mark. Mais l'investissement privé stagne, en raison du soutien accordé aux grandes entreprises nationales

(EDF et le nucléaire notamment) : le taux d'épargne brute des sociétés passe de 20,8 % en 1974 à 17,2 % en 1977, mais seulement 19,5 en 1980. Cet échec tient pour partie au boulet de la sidérurgie lorraine. En effet, Usinor et Sacilor exportent leur production à perte, souffrent d'un endettement beaucoup plus lourd que leurs concurrents allemands et d'un écart de productivité considérable avec les firmes japonaises (2,2 fois plus productives). Pris au piège, R. Barre organise la cessation d'activité des travailleurs de plus de 56 ans (1977), puis, confronté à un mouvement social de grande ampleur, conclut, en juillet 1979, un accord coûteux (préretraites à 55 ans, primes de départ volontaire pour les plus jeunes).

Le second choc pétrolier survient, qui, en 1979, interrompt le redressement. Dans une société française pas prête à l'austérité, R. Barre doit faire face à une double opposition de gauche et gaulliste, autour de Jacques Chirac, qui dénonce la faiblesse de la France face à l'Allemagne et jette les bases du souverainisme (appel de Cochin en décembre 1978). La percée libérale reste à mi-chemin, car les objectifs majeurs ne sont pas atteints : pas de remise en cause du mécanisme d'indexation des salaires sur les prix ; en dépit d'un taux de croissance du PIB légèrement supérieur à ceux de l'Allemagne et du Royaume-Uni, le commerce extérieur demeure structurellement déficitaire. La défaite de Valéry Giscard d'Estaing à l'élection présidentielle de mars 1981 marque aussi l'échec du Barrisme, pourtant ouvert aux percées technologiques du futur (bureautique, bio-industrie, productique), mais supplanté dans son camp par le gaullisme chiraquien.

Une nouvelle époque commence, celle de « l'échec du keynésianisme dans un seul pays » (chapitre 8, p. 253-289). La victoire de François Mitterrand en mai 1981, amplifiée par les élections législatives de juin, ouvre sur un état de grâce. Très vite cependant les difficultés s'accumulent, d'où, dès 1983, le « tournant de la rigueur », masqué sous l'apparence de « la parenthèse ». Au point de départ, le choix est fait d'une politique postkeynésienne (ou keynéso-marxiste) : elle donne la priorité à la consommation sur l'investissement, à la réduction des importations, au développement des nouvelles technologies, à la nationalisation des secteurs clés, à l'extension de l'État-providence financé par une pression accrue sur les employeurs. Menée à contretemps, cette politique a des conséquences désastreuses. Ignorante de la contrainte extérieure, opposée à celles menées au Royaume-Uni et en Italie, cette même politique repose sur une augmentation de la dépense publique un peu plus modérée qu'à l'époque du gouvernement Chirac, néanmoins plus orientée vers les investissements publics. Elle implique une mise à contribution des entreprises (neuf revalorisations du SMIC de juin 1981 à mars 1983), sacrifie les investissements productifs au profit de la construction dans les HLM, réduit encore l'autofinancement et l'épargne brute des sociétés. Afin d'améliorer les conditions de vie des travailleurs, l'on revient à la vieille idée du partage du travail pour lutter contre le chômage : 39 heures hebdomadaires, limitation des heures supplémentaires, cinquième semaine de congés payés, retraite à 60 ans, préretraites à 55 ans, le tout avec maintien intégral du salaire mensuel. Il s'ensuit une forte baisse des exportations en volume, une augmentation du taux de chômage accompagnée d'une forte hausse de l'emploi public, elles-mêmes explicables par une perte de compétitivité.

À l'automne 1981, les signaux deviennent alarmants : une forte relance par la demande provoque une croissance excessive des importations. En effet, les entreprises françaises se montrent incapables de répondre de façon compétitive à la demande adressée vers les fournisseurs étrangers. La politique des filières se trouve remise en cause par l'augmentation des coûts de la main-d'œuvre et le manque d'investissements. En outre, l'état de faiblesse de l'économie française ne permet même plus à des dévaluations modérées de réduire les importations. De fait, la propension marginale à importer s'accroît tandis que, du côté des exportations, l'accroissement du SMIC entraîne des pertes de marché à l'extérieur et la montée de l'endettement extérieur. Autour de Jacques Delors, Jean Peyrelevade, Pierre Mauroy et Michel Rocard s'organise, à Matignon, un pôle favorable à une pause dans les réformes. Il s'oppose à celui de l'Élysée (F. Mitterrand, Jacques Attali, Laurent Fabius et Pierre Bérégovoy). Les premiers obtiennent, dès février 1982, une prise en charge partielle par l'État des cotisations patronales des entreprises du textile et de l'habillement. De plus, les nationalisations déçoivent. Le « socialisme industriel » (Alain Boublil) était pourtant conçu comme un outil en vue d'une ambition politique (nationalisation de 90 % des dépôts bancaires, passage de 6 % à 19 % des salariés du pays). Mais, très vite, une contradiction apparaît entre ambitions de croissance et objectifs de progrès social. Les exigences des syndicats conduisent à la démission de Jean Gandois, PDG de Rhône-Poulenc, dès 1982, à des rachats de complaisance (Vibrachoc de Roger-Patrice Pellat) ou à des renflouements d'industries menacées dans des fiefs de gauche. Plus grave, les entreprises nationalisées sont globalement déficitaires, d'où l'intervention du Budget pour combler une partie des pertes. Le déclin industriel de la France s'accentue, comme le montrent les échecs du plan de sauvetage de la machine-outil, du plan filière électronique, des titres participatifs et des certificats d'investissement et, surtout, la faillite de Creusot-Loire en 1984.

Sous la pression allemande, le tournant de la rigueur s'impose. En juin 1982, le franc a été dévalué de 5,75 %, le mark et le florin réévalués de + 4,25 %, mais au prix de l'abandon de l'indexation des salaires sur les prix. Le tournant officiel date de mars 1983. La France a épuisé alors ses réserves monétaires et ses capacités d'emprunts extérieurs. J. Delors obtient d'H. Kohl une nouvelle dévaluation du franc (- 2,5 %) accompagnée de réévaluations du mark (+ 5,5 %), du florin (+ 3,5 %), de la couronne danoise et du franc belgo-luxembourgeois ainsi que d'un relèvement des taux d'intérêts de la Banque de France. F. Mitterrand fait alors le choix d'une intégration européenne plus poussée. Alors que les prélèvements subis par les entreprises atteignent un record mondial, la loi bancaire de janvier 1984 permet un libre accès des entreprises privées au marché financier. Le fléchissement du taux de syndicalisation, l'évolution réformiste de la CFDT, la montée des experts au sein du PS, puis les victoires électorales de la droite favorisent l'évolution. Surtout, la situation est devenue dramatique : perte de 80 000 emplois par an de 1981 à 1984, chute de l'investissement productif et du taux d'épargne brute des sociétés, hausse des dépenses publiques et du déficit des échanges avec la CEE, écart accru sur les autres pays industrialisés. Comme l'a dit Nicolas Baverez, « la désindustrialisation laisse un État-providence hypertrophié en tête à tête avec une masse croissante de chômeurs et d'exclus sans cesse plus nombreux » (*Les Trente piteuses*, 1997).

Telle est sans doute la conséquence de « L'entrée inassumée de la France en économie ouverte » (chapitre 9, p. 290-320). Il y existe en effet une opposition persistante et forte à la mondialisation. La France a fait pourtant le choix de l'ouverture sur l'Europe. Au point de départ, il y a eu d'abord, en avril 1948, l'adhésion à l'OECE, condition indispensable à l'obtention de l'aide Marshall, puis l'entrée dans la CECA, en mai 1950, et l'adhésion au traité de Rome en mars 1957. Conseillé par Jacques Rueff, le général de Gaulle impose le respect des clauses d'adhésion à l'OECE et à la CEE : c'est, en décembre 1958, le décontingentement de 90 % des importations. Mais le IVe Plan de développement économique et social ne poursuit pas dans la voie d'une convergence avec les règles en général pratiquées dans le reste de l'Europe occidentale. Certes le Ve Plan (1966-1970) met en avant la notion de compétitivité, mais celle-ci ne recueille l'adhésion ni des hommes politiques, ni de l'opinion publique. Ainsi s'explique la difficulté à adhérer du libre-échange généralisé et à l'abaissement du tarif extérieur commun. Sous la pression continue des États-Unis et du Royaume-Uni, les négociations en vue d'une baisse généralisée des droits de douane dans le cadre du Dillon Round, en 1960-61, puis du Kennedy Round, de 1964 à 1967, avec pour résultat une réduction de 38 % du tarif extérieur commun en contrepartie de la création de la Politique agricole commune (PAC). Se mettent ainsi en place les conditions d'une concurrence généralisée entre pays de niveaux de salaires et de protection sociale très différents.

La voie s'ouvre vers le libre-échange mondial, notamment à travers le démantèlement de l'Union douanière de 1957, poursuivi de manière ininterrompue : entrée du Royaume-Uni, de Danemark et d'Irlande au sein de la Commission économique européenne en 1973 ; cette même année, ouverture des négociations du Tokyo Round, point de départ d'une nouvelle baisse tarifs douaniers d'un tiers en moyenne sur huit ans à partir de janvier 1981. Les concessions libre-échangistes s'accompagnent de profondes réticences côté français. Elles sont claires à l'extrême-gauche, au PCF comme du côté des différentes obédiences gauchistes. Même au PS, des dissensions fortes opposent les nationalistes (le CERES de J.-P. Chevènement) et la deuxième gauche, qu'incarnent J. Delors, puis Pascal Lamy. La sidérurgie compte pour beaucoup de dans la persistance de ces réticences, jusqu'en 1983 et l'adoption d'une politique « moderniste plus libérale » autour de L. Fabius, P. Bérégovoy et avec l'aval de F. Mitterrand. L'évolution s'avère inévitable. En effet, dès 1974, la France est plus engagée qu'elle ne le croit dans le monde de l'économie ouverte : à partir du début des années 1980, la croissance des exportations se ralentit, la part de la France diminue au sein du commerce mondial, sans que l'excédent des échanges de produits manufacturés ne puisse compenser le déficit des matières premières et de l'énergie. Rares sont ceux qui en ont pris conscience à l'époque, à l'instar de Michel Drancourt, le directeur de l'Institut de l'entreprise, ou d'Olivier Lecerf, PDG de Lafarge Coppée.

En définitive, un tournant majeur s'est produit en 1974 (« Conclusion, quarante ans plus tard », p. 321-326). Le premier choc pétrolier s'accompagne d'une montée des pays du sud. Tandis que le modèle socialiste soviétique perd de son éclat, une cassure se produit pour les pays occidentaux dans le rythme de croissance de leur PIB (+ 5 % dans les années 1960 à + 2 % durant les décennies 1970 et 1980). L'affaiblissement des économies des pays industrialisés, notamment de la France, se produit au moment où, sous les auspices du GATT, se met en place, au niveau mondial, un libre-échange pénalisant durement le manque de compétitivité des nations à la traîne, engagées dans un processus de désindustrialisation et d'aggravation des inégalités internes. Si la France est particulièrement affectée, elle le doit aux erreurs de ses élites politiques, sauf sous Raymond Barre de 1976 à 1981. Mais celui-ci ne peut continuer de suivre sans dommages sa voie particulière. Or, depuis la fin des années 1960, les facteurs de rattrapage s'épuisent : la fragilité persistante des entreprises françaises traduit leurs difficultés croissantes à affronter le démantèlement des barrières douanières, leur incapacité à monter en gamme et l'impossibilité du pays à élever la qualification technique de sa population. La France choisit la voie de la politique conjoncturelle en privilégiant les objectifs à court terme sur ceux à long terme. Un retour tardif à une démarche telle que tentée par Barre, à partir de 1983-84 et l'internationalisation de l'entreprise française ne pourront aboutir, en raison notamment des atermoiements des années 1988 à 1993, puis des choix à contretemps de la période 1993 à 2002. Le retard pris ne sera jamais comblé par la suite.

**Dominique Barjot**

Sorbonne Université et Académie des sciences d'outre-mer

Mauve Carbonell (*et alii*, dir.)
*Industrie entre Méditerranée et Europe, XIXe-XXIe siècles*
Presses universitaires de Provence, « Le temps de l'histoire », 2019, 346 p.

Rien ne vaut un livre d'hommages à un collègue - ici, Philippe Mioche - pour obtenir des informations fraîches sur les recherches en cours dans une communauté scientifique, en l'occurrence ici, celle de l'histoire des entreprises contemporaines, puisque P. Mioche aura conduit une carrière de grand chercheur en histoire industrielle et patronale, notamment à propos de la sidérurgie. Aussi « anciens » et jeunes chercheurs ont-ils uni leurs forces pour faire part de leurs recherches récentes, des acquis historiographiques et des débats récents, comme à propos de la désindustrialisation et des pollutions.

L'histoire des représentations ne manque pas d'être partie prenante de l'histoire économique. D. Woronoff s'interroge ainsi sur les représentations de l'industrie dans la littérature du XIXe siècle et ne peut que constater son faible poids, y compris chez Balzac, si l'on excepte *Le Maître de forges* d'Ohnet et ses 250 éditions et certains ouvrages de Zola. P. Raggi, quant à lui, s'interroge sur la réalité de l'attachement à l'héritage patrimonial de l'industrie, une fois les usines fermées : les destructions dominent, mais il évoque des cas où les bâtiments ont été préservés au profit de pôles où se rassemblent histoire et mémoire. Le tourisme industriel et ses « parcours de représentation » ont percé, comme au Creusot, pôle auquel était fort attaché P. Mioche et dont Y. Kharaba reconstitue l'histoire. Le tourisme industriel a émergé et, parfois, les travaux des historiens contribuent à nourrir les catalogues et panneaux des expositions.

L'histoire de l'informel s'impose à travers une réflexion sur l'identité de Pechiney dans les régions de montagne (M. Carbonell) où ce groupe était allé chercher de l'hydroélectricité pour ses usines métallurgiques ou chimiques : au-delà des mini-systèmes productifs locaux, ce sont aussi des communautés de vie qui se sont constituées en réseaux enracinés, autour du sport montagnard notamment. On est au cœur des recherches sur la culture d'entreprise comme à propos des firmes sidérurgiques, dont l'histoire s'appuie aussi sur la collecte de témoignages auprès des ouvriers et des dirigeants, comme quand É. Godelier a reconstitué l'histoire d'Usinor en s'interrogeant sur le bien-fondé de l'action passée, ce qui peut déboucher sur une forme de scénarisation de l'histoire racontée et de personnalisation de la légitimité de l'action.

Des figures interviennent sans cesse, bien sûr, tel le grand sidérurgiste luxembourgeois des années 1890-1930, Émile Mayrisch, dont les réussites chez Arbed ont recouvert quelques échecs, comme sa tentative de monter une activité électrométallurgique au tournant du siècle. Plus connus en France sont les Wendel dont H. Joly précise les facteurs de résistance aux chocs économiques grâce à la fédération des intérêts familiaux subsistant après la nationalisation de la sidérurgie et à la constitution d'une société financière (CGIP, puis Wendel) : la prospérité s'est appuyée sur la diversification des actifs et, au fond, l'animation d'un fonds d'investissement devenu un bon acteur des marchés au XXI^e^ siècle.

Des stratégies de développement sont scrutées. L'innovation sert de levier, par exemple tout au long de l'histoire de l'usine de Salindres (T. Renay) au gré des mutations techniques. X. Daumalin et O. Raveux reconstituent l'évolution de la carte de l'industrie entre Marseille, Martigues et Fos, au rythme des restructurations du système productif propre à chaque branche d'activité. Parfois, l'aventure s'effiloche comme quand Pechiney perd peu à peu de sa compétitivité à la fin du XX^e^ siècle, faute de gains de productivité suffisants et de suffisamment de valeur ajoutée. Aux aspects positifs des parcours industriels, si fascinants, s'oppose la prise en compte des effets négatifs de l'industrialisation, comme le révèle l'étude de la santé des ouvriers des usines de plomb en région marseillaise. Les historiens d'entreprise ont dû intégrer depuis les années 1990 l'histoire « sombre » des retombées polluantes des régions industrielles.

L'ouverture internationale anime plusieurs recherches, à propos de la stratégie de Saint-Gobain en Italie, des activités de Worms pendant la Grande Guerre sur plusieurs espaces maritimes, ou à propos de l'imbrication entre les sidérurgies sarroise et lorraine (P. Fridenson). R. Rainieri livre une brillante étude de la politique menée par l'Italie afin de défendre ses intérêts quand s'est mise en place la Communauté économique du charbon et de l'acier.

Classiquement, l'ouvrage s'attaque aux politiques publiques. D. Barjot soupèse les effets des nationalisations effectuées en France, avec leur calendrier et leur insertion dans les schémas de renforcement de la compétitivité du pays. Mais la nationalisation n'aura pas permis de sauvegarder longtemps la position internationale de Pechiney ni la capacité de résistance d'une sidérurgie qu'il a fallu remodeler, comme l'indiquent plusieurs chapitres.

Ainsi cet ouvrage dresse-t-il plusieurs pans de l'évolution des entreprises et des technologies, grâce à deux douzaines de témoignages d'une histoire en chantier, en autant de mini-reportages sur le capital de savoir-faire des historiens de l'économie et sur la façon dont ils manient leur boîte à outils lors de leurs investigations écrites, orales ou patrimoniales.

**Hubert Bonin**
Sciences Po Bordeaux & Gretha-Bordeaux Université

Christiane Cheneaux-Berthelot
*Paris et ses campagnes au XIXe siècle : marchés, productions, producteurs*
Paris, SPM, 2020, 286 p.

Ce livre est issu d'une thèse de doctorat soutenue en 2015 à la Sorbonne sous la direction de Dominique Barjot. Il décrit un monde paysan très particulier, celui des environs immédiats de l'une des plus grandes métropoles mondiales du XIXe siècle. Christiane Cheneaux-Berthelot a exploité les séries F des archives nationales (Agriculture, Subsistances), les archives de la ville de Paris et celles de la ville de Saint-Denis. Elle a aussi utilisé les statistiques détaillées collectées depuis l'époque napoléonienne par une administration traditionnellement très attentive au problème des subsistances. De nombreuses cartes et graphiques permettent une lecture rapide de riches données numériques sur la production, les revenus, les tailles des exploitations : l'histoire quantitative est toujours à l'honneur.
Une première problématique domine l'ouvrage, celle des crises frumentaires. Il faut non seulement nourrir les habitants, dont le nombre passe d'un million d'habitants en 1840 à deux millions en 1880, mais aussi les chevaux. Le système des transports parisiens utilise 28 000 équidés en 1812, et jusqu'à 79 000 en 1880, avant la mise en circulation des tramways et des automobiles. Il faut donc produire en abondance du blé, des légumes et des produits d'élevage, mais aussi de l'avoine, du foin et de la paille.

La terre est chère, grignotée par l'expansion urbaine. En 1840, les surfaces cultivées représentent 74 % de la superficie du département de la Seine, mais elles n'en représentent plus que la moitié en 1892. Malgré tout, Paris conserve longtemps des aspects bucoliques. Jusqu'au milieu du siècle, des maraîchers étendent leurs cultures à l'intérieur de l'enceinte de la capitale et la ville est cernée par deux arrondissements ruraux, celui de Saint-Denis au nord, et celui de Sceaux au sud.

La demande d'une population en hausse continue accélère la révolution culturale et le développement des circuits commerciaux. Dès l'époque de l'enquête agricole de 1812, les jachères ont déjà disparu, remplacées par les prairies artificielles. Le département de la Seine est, de tous les départements français, celui où l'on trouve les plus hauts rendements céréaliers à l'hectare et les produits agricoles les plus valorisés. Au début du XIXe siècle, les performances de la grande culture autour de Paris peuvent se comparer à celles de l'agriculture anglaise, tant en rendements par hectare qu'en productivité par actif. Le département de la Seine compte moins de bovins que les campagnes anglaises, mais le manque de fumier est compensé par l'utilisation des gadoues urbaines et du fumier de cheval. Il présente une originalité par rapport à d'autres régions agricoles riches : l'emploi des semences céréalières par hectare y est nettement plus élevé. Ce mauvais rendement des semences peut s'expliquer par la volonté de produire beaucoup de paille par des semis plus serrés.

La capitale ne doit jamais manquer de pain, sous peine de graves troubles à l'ordre public. Conscients de leur fragilité face aux émeutes, les régimes successifs donnent une priorité absolue à l'approvisionnement de Paris, quitte à défavoriser la province. L'État accumule des réserves de grains dans les « greniers d'abondance » créés sous la Convention et recourt aux importations pour réguler le marché du blé à Paris. L'étude de Christiane Cheneaux comporte de très intéressants développements sur le problème des subsistances et sur l'évolution de la composition de la nourriture des Parisiens. Elle révèle l'efficacité des dispositifs mis en place pour contenir la hausse des prix des farines dans la capitale. Ses observations vont dans le même sens que les recherches de Guy Soudjian sur la population parisienne à la fin du Second Empire et de Laurent Heyberger sur la santé et le développement économique en France au XIXe siècle : ces deux auteurs montrent qu'à Paris la « pénalité urbaine » a été moins prononcée que celle qui a affecté les populations des grandes villes de la Grande-Bretagne et des États-Unis dans la première moitié du XIXe siècle.

Une deuxième problématique est abordée, celle des structures agricoles. Les cultivateurs de la Seine sont très majoritairement de petits propriétaires-récoltants. Le morcellement fait obstacle à la mécanisation, mais la petite culture parvient à coexister avec la grande culture en se spécialisant dans des productions de haute valeur ajoutée. Avec des trésors de savoir-faire, les paysans tirent de leurs quelques arpents de quoi garnir les tables des Parisiens de toutes conditions sociales : des asperges fines, même en plein hiver, des fraises délicates et des pêches renommées (les pêches de Montreuil). À L'Haÿ, Jules Gravereaux créée en 1894 une roseraie qui connaîtra une telle célébrité que la commune sera rebaptisée « L'Haÿ-les-Roses ». Consacrée à la production de masse de légumes de plein champ, la Plaine de Saint-Denis devient la plus grande plaine légumière d'Europe. Cette abondance et cette diversité font penser à un véritable « jardin d'Eden ». Le progrès des aménagements routiers et fluviaux, puis la mise en service des chemins de fer, permettent d'élargir toujours davantage le rayon d'approvisionnement en blé jusqu'aux seuils du Poitou et de Bourgogne. Corrélativement, les abords immédiats de la capitale accentuent leur spécialisation dans l'horticulture et l'arboriculture, productrices de denrées à la fois plus périssables et plus rémunératrices que les céréales.

L'agriculture des environs de Paris souffre en permanence d'une pénurie de main-d'œuvre. Un système de rotation des cultures très contraignant et un calendrier agricole très chargé nécessitent la présence d'une de force de travail tout au long de l'année. Or celle-ci est de plus en plus instable. Une forte concurrence salariale s'exerce en provenance de l'industrie parisienne, même pour les métiers peu qualifiés. Les salaires de tous les métiers sont nettement plus élevés qu'en province. Le département de la Seine est celui qui importe le plus d'ouvriers agricoles provenant d'autres départements. On y recrute dans des zones de plus en plus éloignées, et même, déjà, hors des frontières. Vers 1900, ces immigrés viennent surtout de Belgique.

Les paysans de la région parisienne s'enrichissent et investissent des assemblées jusque-là dominées par les grands propriétaires et les professions libérales. L'étude des listes d'électeurs censitaires montre sous la monarchie de Juillet l'accession d'un grand nombre de cultivateurs au statut d'électeurs, voire d'élus. Ils pénètrent progressivement les conseils municipaux des villages et des bourgades.

Au total, l'ouvrage de Christiane Cheneaux-Berthelot montre une un modèle de gestion raisonnée de la relation ville-campagne, à l'heure où se pose la question des circuits courts de distribution et où les jardins urbains renaissent de façon à remettre le producteur tout près du consommateur.

**Michel Hau**

Université de Strasbourg et IUF

REVUE FRANÇAISE
D'HISTOIRE ÉCONOMIQUE

N° 15

# Livres reçus

THE FRENCH ECONOMIC
HISTORY REVIEW

N° 15

# Books received

Jeanne-Marie AMAT-ROZE et Christian BENOIT (dir.), *L'Empire colonial français dans la Grande Guerre*, coll. « Mémorial de Verdun », Paris, Éditions Dacres, 2021, 900 p.

Éric ANCEAU, *Les Élites françaises des Lumières au grand confinement*, Paris, Passés/Composés, 2020, 462 p.

Laurence BADEL, *Diplomaties européennes, XIX*ᵉ*-XXI*ᵉ *siècles*, Paris, Presses de Sciences Po, 2021, 540 p.

Christelle BALOUZAT-LOUBET (dir.), « Les comptabilités médiévales en terres d'Empire : typologie et perspectives de recherche (XIIIᵉ-XVᵉ siècle) », *Comptabilités* [En ligne], 13 | 2020, mis en ligne le 30 septembre 2020, consulté le 15 février 2021. URL : http://journals.openedition.org/comptabilites/4807

Dominique BARJOT, Anna BELLAVITIS, Olivier FEIERTAG et Bertrand HAAN (dir.), *Regards croisés sur l'historiographie française aujourd'hui*, Paris, Éditions SPM, 2020, 302 p.

Nicolas BARREYRE & Nicolas DELALANDE (eds.), *A World of Public Debts. A Political History*, Londres-New York, Palgrave Macmillan, 2020, 564 p.

Jean-Paul BARRIÈRE, *La construction des professions juridiques et médicales. Europe occidentale, XVIII*ᵉ*-XX*ᵉ *siècle*, Villeneuve d'Ascq, PUS , 2020, 308 p.

Jérôme BAZIN, Joanna KORDJAK (ed.), *Cold Revolution. Central and Eastern European Societies in Times of Socialist Realism, 1948-1959* international conference organized by the Zachęta – National Gallery of Art, Warsaw, January 2020, Mousse Publishing, 320 p.

Claudio BELINI (dir.), *Empresarios y Estado en Argentina: Política y economía 1955-2001*, Buenos Aires, Lenguaje Claro Editora, 2020, 332 p.,

Emmanuelle BELLANGER, *Le parti des communistes. Histoire du Parti communiste français de 1920 à nos jours*, Paris, Éditions Hors d'atteinte, 2020, 720 p.

Alain BERGOUNIOUX et Mathieu FULLA (dir.), *Michel Rocard Premier ministre. La deuxième gauche et le pouvoir (1988-1991)*, Paris, Presses de Sciences Po, 2020, 370 p.

Philippe BERNARDI, Corine MAITTE et François RIVIÈRE (dir.), *Dans les règles du métier. Les acteurs des normes professionnelles au Moyen Âge et à l'époque moderne*, Palerme, New Digital Frontiers, 300 p.

François BLARY et Jean-Pierre GÉLY (dir.), *Pierres de construction*, Paris, Éditions du CTHS, 2020, 300 p.

Jean-Paul BLED, *De Gaulle. L'Homme du siècle*, Paris, Éditions du Cerf, 2020, 358 p.

Alexia BLIN, Stéphane GACON, François JARRIGE et Xavier VIGNA (dir.), *L'utopie au jour le jour, Une histoire des expériences coopératives, XIX*ᵉ*-XXI*ᵉ *siècle*, Nancy, Éditions de l'Arbre Bleu, 2020, 326 p.

Hubert BONIN, *French Banking and Entrepreneurialism in China and Hong Kong from the 1890s to 1950s*, Abindgon, Routledge, 2019.

Hubert BONIN, *Le Crédit Agricole. De la banque des campagnes à la banque universelle (1951-2001)*, Genève, Droz, 2020, 472 p.

Nicolas BOURGUINAT, Alexandre DUPONT et Gilles VOGT (dir.), *La guerre de 1870, conflit européen, conflit global*, Montrouge, Éditions du Bourg, 2020, 342 p.

Walter BRUYERE-OSTELLS, Benoît POUGET et Michel SIGNOLI (dir.), *Des chairs et des larmes : combattre, souffrir, mourir dans les guerres de la Révolution et de l'Empire*, Aix-Marseille, Presses universitaires de Provence, 2020, 272 p.

Philippe BRUYERRE, *La Puissance du vent. Des moulins à vent aux éoliennes modernes*, Toulouse, Presses universitaires du Midi, collection Histoire & Techniques, 2020, 262 p.

Véronique CHANKOWSKI, Clément LENOBLE et Jérôme MAUCOURANT. *Les infortunes du juste prix. Marchés, justice social et bien commun de l'Antiquité à nos jours*, Lormont, Le Bord de l'eau, 2020, 240 p.

Christiane CHENEAUX-BERTHELOT, *Paris et ses campagnes au XIX*ᵉ *siècle : marchés, productions, producteurs*, Paris, SPM, 2020, 286 p.

Michel CHRISTIAN et Ondrej MATEJKA, *Planning in Cold War Europe. Competition, Cooperation, Circulations (1950s-1970s)*, Oldenburg, De Gruyter, 2018, 348 p.

Dima de CLERCK et Stéphane MALSAGNE, *Le Liban en guerre (1975-1990), Paris*, Éditions Belin, 2020, 480 p.

Judith CLIFTON, Daniel DIAZ FUENTES, David HOWART and Lara GÓMEZ (eds.), *Regional Development Banks since the Second World War*, Oxford, Oxford University Press, 2020, 358 p.

Georges COMBÉ (dir.), *Guadeloupe : le développement en questions*, Paris, L'Harmattan, 2019, 220 p.

Nathalie CROCHEPEYRE, Bruno DUBOIS et Farid LEKÉAL (dir.), « La réception des législations relatives aux accidents du travail XIXe - XXe siècles. France-Belgique », *Revue du Nord* - Hors-série. Collection Histoire, n° 40, 2020.

Jean-Claude DAUMAS (dir.), *Les révolutions du commerce. France, XVIIIe-XXI[e] siècle*, Besançon, Les Cahiers de la MSHE Ledoux, Presses universitaires de Franche-Comté, 2020, 362 p.

Olivier DARD et Didier MUSIEDLAK, *Être nationaliste en régime de dictature*, Bruxelles, Peter Lang, 2020, 516 p.

Béatrice DELAURENTI, Thomas LE ROUX, *De la contagion*, Paris, Paris, Vendémiaire, 202, 448 p.

Luiz Carlos DELORME PRADO et Hildete de MORAES VODOPIVES (eds.), « Concurrence et régulation au Brésil », *Entreprises & Histoire*, n° 99/2020.

Quentin DELUERMOZ, *Commune(s), une traversée des mondes au XIXe siècle*, Paris, Seuil, 2020, 448 p.

Jennifer A. DELTON, *The Industrialists: How the National Association of Manufactures Shaped American Capitalism*, Princeton, Princeton University Press, 2020, XIV - 358 p.

Georges DEPEYROT, "The three Types of Currency, The monetary question (Antiquity - 19th century)", *MONETA* 208, 2020, 272 p.

Pierre-Yves DONZÉ, *Des nations, des firmes et des montres : histoire globale de l'industrie horlogère de 1850 à nos jours*, Lausanne, Éditions Livreo-Alphil, 2020, 248 p.

Andrew EDE, *Technology and Society: A World History - explore the creative power of* humanity, Cambridge (Mass.), Cambridge University Press, 2020, 332 p.

Renaud d'ENFERT et Virginie FONTENEAU (dir.), *L'offre locale d'enseignement scientifique et technique. Approches disciplinaires (XVIIIe-XX[e] siècle)*, Nancy, Presses universitaires de Nancy- Éditions universitaires de Lorraine, 2020, 310 p.

Friedrich ENGELS, *Le Rôle de la violence dans l'Histoire et autres textes* (Présentation de Michel Pigenet), Paris, Le Temps des Cerises, 2020, 185 p.

Sabine EFOSSE, *L'entreprise post RSE vue à travers ses parties prenantes*, Paris, Institut de l'Entreprise, 2019, 52 p.

Camille FAUROUX, *Produire la guerre, produire le genre. Des Françaises au travail dans l'Allemagne nationale-socialiste (1940-1945)*, Paris, Éditions de l'EHESS, 306 p.

Laurent FELLER et Agnès GRAMAIN (dir.), *L'Évident et l'invisible. Questions de méthode en Économie et en Histoire*, Paris, Éditions de la Sorbonne, 2020, 300 p.

Marion FONTAINE, François JARRIGE et Nicolas PATIN (dir.), *Le travail en Europe occidentale - 1830-1939*, Paris, Éditions Atlande, 2020, 624 p.

Danièle FRABOULET et Philippe VERHEYDE (dir.), *Pour une histoire sociale et politique de l'économie. Hommages à Michel Margairaz*, Paris, Éditions de la Sorbonne, 2020, 560 p.

Pierre FRANÇOIS et Claire LEMERCIER, *Sociologie historique du capitalisme*, Paris, La Découverte, 432 p.

Jean-Baptiste FRESSOZ et Fabien LOCHER, *Les révoltes du ciel / une histoire du changement climatique: XVe-XX[e] siècles*, Paris, Le Seuil, 2020, 320 p.

Juliette FRANÇOISE, *L'empire de la monnaie dans les Mascareignes au XVIIIe siècle*, Paris, Édition Ithaka, 2020, 287 p.

Stéphane FRIOUX (dir.), *Une France en transition. Urbanisation, risques environnementaux et horizon écologique dans le second XXe siècle*, Ceyzérieu (Ain), Champ Vallon, 202, 408 p.

Gabriel GALVEZ-BEHAR, *Posséder la science. La propriété scientifique au temps du capitalisme industriel*, Paris, Éditions de l'EHESS, 2020, 320 p.

Sandrine GIRARDIER, *L'entreprise Jacquet-Droz. Entre merveilles de spectacle, mécaniques luxueuses et machines utiles, 1758-1881*, Lausanne, Éditions Livreo-Alphil, 2020, 604 p.

Mathieu GLANCHANT et Caroline MINI, *Quand le carbone coûtera. L'effet sur la compétitivité industrielle de la tarification du carbone*, Paris, La Fabrique de l'industrie, 2020, 81 p.

Denis GLASSON, *Edmond Godinot, fonctionnaire sous le Second Empire*, Paris, Paris, Éditions du Cygne, 2020, 236 p.

Thibault GUICHERD, *Les origines de la théorie de la concurrence monopolistique d'Edward Hastings Chamberlin*, Paris, Classiques Garnier, 2020, 233 p.

Patrick HALBEISEN, Margrit MÜLLER et Béatrice VEYRASSAT (dir.), *Histoire économique de la Suisse*, Lausanne, Éditions Livreo-Alphil, 2020, 1000 p.

Mohamed HARAKAT, *Finances publiques et réforme de l'État* : le cas du Maroc, Paris, L'Harmattan, 2020, 390 p.

Michel HAU, Antoine LATHAM et Nicolas STOSKOPF, *Cent ans d'histoire de la Société des amis des universités de l'académie de Strasbourg, 1920-2020*, Strasbourg, Presses universitaires de Strasbourg, 2020, 198 p.

Arnaud-Dominique HOUTE, *Propriété défendue. La société française à l'épreuve du vol (XIX^e^-XX^e^ siècles)*, Paris, Gallimard, 2021, 400 p.

Laurent JALABERT, *Histoire du Crédit Agricole Pyrénées-Gascogne (1902-2020)*, Morlaàs, Éditions Cairn, 2020, 208 p.

Éric JENNINGS, *Les Bateaux de l'espoir. Vichy, les réfugiés et la filière martiniquaise*, Paris, CNRS Éditions, 2020, 328 p.

Hervé JOLY, À *Polytechnique, X 1901. Ils étaient l'élite de la Belle Époque. Qu'ont-ils accompli ?*, Paris, Flammarion, 2021, 448 p.

Pierre JUDET, *Une histoire sociale de l'industrie en France. Du choléra à la grande crise (années 1830-années 1930)*, Presses universitaires de Grenoble, coll. « la Pierre et l'Écrit », 2020, 333 p.

Abdenour KERAMANE, *L'électrification de l'Algérie. De la lumière dans les Ksour*, Paris, L'Harmattan, 2020, 382 p.

Herbert S. KLEIN & Francisco VIDAL LUNA, *Feeding the World: Brazil's Transformation into a Modern Agricultural Economy*, Cambridge (Mass.), Cambridge University Press, 2019, XVII - 453 p.

Fabien KNITTEL, Nadège MARIOTTI et Pascal RAGGI (dir.), *Le travail en Europe occidentale des années 1830 aux années 1930. Mains-d'œuvre artisanales et industrielles, pratiques et questions sociales*, Paris, Ellipses, 2020, 440 p.

Sandrine KOTT, *Organiser le monde. Une autre histoire de la guerre froide*, Paris, Le Seuil, 2021, 328 p.

Annie LACROIX, *Scissions syndicales, réformisme et impérialismes dominants*, Paris, Delga, 335 p.

Ludovic LALOUX et Arnaud PÉTERS, *Le travail en Europe occidentale des années 1830 aux années 1930, Mains-d'œuvre artisanales et industrielles, pratiques et questions sociales*, Presses universitaires de Valenciennes, 452 p.

Florent LE BOT et Alain P. MICHEL (dir.), *Artefact*, 13 | 2020, « Ingénieurs et Entreprises (XIX^e^-XXI^e^ siècle) » [En ligne], mis en ligne le 23 décembre 2020, consulté le 25 décembre 2020. URL : http://journals.openedition.org/artefact/6186 ; DOI : https://doi.org/10.4000/artefact.6186 ».

Florent LE BOT, Audrey MILLET, *Le travail en Europe occidentale 1830-1939 - documents*, Paris, Atlande, 2020, 617 p.

Caroline LE MAO (dir.), *Bayonne, Bordeaux, La Rochelle, Rochefort. Mémoire Noire. Histoire de l'Esclavage*, Bordeaux, Éditions Mollat, 2020.

Corinne LEGOY, *Le Monde de l'Angle. Voix paysannes (1915-2020)*, Orléans, Bleu Autour, 196 p.

Stéphane LEMBRÉ dir.), « Terres de travail. Mains-d'œuvre artisanales et industrielles en Belgique et dans le Nord de la France (années 1830-années 1930) », n°435, *Revue du Nord* , 2020.

Nicolas LYON-CAEN, Raphaël MORERA, *À vos poubelles citoyens ! Environnement urbain, salubrité publique et investissement civique (Paris, XVI^e^-XVIII^e^ siècle)*, Ceyzérieu (Ain), Champ vallon, 2020, 250 p.

Corine MAITTE, Didier TERRIER, *Les Rythmes du labeur. Enquête sur le temps de travail en Europe occidentale, XIV^e^-XIX^e^ siècles*, Paris, La Dispute, 2020, 432 p.

André MASSON, *Nos sociétés du vieillissement entre guerre et paix. Plaidoyer pour une solidarité de combat*, Paris, Éditions l'Autre-face, 2020, 208 p.

Juan Manuel MATÉS-BARCO et Leonardo CARUANA DE LAS CAGIGAS (eds.), *Entrepreneurship in Spain. A History*, New York-London, Routledge, 202, 210 p.

Marie-Claude MAUREL, *Terre et propriété à l'est de l'Europe depuis 1990. Faisceau de droits, relations de pouvoir*, Besançon, Les Cahiers de la MSHE Ledoux, Presses universitaires de Franche-Comté, 2021, 246 p.

Michel OFFERLÉ, *Ce qu'un patron peut faire Une sociologie politique des patronats*, Paris, Collection NRF Essais, Gallimard, 2021, 528 p.

Jean-Marc OLIVIER, Robin PHILIPS, Sylvie VABRE, Vincent DELABASTITA, Jean-Pierre DORMOIS , Alexandre FERNANDEZ et Phillipe FORO, Le *travail en Europe Occidentale, 1830-1939*, Paris, Armand Colin, 417 p.

Adrien-Jean-Guy PASSANT, *À l'origine des écoles de commerce. ESCP Business School, la passion d'entreprendre*, Paris, L'Harmattan, 2020, 247 p.

Joachim DE PAOLI, *Sciences économique et pratique des ingénieurs économistes. L'exemple de Clément Colson*, Paris, Classiques Garnier, 2020, 382 p.

François PELLETIER, *D'une guerre à l'autre : l'itinéraire pétrolier d'Ernest Mercier*, Bruxelles, Berlin, Bern, New York, Oxford, Warszawa, Wien, Peter Lang, 2020, 306 p.

Jean-Jacques PLUCHART, *Les nouveaux systèmes de pilotage des entreprises*, Paris, Eska, 2020, 382 p.

Neil ROLLINGS et Laurent WARLOUZET (eds.), "Business History and European Integration: How EEC Competition Policy Affected Companies' Strategies", *Business History*, volume 62, 5, 2020.

Gwenaëlle ROT et François VATIN (dir.), *L'esthétique des Trente Glorieuses*, Paris, Pollen, 288 p.

Michel ROUX, *Responsible Finance in the World. Realities and Challenges*, Paris, Eska, 2020, XIV - 298 p.

Esther M. SÁNCHEZ et Santiago M. LÓPEZ, *Histoire de l'uranium en Espagne. De l'exploitation minière à la fabrication de combustible nucléaire, c. 1900-1986*, Madrid, SNE, 2021, 188 p.

Blaise SARY NGOY, *L'obsolescence de l'ordre économique de Bretton Woods. Fin de la Pax Americana*, Paris, L'Harmattan, 320 p.

Anne-Marie SOHN, Gabriel BENALLOUL et Gérard BUFFA, *Histoire de la maison Jean-Niel. Maison de composition à Grasse depuis 1771*, Paris, Éditions Textuel, 2020 - tome 1 - *Une histoire familiale*, 360 p. ; tome 2 - *De Grasse à l'international*, 268 p.

Alessandro STANZIANI, *Les métamorphoses du travail contraint. Une histoire globale XVIII*[e]*-XIX*[e] *siècles*, Presses de Sciences-Po, 2020, 330 p.

Marie-Albane de SUREMAIN, Éric MESNARD, *Enseigner les traites, les esclavages, les abolitions et leurs héritages*, Paris, Éditions Karthala, 2021, 340 p.

Félix TORRES, *René Ravaud, une vie pour l'industrie. Un grand industriel de l'aéronautique française de la deuxième moitié du XX*[e] *siècle*, Paris, First Éditions, 2020, 287 p.

Béatrice TOUCHELAY (dir.), *Fraudes, frontières et territoires XII*[e]*-XXI*[e] *siècles*, Paris, CHEFF, 2020, 381 p.

Ludovic TOURNES, *Américanisation. Une histoire mondiale (XVIII*[e]*-XXI*[e] *siècle)*, Paris, Fayard, 2020.

Guillaume TRONCHET, *André Honnorat. Un visionnaire en politique*, Paris, Maisonneuve et Larose / Hémisphères éditions, 2020, 448 p.

François VATIN, *De l'économie, suivi de l'économie de guerre sanitaire*, Lille, Éditions Laborintus, 2020, 174 p.

Lee VINSEL, *Moving Violations : Automobiles, Experts and Regulations in the United States*, Baltimore, John Hopkins University Press, 2019, X - 410 p.

Kazuo WADA, *The Evolution of the Toyota Production System*, Singapore, Springer, 2020, XIII-166 p.

REVUE FRANÇAISE
D'HISTOIRE ÉCONOMIQUE

N° 15

# Biographie des auteurs

# About the Authors

**DOMINIQUE BARJOT** est professeur émérite d'Histoire économique contemporaine à Sorbonne Université Lettres et membre de l'Académie des sciences d'outre-mer. Ancien directeur adjoint des SHS du CNRS (1994-1997) et représentant de la France au Standing Committee de l'European Science Foundation (1994-1998), il a été aussi directeur scientifique des sciences humaines et des humanités au ministère de l'Enseignement supérieur et de la Recherche (2003-2007) et directeur de l'École doctorale d'histoire moderne et contemporaine (ED 188) de l'université Paris-Sorbonne (Paris-IV) (2002-2010). Président, depuis 2017 du Comité Français des Sciences historiques, ancien président de l'Association française des historiens économistes (1998-2001), il est l'auteur de nombreux ouvrages ou articles de revue, parmi lesquels, en 2019 et 2020 : (dir.), avec Anna Bellavitis, Olivier Feiertag et Bertrand Haan, *Regards croisés sur l'historiographie française aujourd'hui*, Paris, Éditions SPM, 2020, 302 p.; (ed.), "Theory and Empirical Performance. Economic Paradigm and Performance in the Long Run (18th to 21st century)", *Revue Française d'histoire économique - The French Economic History Review*, n°11-12 (n°1-, 2019), 354 p.

**MARIE-LAURE BRETIN.** De formation documentaliste, Marie-Laure Bretin débute sa carrière dans le secteur de la grande distribution. En 2000, elle rejoint le milieu universitaire où elle occupe différentes fonctions successives : responsable de bibliothèque, responsable de service Information scientifique et technique puis chargée d'information scientifique et technique à l'Inria où elle contribue à la publication des travaux de recherche et à la science ouverte. Depuis 2019, elle est responsable de la bibliothèque et webmestre de l'Académie des sciences d'outre-mer.

**RAFAEL CASTRO BALAGUER** (rafael.castro@uam.es) is lecturer in Global and Spanish Economic History at the Autonomous University of Madrid. His research includes extensive work on business history, foreign direct investments, intellectual property rights, international relations, political economy of the enterprise and public economics. He latest research focus on the history of the brand, with a double special issue in *Business History* ("The Brand and Its History: Economic, Business, and Social Value", with Patricio Sáiz) and on the interactions between FDI and IPRs in the long run ("Foreign Direct Investment and Intellectual Property Rights: International Intangible Assets in Spain over the Long Term", with Patricio Sáiz, that was awarded with the Mira Wilkins Prize 2017 and the Phillip Scranton Bets Paper Prize 2017 form the Business History Conference). His publications include also articles in *Industrial and Corporate Change*, *Enterprise and Society* and *Business History Review*, as well as the book *La banca francesa en España en el siglo XX* (Madrid, Banco de España, 2012).

**NATHALIE ANNA CHAMPROUX** est Professeure de Civilisation britannique à l'Université de Tours et membre du laboratoire « Interactions culturelles et discursives » (ICD) - EA 6297. Après une thèse sur « Les gouvernements conservateurs britanniques face au Système monétaire européen de 1979 à 1997 » soutenue en 2000 à l'Université Sorbonne Nouvelle, elle a continué à s'intéresser à la vie économique britannique sur des questions tant macro-économiques que micro-économiques. Elle a ainsi codirigé, avec Olivier Frayssé, l'ouvrage *Entreprises et entrepreneurs face à leur environnement en Grande-Bretagne et aux États-Unis*, paru aux Presses Sorbonne Nouvelle en 2005. Depuis 2010, elle effectue des recherches sur l'histoire du groupe britannique Virgin, recherches qui l'ont conduite à la publication de : *Richard Branson, l'aventure Virgin*, Paris, Economica, 2011; « L'envol de Virgin Atlantic dans le contexte de la libéralisation de l'industrie aérienne au Royaume-Uni », dans Dominique Barjot et Marie-Claude Esposito (dir.), *Mondialisation, modèles nationaux de développement et stratégies d'entreprises, XIXe-XXe siècles*, Paris : SPM/L'Harmattan, 2016, p. 264-277; et « L'entrepreneur, sujet ou objet de la société entrepreneuriale ? Le cas de Richard Branson », dans Jacques-Henri Coste (dir.), *Les sociétés entrepreneuriales et les mondes anglophones : cultures, contextes, perspectives*, Paris, Presses Sorbonne Nouvelle, 2013, p. 41-59. Elle a présenté ses travaux lors des congrès de l'ASSI (Associazione Studi Storici sull'Impressa, Association italienne d'histoire des entreprises) à Milan en 2019; de l'Histoire des Entreprises en France à Paris en 2019; de l'EBHS (Economic and Business History Society) à Montréal en 2016; et de l'EBHA (European Business History Association) à Francfort en 2014.

**MICHEL HAU.** Né en 1943, Michel Hau a étudié l'Histoire à la Sorbonne de 1960 à 1965 puis à l'Université de Paris 10-Nanterre (Maîtrise en 1966, doctorat de 3e cycle en 1973). Recruté comme assistant à l'Université de Strasbourg en 1970, il a soutenu en 1985, sous la direction de Maurice Levy-Leboyer, à l'Université Paris 10-Nanterre, une thèse sur l'industrialisation de l'Alsace de 1803 à 1939. Il est devenu professeur d'Histoire économique et sociale à l'Université de Strasbourg en 1987. Il y est aujourd'hui professeur émérite. Michel Hau a publié des articles et des livres sur la croissance régionale à long terme en France, l'histoire des entreprises dans l'espace rhénan, l'économie allemande et la désindustrialisation en Europe de 1974 à nos jours.

**ESTHER M. SÁNCHEZ SÁNCHEZ** (esther.sanchez@usal.es) is Associate Professor of Economic History at the University of Salamanca, Spain. She received her PhD in Economic History from the University of Salamanca (jointly supervised with Sorbonne-Paris 4) in 2003, with a dissertation entitled *Il n'y a plus de Pyrénées! Francia ante el desarrollo económico y la apertura exterior de España, 1958-1969*. Her research has principally focused on French-Spanish relations during the 20th century (trade, investment, technological flows, tourism, migrations), as well as on the role of French multinationals (Renault, EDF, Saint-Gobain, L'Oréal) in Spanish socio-economic development and modernization. She is the author of the books *Rumbo al Sur. Francia y la España del Desarrollo, 1958-1969* (Madrid, CSIC, 2003) and *Historia del uranio en España, De la minería a la fabricación del combustible nuclear, c. 1900-1986* (Madrid, SNE, 2020, with Santiago López). Her most recent publications include articles in *Business History, Ayer, Journal of Contemporary History, Enterprise & Society, Revista de Historia Industrial, Hispania, Historia y Política* and *Industrial & Corporate Change.*

**HARM G. SCHRÖTER** has worked as a professor in Departments of Economics, History, and in Business Schools at Universities in Germany, USA, Norway, especially at the University of Bergen. His published on European economic and business history (cartelization, cultural conditions of economic development, FDI, co-operatives, labour movement, Americanization, and business groups). He served as President of European Business History Association and organized the First World Congress on Business History in 2016.

**FÉLIX TORRES** est un ancien élève de l'École Normale Supérieure (Saint-Cloud), agrégé d'Histoire, docteur en Anthropologie de l'École des Hautes Etudes en Sciences Sociales (EHESS), chercheur Habilité à Diriger des Recherches (HDR) associé à Sorbonne Université. Il est le directeur fondateur du cabinet d'histoire publique Public Histoire en 1983. Il a réalisé de nombreux historiques d'entreprises et d'institutions, récemment *L'intelligence de l'entreprise. 40 ans de pensée patronale en France* (Paris, Manitoba/Les Belles Lettres, 2016) ; *L'entreprise post-RSE. A la recherche de nouveaux équilibres* (Paris, Institut de l'Entreprise, 2018, préface de Luigi Zingales et Oliver Hart, Prix Nobel d'Économie 2016). Il a publié en 2020 la biographie *René Ravaud. Une vie pour l'industrie*, Paris, First Éditions, Prix Jacques Paul de l'Académie nationale des Sciences, Belles-Lettres et Arts de Bordeaux et, avec Michel Hau, *Le virage manqué. 1974-1984 : ces dix années où la France a décroché*, Paris, Manitoba/Les Belles Lettres, Prix Édouard Bonnafous de l'Institut de France ; et en 2021, *Que peut l'entreprise ?*, Paris, Institut 2IES/collection « Les Ozalids d'Humensis ». Il travaille aujourd'hui sur la globalisation des entreprises et leurs transformations, l'activité des entreprises françaises en Chine et en Extrême-Orient et prépare un ouvrage sur l'histoire publique en entreprise.

**BORIS VINOGRADOV**, docteur en Histoire. Travaille sur les sujets liés à l'histoire économique, histoire des relations entre la Russie, la France et les pays européens. Auteur de six publications scientifiques. Chercheur postdoctoral à l'Université de Nantes (UMR 6025 CENS). Secrétaire scientifique du groupe de recherche international EURUS, Centre Roland Mousnier (UMR 8596). Auteur des contributions : "French banks in the USSR 1950-1990 and their participation in the East-West industrial projects", dans David Feest, *Geld Prestige, Verantwortung*, Kiel, Édition Solivagus, 2020, p. 181-195 et « Transferts de technologie entre l'URSS et la France, 1954-1991 », in Dominique Barjot, *Transmission et circulation des savoir scientifiques et techniques*, Paris, Édition de CTHS, p. 327-338.

REVUE FRANÇAISE
D'HISTOIRE ÉCONOMIQUE

N° 15

# In memoriam

THE FRENCH ECONOMIC
HISTORY REVIEW

N° 15

# In memoriam

Pour mémoire

# Bertrand Collomb
## 1942-2019

# À la tête du groupe Lafarge, un chef d'entreprise humaniste dans la mondialisation

Président directeur général du groupe Lafarge de 1989 à 2003, président de 2003 à 2007 puis président d'honneur, homme d'action et esprit éclairé, Bertrand Collomb a été l'une des grandes figures du capitalisme français dans la deuxième mondialisation de la fin du XXe – début du XXIe siècle. Une mondialisation qu'il aura, pendant ses quinze années à la tête de Lafarge – groupe aujourd'hui disparu – à la fois relayée, humanisée mais aussi subie. Né à Lyon, fils et petit-fils de polytechniciens, cet X-Mines réalise d'abord un passage classique dans des postes administratifs et ministériels (Service régional de Metz du ministère de l'Industrie, Délégation à l'Informatique, cabinets d'Alain Peyrefitte et de René Haby). Très tôt, ce catholique adhère à la pensée de Teilhard de Chardin qui dominera « son esprit, ses réflexions, ses actions jusqu'à la fin de sa vie » (lettre de son fils Olivier à F. Torres du 14 septembre 2019). D'où sa future démarche en faveur du fédéralisme européen et de la mondialisation : il sera « mondialiste et donc très américanophile : pour lui la civilisation américaine allait unifier le mode » (*ibid.*). Son séjour à l'université d'Austin en 1971 l'introduit au management et conforte ce tropisme américain qui verra ce passionné de cheval acquérir avec son épouse un ranch en Virginie quand il dirigera Lafarge Corporation dont le siège social se trouvait dans cet État, à Reston, non loin de Washington.

Entré chez Lafarge en 1975, directeur régional, directeur général, puis président de Ciments Lafarge France, il redresse et réorganise, à partir de 1985, General Portland, acquis par le groupe aux États-Unis, d'autant plus en difficulté que son dirigeant américain a mis fin à ses jours, réalise sa fusion avec les activités canadiennes au sein de Lafarge Corporation. Cette double réussite lui permet de succéder à Olivier Lecerf à la tête de ce qui s'appelle alors Lafarge Coppée. Au sein du triumvirat qu'il forme avec Bernard Kasriel (ancien prétendant à la succession, qui dirigera quelques années le groupe au début des années 2000) et Jacques Lefebvre, Bertrand Collomb conduit activement la multinationale française dans la globalisation du tournant des XX^e^ - XXI^e^ siècles. Longtemps corseté par le contrôle des prix et des changes, les réglementations nationales, le monde cimentier s'ouvre brutalement à l'instar de l'économie mondiale. Fort de son apprentissage dans les économies dérégulées du Canada et des États-Unis des années 1950 aux années 1980, Lafarge accède à un espace global multiplié par trois ou quatre. Porté par le boom de la construction mondiale et donc de la demande de ciment et de matériaux de construction, le groupe plante partout ses drapeaux, en Europe, dans l'ex-Allemagne de l'Est et en Pologne, en Asie (en Chine et Corée du Sud notamment), dans les pays émergents (Maroc, Turquie), etc.

Catholique pratiquant soucieux du rôle des hommes dans l'entreprise, dans la lignée de la démarche Lafarge forgée avant lui par Marcel Demonque, puis Olivier Lecerf avec les *Principes d'action*, aidé par les conceptions du professeur belge Philippe de Woot, Bertrand Collomb développe une vision humaniste de l'entreprise et du management dans son groupe et à l'extérieur, proposant le modèle d'une entreprise européenne plutôt qu'anglo-saxonne, équilibrée, attentive à ses collaborateurs comme à son environnement au sens large du terme. Il multiplie et favorise ainsi les réflexions personnelles et collectives, sur le management interculturel, le leadership dans l'entreprise, le développement durable ; de 1996 à 2001, président de l'Institut de l'Entreprise, lieu de réflexion avancé du patronat depuis les années 1970, il relance celui-ci en quête d'un nouveau souffle après le départ de son directeur emblématique, Michel Drancourt, en nommant notamment à sa tête Jean-Pierre Boisivon. Le 10 décembre 2001, il est élu à l'Académie des sciences morale et politiques. L'un des rares dirigeants présents à la conférence de Rio en 1992, Bertrand Collomb introduit la dimension environnementale dans son groupe[1] : signature en 2000 d'un partenariat mondial entre WWF et le groupe Lafarge, adhésion au World Business Council for Sustainable Development (qu'il présidera par la

1 – « Les défis du changement climatique. Regard d'un industriel et d'un homme d'entreprise », in *La Science et le Débat public*, Actes Sud / IHEST, 2012.

suite), participation à la commission Coppens qui élabore en 2003 une *Charte de l'environnement* inscrite dans la constitution.

Avec ses deux ouvrages principaux, *Plaidoyer pour l'entreprise* (2010) et *L'entreprise humainement responsable* (2011) ainsi que dans de nombreux articles et interventions, Bertrand Collomb cherche à inscrire, avec l'appui de son conseil d'administration, l'efficacité économique et ses résultats dans le temps long de l'innovation et de l'industrie. Il va cependant buter sur l'écueil de la financiarisation de l'entreprise. À propos de laquelle il dira qu'elle occupe dorénavant une part de plus en plus grande de son agenda *via* la nécessité de rendre compte aux analystes financiers des résultats quotidiens et notamment de la progression du résultat par action : « Ma réponse a été simple : si les résultats n'augmentent pas, les investisseurs ne viendront pas[2]. »

Le parcours de Lafarge, marqué par la course à la taille va s'en ressentir. Les acquisitions des britanniques Redland (1997) et surtout Blue Circle (2001), puis de l'égyptien Orascom (2007) accroissent l'endettement du leader mondial des matériaux de construction. Cédant la plupart de ses diversifications, Lafarge se recentre sur le socle cimentier avant qu'éclatent la crise de 2008 et le printemps des pays arabes. Réalisée par Bruno Lafont, le successeur désigné par Bertrand Collomb, la dernière opération fait entrer des actionnaires, Nassef Sawiris, Albert Frère et Paul Desmarais qui pèseront dans la fusion avec le suisse Holcim à partir de 2014. Dans une logique d'effet d'échelle et d'importations accrues, Bertrand Collomb, désormais président d'honneur et administrateur entérine celle-ci afin de voir émerger un ensemble européen équivalent aux géants mondiaux actuels et à venir, chinois notamment : « L'histoire dira si nous avons eu tort ou raison » (communication personnelle à F. Torres). La constitution de LafargeHolcim tourne à l'avantage du second partenaire. Cela se produit avant même que survienne la calamiteuse affaire syrienne qui voit Lafarge accusé de collusion avec le djihadisme. Cette évolution redoutée assombrira les dernières années de celui qui, préparant ses Mémoires (avec l'aide de Félix Torres, désormais interrompues), avait voulu construire une entreprise mondiale humaine et responsable. Le défi reste ouvert.

**Félix Torres**

2 – « La relation avec les actionnaires dans une multinationale française », Séminaire École de Paris du management, 30 juin 1995.

## Bertrand Collomb, bibliographie sélective


### Ouvrages et contributions à des ouvrages

(Avec Michel Drancourt), *Plaidoyer pour l'entreprise*, Paris, Éditions François Bourin, 2010.

(Avec le frère Samuel Rouvillois), *L'entreprise humainement responsable*, Paris, Desclée de Brouwer, 2011.

« Les défis du changement climatique. Regard d'un industriel et d'un homme d'entreprise », in *La Science et le Débat public*, Questions vives, Arles, Actes Sud / IHEST, 2012.

(Direction de) *La France dans le monde*, 3 tomes, Débat public, Collection de l'Académie des sciences morales et politiques, Paris, Hermann, 2015.

### Articles, interventions publiées, préfaces et postfaces

« L'industrie européenne du ciment au XXe siècle », *Entreprises et histoire*, vol. 3, n° 1, 1993, pp. 97-111.

« Entreprise, humanisme et mondialisation », *L'État de la France.2, Revue des Sciences morales et politiques*, PUF, octobre 2001, p. 137-156.

« Entreprise internationale et diversités culturelles », dossier « Les différences culturelles », *La jaune et la rouge*, n° 624, avril 2007.

« Grandes écoles et excellence scientifique », *Commentaire*, n° 126, été 2009, p. 451-462.

Postface à Denis Cristol, Catherine Laizé et Miruna Radu Lefebvre dir., *Leadership et management : être leader, ça s'apprend !*, coll. « Méthodes & Recherches Management », Bruxelles, De Boeck, 2011.

« Compétitivité et industrie », *Commentaire*, n° 137, printemps 2012, p. 99-100.

« Du bon usage de la finance », *Futuribles*, n° 384, avril 2012, p. 63-66.

« Economie libérale et solidarité sociale », *Futuribles*, n° 388, septembre 2012, p. 73-77.

« L'efficacité économique de l'entreprise doit contribuer au bien commun », in dossier « L'entreprise dans la société », *La jaune et la rouge*, n° 690, décembre 2013.

« La culture générale est indispensable à la formation des futurs dirigeants », in dossier « L'X et les humanités », *La jaune et la rouge*, n° 701, janvier 2015.

*In Memoriam*

# Yves Lequin

## 1935-2020

Yves Lequin, l'un de nos tous meilleurs spécialistes de l'histoire sociale de la France et de l'Europe occidentale est décédé à Lyon le 23 décembre 2020[1]. Professeur émérite d'Histoire contemporaine à l'Université Lyon-II, Yves Lequin était né en 1935. Agrégé d'histoire, docteur ès-lettres, il s'était spécialisé dans l'étude des sociétés industrielles et urbaines des XIX$^e$ et XX$^e$ siècles. Il a participé à la *Cambridge Economic History of Europe* et à *l'Histoire économique et sociale du monde* et a dirigé l'*Histoire des Français XIX$^e$-XX$^e$ siècles*. Il avait ainsi acquis un exceptionnel rayonnement international, dont témoigne notamment l'un des derniers ouvrages auquel il ait pris part : Yves Lequin, Jean-Jacques Becker, Serge Berstein, François Caron, Françoise Cribier, Patrick Fridenson, François Loyer, John Merriman, Michelle Perrot, Antoine Prost, *Ouvriers, villes et société. Autour d'Yves Lequin et de l'histoire sociale*, Paris, Nouveau Monde Éditions, 2005, 296 p. Comme le soulignent Patrick Fridenson et Hervé Joly, qui l'ont bien connu, il est largement « l'historien de la Mosaïque France ».

Yves Lequin est décédé à 85 ans des suites d'une maladie neurologique qui l'avait tenu éloigné du monde académique et dont, avec toute la lucidité dont mieux que d'autres il savait faire preuve, il avait beaucoup souffert, dans une dignité exemplaire. Originaire de Saône-et-Loire, il avait, fait une khâgne du lycée du Parc, puis préparé l'agrégation, qu'il avait obtenue en 1960. Cela lui avait

1 – Patrick Fridenson et Hervé Joly, « Yves Lequin. Historien de la mosaïque France », *Le Monde*, 30 décembre 2020, https://www.lemonde.fr/disparitions/article/2020/12/28/l-historien-yves-lequin-est mort_6064661_3382.html

valu d'enseigner quelques années au lycée d'Annecy, avant de revenir à Lyon, où il fit ensuite toute sa carrière. Avant même que de se lancer dans la préparation de l'agrégation, il avait rédigé et soutenu avec brio un diplôme d'études supérieures consacré à la fin de la Fabrique de soierie. Sous la direction de son maître Pierre Léon, il s'était engagé aussitôt, comme beaucoup d'entre nous à l'époque, dans la préparation d'une thèse d'État, achevée, après un passage au CNRS, en 1975 et intitulée *Les ouvriers de la région lyonnaise (1848-1914)*[2].

Dans la droite ligne de Pierre Léon, lui et son collègue moderniste Maurice Garden s'imposent comme les leaders d'une école lyonnaise d'histoire économique et sociale bien ancrée sur son territoire et solidement fondée sur le quantitatif. Yves Lequin renouvelle ainsi notre vision du monde ouvrier, à partir de structures élémentaires telles que la parenté, les migrations, le métier, l'entreprise. Cette histoire ne rechigne pas à l'érudition, ainsi dans les notices individuelles pour qu'Yves Lequin rédige pour le dictionnaire de Jean Maitron. Il s'agit d'une histoire du social entendue au sens large, où les femmes, les étrangers, leur rapport à la République trouvent toute leur place. Elle passe aisément des campagnes aux villes et à la société, des structures sociales aux représentations et à la mémoire. Autour d'Yves Lequin, l'histoire urbaine se renouvelle en profondeur et perfectionne ses méthodes, dans une perspective de comparaison internationale qu'illustrent bien les travaux de Jean-Luc Pinol[3]. Il en va de même pour l'histoire la santé, domaine dans lequel, formé par Yves Lequin encore, Olivier Faure a produit une œuvre abondante et originale[4].

Élu professeur à l'université Louis Lumière Lyon 2 dès 1976, Yves Lequin s'y imposé en effet comme un véritable patron, ouvrant sans cesse de nouveaux chantiers collectifs. Il a dirigé un nombre considérable de travaux d'étudiants (44 thèses soutenues sous sa direction). Il les a orientés, non seulement vers l'histoire ouvrière, mais aussi vers l'étude des quartiers urbains, des migrations, de la santé, des entreprises, du patrimoine industriel, des loisirs et de la Seconde Guerre mondiale. Promoteur d'une interdisciplinarité ouverte à l'ensemble des sciences sociales, il a ainsi coordonné une vaste enquête collective sur la ville ouvrière de Givors frappée par la désindustrialisation et appuyée largement sur l'histoire orale.

Yves Lequin a aussi tissé de vastes réseaux internationaux, allant de l'Italie à la Grande-Bretagne et de l'Allemagne aux États-Unis. Ces réseaux ont conféré au séminaire du samedi du Centre Pierre Léon qu'il a dirigeé longtemps un rayon-

2 – Yves Lequin – *Les ouvriers de la région lyonnaise (1848-1914)*, 1977, t. 1, *La formation de la classe ouvrière régionale*, t.2, *Les intérêts de classe et la République* Lyon, Presses universitaires de Lyon, 1977, 573 p.

3 – Jean-Luc Pinol, *Les Mobilités de la grande ville : Lyon fin XIX*e*-première moitié du XX*e, Paris, Presses de la Fondation nationale de sciences politiques, 1991.

4 – Olivier Faure, *Genèse de l'hôpital moderne*, Paris/Lyon, CNRS/Presses universitaires de Lyon, 1982 ; *Les Français et leur médecine au* XIXe *siècle*, Paris, Belin, 1993 ; *Histoire sociale de la médecine en France XVIII*e*-XX*e *siècle*, Paris, Economica, 1994.

nement exceptionnel. Membre actif du comité éditorial de la revue *Le Mouvement social*, il a acquis en ce domaine une immense notoriété, grâce notamment à la direction d'ouvrages comme l'*Histoire des Français. XIX^e^-XX^e^ siècles* en trois volumes, parue chez Armand Colin en 1983 et 1984[5], *Les Malheurs des temps*, ouvrage publié chez Larousse en 1987[6], avec Jean Delumeau, *La Mosaïque France* (1988)[7]. Ces ouvrages lui ont valu une grande notoriété (participations à l'émission *Apostrophes*, recrutement à l'Institut universitaire de France). Créateur de la Maison Rhône-Alpes des sciences de l'homme en 1989, il a été l'un des pionniers du développement en province des Maisons des sciences de l'homme, pôles de recherche pluridisciplinaires : sous son impulsion, la structure lyonnaise est devenu un modèle pour celles crées ensuite à Grenoble, à Saint-Etienne et même à Chambéry.

Subtil négociateur, Yves Lequin ne se sentait pas enfermé dans les *a priori* idéologiques. Son ouverte et son indépendance d'esprit ne lui ont pas fait que des amis à l'université Lyon 2 à laquelle il était pourtant resté fidèle jusqu'au bout. Certes homme de pouvoir, il était cependant un libéral au sens où l'entendent les Nord-américains. Président du comité scientifique du Centre d'histoire de la Résistance et de la Déportation fondé à Lyon en 1992, il a beaucoup souffert, à la fin de sa carrière, par la polémique, survenue en 1999, dans un contexte local délétère, à propos de l'un de ses anciens étudiants devenu éditeur d'une revue négationniste. On le sait, Henry Rousso, en 2004, dans un rapport sur les affaires touchant les universités lyonnaises, a montré clairement que le manque de vigilance qui lui était reproché en tant que directeur de recherches, n'était pas établi. Très affecté par cette affaire, qu'il a vécu comme une épreuve douloureuse, Yves Lequin, rapidement atteint par les premiers symptômes de la maladie, n'a pas eu le temps d'écrire le livre sur l'histoire des ouvriers au XX^e^ siècle dont il avait largement jeté les bases. C'est avec beaucoup de douleur que l'auteur de ces lignes a appris le décès d'Yves Lequin, avec qui il avait beaucoup travaillé dans le passé, notamment pour monter en puissance la MRASH Rhône-Alpes. Il laissera le souvenir d'un grand historien du social et de la ville, toujours d'une grande humanité et d'une grande tolérance. Son départ laisse un grand vide, mais nous montre le chemin de l'avenir.

**Dominique Barjot**

5 – Yves Lequin, *Histoire des Français XIX^e^-XX^e^ siècles*, Paris, Armand Colin, 1983-1984, 3 vol. 3 vol., 587p., 622 p. et 523p.

6 – Jean Delumeau et Yves Lequin, *Les Malheurs des temps*, Paris, Larousse, 1987, 519 p.

7 – Yves Lequin (dir.), *La mosaïque France, Histoire des étrangers et de l'immigration en France*, Paris, Larousse, 1988, 480 p.

In Memoriam

# Aimée Moutet

## 1936-2020

Aimée Moutet est décédée le 25 octobre 2020, à Puteaux, à l'âge de quatre-vingt-quatre ans. Universitaire et historienne française, elle s'est fait connaître en tant que spécialiste des questions d'organisation de la production et du travail dans les entreprises industrielles[1]. Née à Paris le 1er mai 1936, elle eut pour père Marius Moutet (1876-1968), député socialiste du Rhône, puis de la Drôme, ministre des Colonies sous le Front populaire, ministre de l'Outre-mer, à l'époque du Tripartisme, dans les gouvernements Félix Gouin, Georges Bidault, Léon Blum et Paul Ramadier, du 26 janvier 1946 au 22 octobre 1947, puis sénateur de la Drôme. Il fut l'un des quatre-vingt parlementaires à avoir refusé les pleins pouvoirs au maréchal Pétain en juillet 1940.

Aimée Moutet est d'abord professeur d'histoire au lycée. En même temps, elle s'intéresse à des recherches sur le syndicalisme ouvrier en France, en démontrant, contrairement à l'opinion acquise jusqu'alors, qu'à Paris, le mouvement syndical s'est rapidement reconstitué après la répression de la Commune en 1871. Après mai 1968, elle milite au sein d'un groupe d'enseignantes se définissant comme contestataires, féministes et chrétiennes. Devenue maîtresse de

1 – Patrick Fridenson, « La mort d'Aimée Moutet, historienne spécialiste de l'entreprise », *Le Monde*, n° 23577, 28 octobre 2020, p. 30 (lire en ligne (https://www.lemonde.fr/disparitions/article/2020/10/20/la-mort-d-aimee-moutet-historienne-specialiste-de-l-entreprise_6056721_3382.html)), consulté le 14 février 2021.

conférences à l'université Paris XIII, elle s'intéresse désormais à l'histoire des patrons et ingénieurs en France de 1880 à 1939 et leur adaptation au taylorisme et au fordisme venus des États-Unis. Elle en fait le sujet d'une thèse de doctorat soutenue en 1992, sous le titre *La rationalisation industrielle dans l'économie française au XX^e^ siècle : étude sur les rapports entre changements d'organisation technique et problèmes sociaux 1900-1939.*

Elle en tire son premier livre *Les Logiques de l'entreprise. La rationalisation dans l'industrie française de l'entre-deux-guerres*, Paris, Éditions de l'EHESS, 1997, 496 p. S'il ne dispense pas totalement de revenir à la thèse de doctorat, cet ouvrage connaît un grand retentissement dans la communauté scientifique. A. Moutet y met en lumière l'adaptation globale des entreprises industrielles françaises (espace, machines, contrôle de la main-d'œuvre…), les débats et les conflits qui en résultent entre les patrons de l'industrie, les ingénieurs, les contremaîtres et les ouvriers. Elle montre comment syndicats, associations d'ingénieurs, experts et universitaires ont dû se positionner, réviser leurs connaissances et certitudes et reconstruire des stratégies. Ensuite, A. Moutet porte son intérêt sur l'histoire des entreprises, de l'après-guerre aux années 1990, en particulier sous l'angle des nouveaux risques du travail et des efforts déployés pour les réduire. Elle publie notamment, en 1994, un ouvrage sur l'histoire de l'Association pour l'amélioration des conditions de travail (ANACT), agence créée en 1973[2]. Auteure de nombreux articles de revues scientifiques ou de contributions à ouvrages collectifs[3], elle a codirigé plusieurs ouvrages portant sur la santé au travail, l'ergonomie et les normes de temps : ainsi *Le travail nous est compté*, Paris, La Découverte, 2005[4].

**Dominique Barjot**

**2** – Aimée Moutet, *Histoire de l'ANACT : vingt ans au service de l'amélioration des conditions de travail*, Paris, Éditions Syros, 1994.

**3** – Par exemple, récemment : Aimée Moutet et Emmanuel Quenson, « 3 : Formation professionnelle et formation technique au cours des Trente Glorieuses », dans Jacqueline Costa-Lascoux, Geneviève Dreyfus-Armand et Émile Temime (dir.), *Renault sur Seine. Hommes et lieux de mémoires de l'industrie automobile*, Paris, La Découverte, 2007, p. 55-96.

**4** – Danièle Linhart et Aimée Moutet (dir.), *Le travail nous est compté*, Paris, La Découverte, 2005.

## CONSIGNES ÉDITORIALES

### Soumission des articles

Les manuscrits doivent être envoyés au Comité de rédaction qui les transmettra au Comité de lecture de la Revue. Ils peuvent être renvoyés à leurs auteurs pour correction et, une fois acceptés, les manuscrits sont insérés dans le projet éditorial établi par le Comité de rédaction.

### Recommandations

- Les manuscrits sont à envoyer en version papier (1 exemplaire) accompagnée d'un CD-Rom et complété par un envoi fichier à l'adresse mail suivante : arfhe@gmail.com
- Ils doivent comporter le nom de l'auteur, une adresse postale précise, un numéro de téléphone et une adresse électronique.
- Les manuscrits ne doivent pas excéder 60.000 signes (caractères et espaces compris) ou 10.000 mots ; ils intègrent un résumé de l'article d'environ 700 signes (caractères et espaces compris) ou 120 mots ainsi qu'une mini biographie (comprenant quelques publications marquantes) d'environ 700 signes (caractères et espaces compris) ; les résumés et mini biographies sont bilingues franco-anglais.

Les normes typographiques de la *Revue française d'Histoire économique* sont conformes à celle utilisées par les Presses Universitaires de Paris Sorbonne (PUPS) consultables à l'adresse suivante : http://www.clea.paris-sorbonne.fr/PUPS/PUPSnormes.pdf

## EDITORIAL INSTRUCTIONS

### Submission

Manuscripts sent to the Editorial committee will be transmitted to the Reading Committee of the Review. Manuscripts can be sent back to their authors for correction. Once accepted, manuscripts will be inserted into the editorial project established by the Editorial committee.

### Recommendations

- Manuscripts should be submitted in paper version (1 copy) with a CD-ROM together with an electronic file. Please note the following e-mail address: arfhe@gmail.com
- Manuscripts should include a title page with author's name and contact information (mailing address, phone number and e-mail address).
- Manuscripts in 12-point Times New Roman should not exceed 35 000 characters including spaces (5 500 words).
- Manuscripts should include an abstract of 700 characters or less including spaces (100 words or less) and a mini biography including some significant publications (700 characters or less including spaces). Summaries and mini biographies should be bilingual (French-English).

The English typographical requirements of *The French Economic History* Review are in compliance with that used by the Chicago Manual of Style: http://www.chicagomanualofstyle.org/16/contents.html

## BULLETIN D'ADHÉSION

À retourner accompagné de votre règlement à l'adresse postale suivante :

**Association des Amis de la Revue française d'Histoire économique**
**Professeur Dominique BARJOT**
**Maison de la Recherche**
**Sorbonne Université**
**28, rue Serpente 75006 Paris France**
**arfhe@laposte.net**

Nom, Prénom : ..........

Profession/Institution : ..........

Adresse : ..........

Téléphone : ..........

E-mail : ..........

Je m'abonne pour l'année : ..........

Chaque abonnement donne droit à la livraison des 2 numéros annuels de la revue

| | FRANCE | ÉTRANGER * |
|---|---|---|
| Particuliers (frais d'envoi inclus) | ❒ 1 an = 70 €<br>❒ 2 ans = 120 € | ❒ 1 an = 80 €<br>❒ 2 ans = 150 € |
| Institutions (frais d'envoi inclus) | ❒ 1 an = 170 €<br>❒ 2 ans = 330 € | ❒ 1 an = 190 €<br>❒ 2 ans = 360 € |
| Particuliers : Abonnement + adhésion à l'Association des Amis de la RFHE (frais d'envoi inclus) | ❒ 1 an = 65 €<br>❒ 2 ans = 115 € | ❒ 1 an = 75 €<br>❒ 2 ans = 140 € |
| Institutions : Abonnement + adhésion à l'Association des Amis de la RFHE (frais d'envoi inclus) | ❒ 1 an = 160 €<br>❒ 2 ans = 320 € | ❒ 1 an = 180 €<br>❒ 2 ans = 350 € |
| Prix à l'unité | 35 €<br>(frais d'envoi inclus) | 40 €<br>(frais d'envoi inclus) |

* Pour les abonnements à l'étranger, les chèques ne sont pas acceptés et les souscriptions se font par virement international à l'adresse suivante :

**Banque :** Crédit Mutuel, CME Paris Quartier Latin,
69 boulevard Saint-Germain 75005 PARIS FRANCE

**Titulaire :** Association des Amis de la Revue française d'Histoire économique
Account Currency : 00020706401
Account Number IBAN : FR76 1027 8065 0000 0207 0640 135
BIC (SWIFT) Code : CMCIFR2A

## SUBSCRIPTIONS

To return accompanied with your regulation to the:

**Association des Amis de la Revue française d'Histoire économique**
**Professor Dominique BARJOT**
**Maison de la Recherche**
**Sorbonne Université**
**28, rue Serpente 75006 Paris France**
**arfhe@laposte.net**

Name: ..........................................................................................

Profession/Institution: ..........................................................................................

Adress: ..........................................................................................

Phone: ..........................................................................................

E-mail: ..........................................................................................

I subscribe for year: ..........................................................................................

All subscriptions are entered for two issues on a calendar year basis running from January to December

| | FRANCE | ÉTRANGER* |
|---|---|---|
| Individuals<br>(inclusive forwarding charges) | ❒ 1 year = 70 €<br>❒ 2 years = 120 € | ❒ 1 an = 80 €<br>❒ 2 years = 150 € |
| Institutional Subscribers<br>(inclusive forwarding charges) | ❒ 1 year = 170 €<br>❒ 2 years = 330 € | ❒ 1 year = 190 €<br>❒ 2 years = 360 € |
| Individuals: Members + Society for the French Economic History Review membership (inclusive forwarding charges) | ❒ 1 year = 65 €<br>❒ 2 years = 115 € | ❒ 1 year = 75 €<br>❒ 2 years = 140 € |
| Institutions: Members + Society for the French Economic History Review membership (inclusive forwarding charges) | ❒ 1 year = 160 €<br>❒ 2 years = 320 € | ❒ 1 year = 180 €<br>❒ 2 years = 350 € |
| Unit price | 35 € (inclusive forwarding charges) | 40 € (inclusive forwarding charges) |

* Full pre-payment in EUR (€) is required for all orders by bank transfer:

**Bank:** Crédit Mutuel, CME Paris Quartier Latin,
69 boulevard Saint-Germain 75005 PARIS FRANCE

**Account:** Association des Amis de la Revue française d'Histoire économique
Account Currency: 00020706401
Account Number IBAN: FR76 1027 8065 0000 0207 0640 135
BIC (SWIFT) Code: CMCIFR2A

www.ingramcontent.com/pod-product-compliance
Lightning Source LLC
LaVergne TN
LVHW050656051026
849532LV00002B/658